L'AMOUR COURTOIS

L'AMOUR COURTOIS
Une anthologie

*Choix de textes, traduction, présentation, notices, notes,
index, chronologie et bibliographies
par*
Claude LACHET

GF Flammarion

Claude Lachet, professeur émérite de langue et littérature françaises du Moyen Âge de l'université Lyon 3, est spécialiste de la chanson de geste (notamment *Charroi de Nîmes* et *Prise d'Orange*, dont il a proposé des éditions bilingues) et du roman des XIIe et XIIIe siècles (romans de Chrétien de Troyes, romans d'aventures en vers, en particulier *Sone de Nansay*, et romans du Graal). Déjà coauteur avec Jean Dufournet de *La Littérature française du Moyen Âge* (GF-Flammarion, 2003, 2 vol.), il a également publié *Les Métamorphoses du Graal* (GF-Flammarion, 2012).

© Flammarion, Paris, 2017.
ISBN : 978-2-0813-7744-8

À ma Dame.
À mes amis Annie, Philippe et Aurélie.

« D'amer est mervilleuse cose. »

Amadas et Ydoine, v. 291.

PRÉSENTATION

La naissance de la courtoisie

Au cours du XIIe siècle, on constate dans le royaume de France une évolution des mentalités, l'essor d'une nouvelle civilisation, d'un nouveau raffinement moral que l'on a coutume d'appeler la « courtoisie ». Ce substantif dérivé du terme médiéval *cort* (« la cour ») désigne la vie délicate et élégante de relations propres aux nobles évoluant dans les cours royales, princières et seigneuriales. La courtoisie représente ainsi l'idéal éthique, érotique et esthétique, l'art de vivre et d'aimer des aristocrates. Apparue dès le milieu du XIe siècle dans le Sud, une région plus indépendante que le Nord de l'autorité du souverain et de l'Église, plus marquée par le monde arabe et oriental et moins accaparée par l'instinct guerrier, la courtoisie (*cortezia* en langue d'oc, parlée dans les régions situées au sud de la Loire) se propage ensuite dans les territoires de langue d'oïl, au nord de la Loire, sous l'influence d'Aliénor d'Aquitaine et de ses filles, Marie, comtesse de Champagne, et Aélis, comtesse de Blois. La cour anglo-angevine, rassemblée autour de la reine de France puis d'Angleterre, et la cour champenoise notamment favorisent les rencontres et les échanges entre les poètes et contribuent à la diffusion sur le continent de la matière antique, des contes et légendes celtiques et des chansons des troubadours [1].

---

1. Jean Frappier, « Vues sur les conceptions courtoises dans les littératures d'oc et d'oïl au XIIe siècle », *Cahiers de civilisation médiévale*,

La *cortezia* véhiculée par ces derniers repose sur deux principes essentiels : la *mezura* et la *joven*[1]. La *mezura* qualifie la mesure, la maîtrise de soi, la modération des désirs, la modestie et la patience, tandis que la *joven* (au sens propre la « jeunesse ») désigne la disponibilité spontanée à se montrer généreux, brave et galant, la capacité à *donoier*, à pratiquer le *donoi*, c'est-à-dire à courtiser les dames. L'être courtois, jeune et beau, allie les qualités chevaleresques du héros épique (force, vaillance, habileté à conduire son destrier et à manier les armes, loyauté et piété) et les vertus mondaines (élégance, politesse exquise, largesse, esprit, goût de la conversation, grâce des manières, respect des bienséances, intérêt pour les arts). Il cherche plus à plaire qu'à combattre, plus à séduire qu'à vaincre. Si l'idéologie féodale et religieuse, célébrée dans les chansons de geste, contraignait le protagoniste à sacrifier toute vie personnelle pour accomplir ses devoirs envers son lignage, son suzerain et son Dieu, la courtoisie le pousse désormais à songer aussi à lui, à connaître tous les plaisirs aristocratiques d'une existence de luxe, de beauté et de culture. L'idéal courtois prône donc non plus l'action pour le bien de la collectivité, mais la quête individuelle du bonheur, et du bonheur par l'amour. Sans affirmer, comme Régine Pernoud, que l'amour est une « invention du XIIe siècle[2] », il convient pourtant de souligner que l'amour est au cœur même de la création lyrique des troubadours (qui sont à la fois

---

2e année, 1959, p. 135-156, repris dans *Amour courtois et Table ronde*, Genève, Droz, 1973, p. 1-31.

1. Moshé Lazar, *Amour courtois et « fin'amors » dans la littérature du XIIe siècle*, Klincksieck, 1964, p. 28-46.

2. Régine Pernoud, *La Femme au temps des cathédrales*, Stock, 1980, p. 111. « L'amour, cette invention du XIIe siècle... » est le titre du quatrième chapitre de la deuxième partie.

poètes de langue d'oc, musiciens composant les mélodies et parfois interprètes) et des trouvères, leurs équivalents en langue d'oïl. Les uns et les autres *trouvent* au sens médiéval du verbe, autrement dit ils inventent une poésie destinée à être chantée. La *canso* (chanson) des troubadours, qui font preuve de subtilité dans le style, l'alternance des rimes et l'exécution musicale n'est pas un genre à forme fixe : elle comprend cinq à sept *coblas* (couplets) et une strophe finale plus courte, appelée *tornada* (envoi) ; même s'ils sont moins virtuoses que leurs devanciers, les trouvères introduisent souvent un refrain dans leurs poèmes. Comme leurs prédécesseurs, ils y développent leurs sentiments contradictoires liés à la *fine amor*.

L'expression « amour courtois »

Pour qualifier cet amour délicat, dévoué, réservé à une élite sociale, les critiques usent traditionnellement de l'expression « amour courtois », bien qu'elle soit extrêmement rare sous la plume des poètes du XIe au XVe siècle. Jean Frappier n'avait trouvé dans les chansons des troubadours qu'un seul exemple, *cortez'amors*, chez Peire d'Alvernhe [1]. On remarque une autre occurrence de ce tour dans le roman d'aventures *Sone de Nansay* pour désigner le tendre badinage sentimental, semblable au flirt unissant Gauvain et Lunete dans le *Chevalier au lion* [2], auquel Sabine, la suivante d'Yde de Donchery, convie Henri, le frère du héros éponyme :

---

1. Jean Frappier, *Amour courtois et Table ronde*, p. 4.
2. Chrétien de Troyes, *Le Chevalier au lion*, éd. M. Roques, Honoré Champion, 1965, v. 2443-2444 : *Ensi cil dui s'antr'acointoient,/ Li uns a l'autre se donoient* (« C'est ainsi que ces deux-là liaient connaissance et se courtisaient »).

> *Et Sabine apiella Henri :*
> « *Henri, venés cha, si m'amés,*
> *Courtoise amour i trouverés.* »

> De son côté Sabine a appelé Henri :
> « Henri, venez ici, aimez-moi,
> vous y trouverez un amour courtois [1]. »

À l'époque contemporaine c'est Gaston Paris qui emploie pour la première fois cette formule dans un article consacré au *Chevalier de la charrette*, publié en 1883 dans la revue *Romania* [2] : « Dans aucun ouvrage français, autant qu'il me semble, cet amour *courtois* n'apparaît avant le *Chevalier de la Charrette.* » Pour mettre en relief l'aspect novateur de la tournure, le célèbre médiéviste utilise l'italique pour l'adjectif *courtois* ; il y renonce cinq ans plus tard dans un article paru dans le *Journal des savants*, comme s'il considérait que, le syntagme « amour courtois » étant désormais consacré, il n'était plus utile de recourir à un caractère spécifique [3].

Pour créer cette expression, Gaston Paris a pu songer aux fameuses « cours d'amour », sortes d'assemblées galantes qui débattaient de questions de casuistique amoureuse et prononçaient des jugements, ou se souvenir de deux vers du *Chevalier de la charrette* :

---

1. *Sone de Nansay*, trad. C. Lachet, Champion, 2012, éd. C. Lachet, Champion, 2014, v. 8548-8550.
2. Gaston Paris, « Études sur les romans de la Table ronde. Lancelot du Lac. *Le Conte de la charrette* », *Romania*, XII, 1883, p. 459-534 (citation p. 519). Ce paragraphe doit beaucoup à l'article de Jean Frappier, « Amour courtois », *Mélanges de philologie romane dédiés à la mémoire de Jean Boutière*, Liège, Soledi, 1971, p. 243-252, repris dans *Amour courtois et Table ronde*, p. 33-42.
3. L'article « Les cours d'amour du Moyen Âge » est reproduit dans les *Mélanges de littérature française du Moyen Âge*, 2e partie, 1912, p. 473-497 (le syntagme figure p. 492).

> *Einz est amors et corteisie*
> *Quanqu'an puet feire por s'amie.*
>
> Relève de l'amour et de la courtoisie
> tout ce qu'on peut faire pour son amie [1].

L'association, dans le même octosyllabe, des deux mots *amors* et *corteisie* préfigure d'une certaine manière la locution « amour courtois ». Au demeurant ces deux vocables, sans être juxtaposés, se trouvent souvent très proches à l'intérieur d'une même phrase, comme en témoigne ce petit florilège de textes appartenant à diverses époques et présentés selon un ordre chronologique :

> *Nuns, s'il n'est **cortois** et sages,*
> *Ne puet d'**Amors** riens aprendre.*
>
> Personne, s'il n'est courtois ni sage,
> ne peut rien savoir d'Amour [2].

> *Grant chose est d'amer par **amors**,*
> *Que l'en en est plus fins **cortois**.*
>
> C'est un grand bien d'aimer de tout son cœur,
> car on en devient beaucoup plus courtois [3].

---

1. Chrétien de Troyes, *Le Chevalier de la charrette*, éd. bilingue par C. Croizy-Naquet, Champion Classiques, 2006, v. 4367-4368.
2. Chrétien de Troyes, *Chansons des trouvères*, éd. bilingue par S.N. Rosenberg, H. Tischler et M.-G. Grossel, Le Livre de Poche, « Lettres gothiques », 1995, p. 354, v. 17-18.
3. Jean Renart, *Le Roman de la rose ou de Guillaume de Dole*, éd. bilingue par J. Dufournet, Champion Classiques, 2008, v. 1616-1617.

> *Car **amours** a si **courtois** non*
> *Que, se vilains de li s'acointe,*
> ***Amours** le fet **courtois** et cointe.*

Car l'amour a un nom si courtois
que, si un rustre entre en relations avec lui,
Amour le rend courtois et gracieux [1].

> *Que sanz **amors** nus hom **cortois** ne fu.*

Que sans amour aucun homme ne fut courtois [2].

> *Sire, il a bien sept ans et plusieurs moys*
> *Que je donnay l'**amour** au plus **courtois**…*

Seigneur, il y a bien sept ans et plusieurs mois
que j'ai donné mon amour au plus courtois [3]…

> ***Amours** vous est si **courtois** et si douls…*

Amour est pour vous si courtois et si doux [4]…

Par conséquent, quoique l'expression « amour courtois » soit inusitée avant Gaston Paris, les écrivains du Moyen Âge associent naturellement l'amour à un statut ou à un contexte courtois, justifiant ainsi le « néologisme » de l'éminent spécialiste. Pour eux, si l'amour s'adresse exclusivement à des gens courtois, il peut aussi rendre encore plus courtois ceux qui aiment.

---

1. Huon de Méry, *Le Tournoi de l'Antéchrist (Li tornoiemenz Antecrit)*, éd. G. Wimmer, présenté, traduit et annoté par S. Orgeur ; 2e éd. entièrement revue par S. Orgeur et J.-P. Bordier, Orléans, Paradigme, 1995, v. 68-70.

2. *Les Poésies du trouvère Jehan Erart*, éd. T. Newcombe, Genève, Droz, 1972, chanson XV, p. 111, v. 7.

3. Christine de Pizan, *Le Dit de Poissy* [1400], *Œuvres poétiques*, éd. M. Roy, Firmin Didot, 1891, t. II, p. 192, v. 1077-1078.

4. Alain Chartier, *Le Débat des deux fortunés d'amours*, The Poetical Works of Alain Chartier, éd. J.C. Laidlaw, Cambridge, 1974, p. 165, v. 230.

Un thème majeur de la littérature

Cet « amour courtois », lié à la littérature et en particulier à la poésie lyrique et au roman, est un amour fictif,
ludique, onirique, idéal ; il ne correspond pas à la réalité
de l'époque, au demeurant bien difficile à préciser. En
effet, l'historien Jean Verdon constate avec pertinence
dans la postface de son ouvrage intitulé *L'Amour au
Moyen Âge. La chair, le sexe et le sentiment* : « Au
moment où je termine ce livre, une crainte me saisit. Ai-je
pu, au moins en partie, saisir la réalité de l'amour au
Moyen Âge ? Malgré mes efforts, ma vision d'homme
du XXIe siècle ne masque-t-elle pas ce que ressentent les
hommes de cette époque dont les conditions de vie, les
manières de penser, les normes sociales sont si différentes
des nôtres [1] ? » C'est pourquoi l'anthologie que nous pro-
posons ne traite pas de la réalité de l'amour mais de son
imaginaire. Il ne s'agit pas d'examiner comment
s'aimaient les gens du Moyen Âge, mais quels étaient
leurs rêves, leurs phantasmes, leur idéal amoureux.

La première question relative à la naissance de
l'« amour courtois » conduit à distinguer l'amour de loin
et l'amour de près, puis à exposer les divers symptômes
de ce que l'on nomme l'« amour maladie ». D'autre part,
les locutions « amour courtois » et *fine amor* sont-elles
absolument équivalentes ? Que désigne en fait la *fine
amor* et quelles sont ses caractéristiques majeures ? De
son côté, l'« amour courtois » est-il uniforme ou varie-
t-il en fonction des situations et des personnages ? C'est
un art d'aimer, comme l'expliquent deux ouvrages fon-
damentaux, le *De Amore* d'André Le Chapelain et

---

1. Jean Verdon, *L'Amour au Moyen Âge. La chair, le sexe et le sentiment*, Perrin, 2006, p. 255.

Le Roman de la rose de Guillaume de Lorris. Quelles sont les différentes étapes de son rituel et les principales règles de son code ? Existe-t-il aussi un décor propre à cet amour raffiné ? Quelles saisons, quels endroits, quels objets et quels animaux contribuent à l'éclosion de ce tendre sentiment ?

Toutefois, au fil des siècles, l'image de cet « amour courtois » se dégrade peu à peu, remise en cause par des auteurs qui en dénoncent les dangers et les leurres : à leurs yeux, il n'est plus qu'un jeu stérile et chimérique, susceptible d'engendrer le malheur plutôt que le bonheur. Ils n'hésitent pas alors à démystifier, à parodier et à ridiculiser ce qu'ils considèrent comme un concept abstrait, privé d'âme, trop sophistiqué, comme une rhétorique creuse, illusoire et mensongère.

Si les valeurs de l'amour courtois sont tournées en dérision à la fin du Moyen Âge, elles renaissent au XIXe siècle (on peut songer par exemple au *Lys dans la vallée* [1836] de Balzac, à *De l'amour* [1822] et à *La Chartreuse de Parme* [1841] de Stendhal) et perdurent jusqu'à notre époque avec des réminiscences de la *fine amor* dans *Les Yeux d'Elsa* d'Aragon et l'intérêt que Jacques Roubaud porte à la poésie des troubadours[1]. À quoi tient cette permanence ?

En fait les troubadours et les trouvères ont eu l'immense mérite de souligner qu'aimer est un art. Il s'apprend peu à peu au fil des lectures et des rencontres et se pratique tout au long de la vie. Car même si l'amour courtois n'est pas dépourvu à sa naissance de souffrances, même s'il exige patience, constance, persévérance et dépassement de soi, il est le plus sûr moyen de

---

1. Jacques Roubaud, *Les Troubadours, anthologie bilingue français et langue d'oc*, Seghers, 1971 ; rééd. Robert Laffont, 1992 ; *La Fleur inverse, essai sur l'art formel des troubadours*, Ramsay, 1986.

connaître le bonheur, d'autant plus qu'il mêle harmonieusement la sensualité et le mysticisme, le charnel et le spirituel, le profane et le sacré.

Dans ses lais, Marie de France traite ainsi de plusieurs formes d'amour : amour de loin et amour de près, amour adultère et amour conjugal, amour chevaleresque, amour idyllique et amour féerique. Dans *Éliduc*, le héros éponyme, époux de Guildelüec, s'éprend de la princesse Guilliadon et s'enfuit avec elle. Mise au courant que son ami est marié avec une autre, la demoiselle défaille ; on la croit morte. Lorsqu'elle découvre le corps inanimé de sa rivale, Guildelüec la ressuscite sans hésiter un seul instant ; elle décide ensuite de s'effacer et de prendre le voile afin de ne plus être un obstacle au bonheur des deux amants. Cet acte d'amour et d'abnégation est un signe de charité. La narration pourrait se clore sur cet admirable sacrifice et sur une réconciliation générale dans le monde d'ici-bas, mais la vraie victoire de Guildelüec est d'entraîner les nouveaux époux à sa suite et de leur révéler, au-delà de l'amour humain fini, l'amour infini de Dieu. À leur tour, Guilliadon et Éliduc se retirent alors dans un couvent pour servir et aimer le Seigneur. Il est intéressant de noter que le seul manuscrit des lais qui soit complet, à savoir le manuscrit H du British Museum, Harley 978, s'achève par *Éliduc*, comme si la poétesse voulait adresser cet ultime message à son public : l'amour généreux, dévoué, absolu conduit ceux qui l'éprouvent vers le divin et le salut éternel.

De même Chrétien de Troyes est dans ses romans un peintre de diverses sortes d'amour : amour hors du mariage et dans le mariage, *fine amor*, amour chevaleresque, amour des autres. Dans sa dernière œuvre, *Le Conte du graal*, il propose son testament spirituel à travers la triple initiation de Perceval à la chevalerie, à l'amour courtois et à la foi chrétienne. Devenu chevalier

après l'enseignement de Gornemant et son adoubement,
le protagoniste découvre l'amour auprès de Blanchefleur,
et atteint l'extase du *fin amant* lors de l'épisode des trois
gouttes de sang sur la neige. Mais il lui manque encore
la transcendance divine. Dans le parcours l'élevant de
« l'ordre de la chair » à « l'ordre de la charité », l'étape
de Beaurepaire est essentielle ; elle précède d'ailleurs le
séjour au château du Roi Pêcheur. L'amour courtois est
donc indispensable à la connaissance de soi, à la révélation de la vie intérieure et spirituelle. Sans Blanchefleur,
la quête du Graal est impossible. L'amour courtois est
« la porte étroite » qui ouvre le plus sûrement au
royaume de Dieu. N'est-ce pas aussi Béatrice qui guide
Dante au paradis et le mène jusqu'à l'Empyrée, le ciel de
la charité divine, où, par l'intercession de la Vierge, le
regard du poète de *La Divine Comédie* pénètre jusqu'à
Dieu, *l'Amour/ Qui meut et le Soleil et les autres
étoiles*[1] ?

Quel florilège ?

Notre anthologie rassemble non seulement les textes
les plus célèbres de la littérature érotique du Moyen Âge,
tels que la chanson de Jaufré Rudel, *L'Amor de lonh*, ou
la page du *Lancelot en prose* où l'auteur décrit le premier
baiser entre Lancelot et la reine, mais aussi des passages
moins connus, extraits par exemple du *Roman du châtelain de Coucy et de la dame de Fayel* de Jakemés ou de
Floriant et Florette. Les extraits cités appartiennent à des
genres variés de la littérature du XIIe au XVe siècle : chansons d'amour des troubadours et des trouvères, « sottes

---

1. Dante, *La Divine Comédie*, éd. H. Longnon, Garnier, 1966, *Le
Paradis*, chant XXXIII, p. 526, deux derniers vers.

chansons », chansons de geste, lais, dits, romans en vers
et en prose, fabliaux et nouvelles. Répartis selon six
rubriques, ils illustrent les réflexions antérieures. À
l'exception des deux extraits du *De Amore* dont n'est
fournie que la traduction, chaque texte en ancien ou en
moyen français s'appuie sur une édition de qualité signa-
lée en note [1] ; en regard est fournie une traduction origi-
nale en français moderne. Chaque morceau choisi est
accompagné en fin de volume d'un bref commentaire littéraire et de quelques remarques lexicales.

Sont de surcroît évoqués, au fil des textes, divers
couples de héros fictifs, tels que les amants de Cornouailles, le neveu et la femme du roi Marc, Tristan et
Yseut, passionnément épris l'un de l'autre, tout comme
Lancelot, compagnon de la Table ronde, et la reine Guenièvre, l'épouse du souverain Arthur, le chevalier épique
Guillaume d'Orange et la Sarrasine Orable, baptisée
avant son union légitime sous le nom de Guibourc, Perceval, le quêteur du Graal, et Blanchefleur, la châtelaine
de Beaurepaire, Aucassin, le fils du comte de Beaucaire,
et Nicolette, une jeune captive sarrasine, la fée Mélusine
et son mari Raymondin…

Nous espérons ainsi que ce florilège permettra de
mieux comprendre combien l'« amour courtois », fondé
sur le raffinement moral, le respect mutuel, la maîtrise
des instincts et la fidélité, a marqué les mentalités occi-
dentales et combien il exerce encore de nos jours une
profonde influence sur les comportements amoureux et
sur notre imaginaire sentimental. Toutefois il n'est plus
réservé à une élite aristocratique. Il s'est en quelque sorte
« démocratisé » et constitue un idéal vers lequel tendent

---

1. Nous avons mis une majuscule au début de chaque vers cité et
avons parfois modifié la ponctuation proposée par l'éditeur.

toujours nombre de nos contemporains. Quelle femme n'a pas rêvé d'être courtisée par un chevalier servant ? Quel homme n'a pas rêvé de conquérir le cœur d'une dame prétendument inaccessible ? Enfin, quel partenaire, féminin ou masculin, n'a pas rêvé de connaître cet amour raffiné, fidèle, tendre et sensuel, qui comble les cœurs et les corps ?

Claude LACHET

L'Amour courtois

Une anthologie

I

LA NAISSANCE DE L'AMOUR

Selon les auteurs du Moyen Âge, l'amour naît de deux manières principales, par la vue ou par l'ouïe. Il s'agit soit d'un amour de regard, autrement dit de près, soit d'un amour de renommée, c'est-à-dire de loin. Quelle que soit la façon, dès que les trouvères ou les héros « tombent » amoureux, ils sont malades. Mais si l'on ne peut guérir du mal d'amour, parvient-on cependant à le surmonter ?

L'AMOUR DE LOIN

Cette forme, plus abstraite et intellectuelle, est moins fréquente que l'autre. Le chevalier ou le poète s'éprend d'une dame qu'il n'a jamais vue, mais dont on lui a vanté la beauté et les mérites, les qualités tant physiques que morales. De même la dame s'éprend parfois d'un baron dont elle a entendu célébrer les exploits. C'est en général dans les deux cas un portrait élogieux, hyperbolique, qui suscite le « coup de foudre ». Le chantre de cet « amour de loin » est un troubadour du XIIᵉ siècle, nommé Jaufré Rudel. Sa *Vida*, le récit biographique qui lui est consacré, bien qu'elle ne soit qu'une fiction inspirée de ses poésies,

témoigne de ce légendaire « amour de loin » pour la comtesse de Tripoli, une rêverie amoureuse, fondée sur
l'image de « l'inaccessible étoile » et sur l'expression d'un
désir dont la satisfaction est sans cesse différée (**texte 1,
p. 36**). Comme l'explique Michel Zink, « l'amour est par
nature paradoxal et contradictoire. L'amour, c'est le
désir. Le désir désire son assouvissement. Assouvi, il
meurt. La nature du désir est de désirer sa mort. Et s'il
désire vivre sa vie de désir, il désire la frustration, non la
satisfaction. C'est pourquoi l'amour est contradictoire : il
est – par essence, et non par accident – joie et souffrance,
angoisse et exaltation [1] ». La chanson courtoise s'inscrit
et s'écrit dans la tension du désir. En d'autres termes, le
troubadour ou le trouvère compose tant qu'il désire.
Quand la dame a comblé ses attentes, il se tait. L'amour
heureux demeure silencieux. C'est pourquoi le poète multiplie les obstacles et les écarts de toute sorte : distance
spatiale (la dame réside outre-mer), distance sociale (elle
est d'un rang supérieur à celui de son soupirant), distance religieuse (elle est mariée), distance psychologique
(elle se révèle pudique, indifférente, insensible ou
orgueilleuse, tandis que lui se montre timide). Ces interdits qu'il faut transgresser, ces barrières qu'il convient
de franchir, tous ces empêchements et ces oppositions
externes et internes, en même temps qu'ils stimulent et
exacerbent le désir, retardent au maximum la jouissance
et par conséquent favorisent la création lyrique. Ils sont
d'ailleurs conformes à la conception de l'amour courtois
qui est un amour exigeant, patient, persévérant. La chanson d'amour est l'aveu douloureux d'un manque, d'une
frustration et non pas l'expression joyeuse d'un contentement, d'un accomplissement.

---

1. Michel Zink, « Un nouvel art d'aimer », *L'Art d'aimer au
Moyen Âge*, Philippe Lebaud, 1997, p. 14.

À l'instar de Jaufré Rudel, plusieurs personnages tombent amoureux sans avoir jamais aperçu la personne qu'ils chérissent.

C'est le cas du célèbre Guillaume d'Orange. Au mois de mai, dans la cité de Nîmes qu'il vient de conquérir, le vaillant chevalier, accoudé à la fenêtre du palais, regarde la nature verdoyante et écoute la grive et le merle chanter. Il s'ennuie et regrette avec nostalgie la vie de plaisir qu'il menait naguère ; il déplore l'absence d'avenantes demoiselles avec lesquelles il pourrait se divertir. C'est alors que surgit Gilbert, un captif évadé d'Orange. Ce dernier vante au comte les charmes de la ville sarrasine et de sa reine Orable, l'épouse de Tibaut. Ce nom, dont les premiers phonèmes font écho non seulement à Orange, mais aussi à l'Orient et à l'or, doit être rattaché au verbe *orer* qui signifie « prier », « adorer ». Orable mérite donc d'être implorée, adorée ; elle est *ad-orable*. Gilbert brosse le portrait d'une dame idéalisée, d'une véritable divinité païenne [1]. Si, au terme de la deuxième description laudative, Guillaume souhaite voir au plus tôt la dame et la cité, à la fin de la troisième, il semble passionnément épris de la reine, incapable de maîtriser son amour ardent et impérieux (**texte 2, p. 40**). Il se déguise alors en Sarrasin, se noircit le visage et le corps tout entier avant de revêtir une pèlerine, puis en compagnie de son neveu Guiélin et de Gilbert, il se rend à Orange, animé par l'envie insensée de transformer cet « amour de loin » en un « amour de près ». De son côté la reine connaît par ouï-dire la vaillance de Guillaume Fierebrace ; et lorsque ce dernier, persuadé qu'on n'est jamais si bien servi que par soimême, profite de son travestissement et de sa prétendue

---

1. *La Prise d'Orange*, éd. bilingue par C. Lachet, Champion Classiques, 2010, v. 202-205.

identité d'émissaire de Tibaut pour brosser son auto-portrait, fort élogieux, Orable, assise près de lui, s'exclame : « Par Mahomet, il doit bien gouverner sa terre ; heureuse est la dame qui possède son cœur [1]. » L'auteur joue ici malicieusement avec la tradition car ce discret aveu de l'admiration de la reine pour le chevalier chrétien relève d'un « amour de loin » dont l'objet n'a jamais été aussi proche !

Le Livre du voir dit de Guillaume de Machaut commence aussi par l'histoire d'un « amour de loin » entre le poète vieillissant et une jeune admiratrice. Celle-ci s'éprend de l'écrivain sans l'avoir jamais vu, sur sa seule renommée. Elle dépêche auprès de lui un messager, ami de Guillaume, chargé de lui révéler ses tendres sentiments. Ce dernier remet à son compagnon un rondeau composé par la jeune femme à l'intention de Guillaume ; ce poème constitue une véritable déclaration d'amour : « Celle qui jamais ne vous vit, et qui vous aime loyalement, de son cœur tout entier vous fait présent. » L'aveu de cette noble demoiselle ravit le poète qui, à son tour, s'énamoure de sa merveilleuse admiratrice. Il remercie Amour dont l'ingéniosité est telle qu'il pénètre « *en des cœurs qui, sans jamais s'être vus, s'aiment et se désirent de loin* [2] ». Il répond à celle qui devient sa dame en lui envoyant un rondeau où il reconnaît lui appartenir comme son vassal. Commence alors une correspondance entre les amis, un échange à la fois épistolaire et lyrique puisque les poèmes et les lettres alternent très régulièrement jusqu'au premier rendez-vous. Bien qu'il désire

---

1. *Ibid.*, v. 731-732.

2. Guillaume de Machaut, *Le Livre du voir dit*, éd. bilingue par P. Imbs, introduction et révision par J. Cerquiglini-Toulet, Le Livre de Poche, « Lettres gothiques », 1999, v. 213-215 et v. 256-257.

ardemment rencontrer la jeune femme, il craint que celle-ci ne soit déçue quand elle découvrira combien il est petit, gauche, fruste, moins beau et valeureux que la plupart des hommes qu'elle croise chaque jour. La demoiselle cherche alors à le rassurer par cette épître :

> Mais je m'étonne fort de votre inquiétude et de votre crainte de venir me voir en tête à tête, de peur que je vous en aime moins ; car vous savez bien que je ne vous ai jamais vu et que si je vous aime ce n'est point pour votre beauté ni pour les agréments que m'eût jamais procurés votre vue, mais à cause de vos qualités et de votre bonne renommée [1].

En déclarant sa flamme la première, elle espérait sans doute non seulement profiter des conseils musicaux et poétiques du vieux maître, mais aussi devenir sa Muse inspiratrice.

Quoi qu'il en soit, tout « amour de loin » tend à un rapprochement. Pour se maintenir, pour se renforcer, l'amour a besoin de regards, de tendres propos, de baisers, de caresses, d'étreintes. S'il veut durer, l'« amour de loin » n'aspire qu'à devenir un « amour de près ».

L'AMOUR DE PRÈS

Jean Froissart, l'auteur du dernier grand roman arthurien en octosyllabes, intitulé *Meliador*, souligne la supériorité de cette façon d'aimer sur la précédente : « Dame, je vous affirme que les amours de regard sont plus fortes, comme le savent bien des gens, que les amours de renommée [2]. » Au demeurant André Le Chapelain, l'auteur du

---

1. *Ibid.*, Lettre 7 de la dame (b), p. 161.
2. *Meliador*, éd. A. Longnon, SATF, 1895-1899, 3 vol., v. 22593-22596.

De Amore, définit d'emblée l'amour comme « une passion naturelle qui naît de la vue de la beauté de l'autre sexe et de la pensée obsédante de cette beauté [1] ». Ce que confirme en partie un proverbe de sagesse populaire : « La où est l'amour si est l'œil [2]. »

L'« amour de près » surgit avec une violence et une soudaineté symbolisées par un dard ou une flèche. Par exemple dans *Cligès*, Soredamor s'énamoure brusquement d'Alexandre sur le navire qui conduit le roi Arthur et son entourage d'Angleterre en Bretagne armoricaine : « Amour a bien visé et son dard l'a atteinte au cœur [3]. » De son côté, Alexandre, passionnément épris de Soredamor, s'interroge sur l'étrange blessure que lui a infligée Amour (**texte 3, p. 42**). Le parcours de la flèche est analogue dans *Le Roman de la rose* de Guillaume de Lorris. Le narrateur aperçoit dans un magnifique verger un bouton de rose d'une beauté exceptionnelle ; il le contemple avec ravissement, hume son parfum suave. C'est à cet instant que le dieu d'Amour lui décoche, tour à tour, cinq flèches qui symbolisent les qualités de l'être aimé. À chaque fois l'amant frappé s'évanouit, puis, dès qu'il reprend ses esprits, il constate qu'il n'a pas perdu de sang ; il s'efforce de retirer la flèche mais, s'il parvient à ôter la tige de son cœur, il ne réussit pas à en arracher la pointe. C'est donc par l'œil que naît l'« amour de près ». Plusieurs personnages rendent alors leurs yeux responsables ou complices de la blessure qu'ils ont reçue

---

1. André Le Chapelain, *Traité de l'amour courtois*, trad. C. Buridant, Klincksieck, 1974, p. 47.

2. *Proverbes français antérieurs au XVᵉ siècle*, éd. J. Morawski, Honoré Champion, 1925, p. 38, nº 1020.

3. Chrétien de Troyes, *Cligès*, éd. bilingue par L. Harf-Lancner, Champion Classiques, 2006, v. 460-461.

et du tourment qu'ils endurent ensuite, comme Soredamor les incriminant en ces termes : « Mes yeux, dit-elle,
vous m'avez trahie [1]. »

Que l'objet aimé soit masculin ou féminin, c'est bien
son aspect physique, sa beauté corporelle qui provoquent
le coup de foudre. Même si l'archer du *Roman de la rose*
tire quatre autres flèches représentant les vertus morales
et sociales de la dame, la première qu'il décoche se
nomme Beauté. Le caractère sensuel de cet « amour de
près » pourrait nous inciter à croire à l'aspect superficiel
et éphémère de cette façon d'aimer. Après tout la beauté
n'est qu'un *trespas de vent* [2] (« un souffle de vent ») ; elle
ne dure qu'un moment et la rose ne tarde guère à se
faner. Mais au Moyen Âge il existe une mystérieuse équivalence entre l'enveloppe extérieure et la nature intime
de chaque personne, entre le corps et l'âme, une identité
d'origine platonicienne entre le Beau et le Bien. On établit une adéquation entre la noblesse, la beauté et la
bonté ; l'être de haute naissance est beau et valeureux,
tandis que le *vilain*, à l'origine l'habitant de la *villa*, ou
de la ferme, autrement dit le paysan, est affreux physiquement et vil moralement. Il faut attendre le XIIIe siècle
pour que des écrivains, prenant leurs distances avec ces
préjugés et ces conventions, rompent cette correspondance   aristocratique   et   créent   des   personnages
« hybrides ».

Quels sont pour les poètes et romanciers du
Moyen Âge les canons de la beauté féminine [3] ? Si l'on

---

1. *Ibid.*, v. 475.
2. *Chansons des trouvères*, p. 804, v. 72 (*Jeu parti* de Jean Bretel).
3. Voir sur ce sujet Alice Colby, *The Portrait in Twelfth Century
French Literature*, Genève, Droz, 1965 ; Jean Dufournet, *Adam de La
Halle à la recherche de lui-même ou le Jeu dramatique de la feuillée*,
SEDES, 1974, p. 71-100 ; Myriam Rolland-Perrin, *Blonde comme l'or.
La chevelure féminine au Moyen Âge*, Publications de l'université de
Provence, Senefiance 57, 2010.

excepte la suivante de Laudine dans le *Chevalier au lion*
de Chrétien de Troyes, nommée Lunete et qualifiée
d'« avenante brunette [1] », les héroïnes sont en général
blondes. Elles offrent en outre les traits stéréotypés suivants : un teint clair de lys et de rose, un front blanc
et découvert, des sourcils bruns, bien dessinés, des yeux
brillants, vifs et rieurs, un nez droit aux proportions har-
monieuses, des joues et un menton agrémentés de fos-
settes, une bouche vermeille aux lèvres charnues, incitant
au baiser, des dents éclatantes, régulières, petites et ser-
rées. La plupart des écrivains se contentent de décrire le
visage sans évoquer le reste du corps, tel Chrétien de
Troyes brossant le chaste portrait de Blanchefleur dans
Le Conte du graal (**texte 4, p. 46**). Toutefois certains
auteurs, moins pudiques, poursuivent la description
selon un ordre descendant en mentionnant un cou gracieux, une gorge lisse, des épaules assez larges, de longs
bras, des mains blanches aux doigts fins, des seins menus,
mais hauts et fermes, un ventre saillant, des reins cambrés, une taille mince, des hanches étroites, des jambes
galbées, des mollets dodus, des pieds cambrés, une sil-
houette svelte, pourvue de formes charmantes. Les cri-
tères de la beauté masculine obéissent d'ailleurs au même
souci de la mesure, de l'équilibre et de l'harmonie [2].

Au commencement, l'amour ne se nourrit que de
regards admiratifs et de moments contemplatifs. Par
exemple, Alexandre et Soredamor n'osent pas se déclarer
leur flamme ; mais, s'ils demeurent silencieux et immobiles, ils se dévisagent intensément [3]. L'amant sincère,

---

1. Chrétien de Troyes, *Le Chevalier au lion*, éd. bilingue par
D.F. Hult, Le Livre de Poche, « Lettres gothiques », 1994, v. 2415-2416.
2. Voir par exemple le portrait du protagoniste éponyme dans le
Lancelot en prose, éd. Alexandre Micha, Genève, Droz, 1980, t. VII,
IXa, 3-6 ; trad. A. Micha, U.G.E., 10/18, t. I, p. 43-45.
3. *Cligès*, v. 588-597.

ému au point d'être incapable de s'exprimer devant sa
dame, se distingue du galant qui sait manier le verbe et
user d'un langage fleuri pour mieux séduire. Quel
contraste entre celui-là, timide, maladroit et muet, et
celui-ci, hardi, habile et disert ! Dès que le cœur est
touché et bat la chamade, la bouche se tait, alors qu'elle
bavarde lorsque le cœur n'est pas atteint. Comme si, par
le pouvoir des mots, le séducteur volage cherchait à com-
penser l'absence d'inclination véritable.

Que l'amour soit de loin ou de près, dès qu'il surgit,
il s'accompagne de nombreux tourments, révélateurs de
l'intensité de la passion.

L'AMOUR MALADIE

Parce que l'amoureux est loin d'être sûr de la réciprocité du sentiment qu'il éprouve, parce que ses doutes, ses
craintes, ses émotions et ses frustrations finissent par le
troubler au plus profond de son être, il ne tarde guère à
être accablé de mille maux dans son existence quotidienne. Les symptômes caractéristiques de cette « maladie d'amour » de tradition ovidienne sont multiples :
insomnie, perte d'appétit, pâleur ou changement de
couleur, transpiration ou refroidissement, tremblements
et frissons, oppressions, angoisses, soupirs, sanglots,
larmes, pâmoisons, hallucinations. Ainsi, sous l'emprise
d'Amour, Didon, la reine de Carthage, après avoir bordé
Énéas dans son lit, se retire dans sa chambre, mais sa
nuit est particulièrement agitée (**texte 5, p. 48**). Amour
harcèle ses victimes de jour comme de nuit, sans jamais
les lâcher ; les souffrances physiques et psychologiques
sont permanentes.

La pensée de sa bien-aimée ne quitte plus l'amant
courtois, si l'on en croit les confidences de Gace Brulé
dans plusieurs chansons :

Mainte douce remembree
Fais de li en sopirant.
Li pensers tant m'en agree
Que toz m'en vois obliant.

J'ai souvent le doux plaisir
de penser à elle dans mes soupirs.
À y songer j'ai tant de joie
que j'en oublie tout le reste[1].

L'amoureux devient fou, au point d'oublier le sens des
réalités, au point de ne plus avoir conscience du monde
qui l'entoure ni de lui-même. Dans *Le Chevalier de la
charrette* de Chrétien de Troyes, l'aventure du gué
périlleux où Lancelot, absorbé par le souvenir de la reine
Guenièvre, n'entend pas les objurgations réitérées du
défenseur du passage en constitue un exemple amusant
(**texte 6, p. 50**). De même lors de l'épisode des gouttes de
sang sur la neige, Perceval réussit à s'abstraire progressivement du décor qui l'entoure (**texte 7, p. 52**).

Il arrive aussi que cet état extatique se produise en présence de l'être aimé, comme l'illustre la scène relatée dans
plusieurs romans où le héros, troublé par la vue de la
demoiselle qu'il chérit, en oublie sa fonction d'écuyer
tranchant. C'est le cas d'Amadas devant Ydoine, de Gliglois devant Beauté[2] et de Jehan qui, devant Blonde, se

---

1. Voir *Anthologie de la poésie lyrique française des XIIe et
XIIIe siècles*, éd. bilingue par J. Dufournet, Poésie/Gallimard, 1989,
Gace Brulé, « Pour mal temps ne por gelee », p. 132, v. 19-22, et *Chansons des trouvères*, Gace Brulé, « Biaus m'est estez, quant retentist la
bruille », p. 412, v. 21 : « *Tuit mi penser sont a li, ou que j'aille* »
(« Toutes mes pensées sont pour elle, où que j'aille ») et « Li consirrers
de mon païs », p. 420, v. 31-32 : « *Penser a ma dame touz tens/ Tieng
je, ce sachiez, a deduit* » (« Penser sans cesse à ma dame est pour moi,
sachez-le, un plaisir »).

2. *Amadas et Ydoine*, éd. J.R. Reinhard, Honoré Champion, 1926,
v. 205-280, trad. J.-C. Aubailly, Honoré Champion, 1986, p. 21-22 ;

blesse aux doigts (**texte 8, p. 56**). Cet incident témoigne
bien de la monomanie propre à un amoureux qui ne
s'appartient plus. L'amour est donc une maladie engen-
drant des extravagances, des excès, des douleurs, des
moments de folie et de dépression. Toutefois ce n'est pas
une maladie incurable puisqu'elle contient son remède en
elle-même. En effet, selon une perspective ovidienne, si le
dieu Amour peut blesser de ses flèches, il sait aussi guérir
les plaies, comme le souligne dans *Le Roman d'Énéas* la
mère de Lavine s'adressant à sa fille (**texte 9, p. 58**). Pour
d'autres poètes, ce n'est pas Amour qui joue ce double
jeu mais la personne aimée qui, à l'origine du mal de
l'amant, peut l'en délivrer ; le simple fait de la voir ou de
penser à elle est à la fois une torture et une excellente
thérapeutique. L'amant suit en quelque sorte une
méthode homéopathique, en traitant le mal par le mal,
car l'être aimé, qu'il en soit conscient ou non, verse le
poison en même temps qu'il administre l'antidote. Thibaut de Champagne est certain que seule la dame qui,
par ses regards, l'a frappé au cœur est en mesure de le
soigner :

> *Li cous fu granz, il ne fet qu'enpirier ;*
> *Ne nus mires ne m'en porroit saner*
> *Se cele non qui le dart fist lancier,*
> *Se de sa main i voloit adeser.*

> Ce coup fut profond, il ne cesse de s'aggraver ;
> et aucun médecin ne pourrait m'en guérir,
> si ce n'est celle qui lança la flèche,
> si elle daignait toucher la plaie de sa main [1].

Le Roman de Gliglois, éd. M.-L. Chênerie, Honoré Champion, 2003,
v. 448-473 et 558-584.
  1. *Chansons des trouvères*, Thibaut de Champagne, p. 588-589, v. 33-36.

Dès sa naissance, l'amour fait donc souffrir, mais la souffrance est si agréable que l'amant(e) préfère l'endurer plutôt que de ne plus souffrir, ce qui équivaudrait à ne plus aimer. C'est tout le paradoxe de cet amour maladie : plus on aime, plus on souffre et plus on se complaît, par une tendance masochiste, à subir les tourments de l'amour car le mal d'amour est délicieux, comme le confie Fénice, éprise de Cligès, à sa nourrice Thessala [1].

On comprend dès lors pourquoi les amants se laissent emporter par leur passion. Si, au début, ils cherchent à lutter contre ce maître impérieux, ce tyran tortionnaire dont ils se sentent captifs malgré eux, ils comprennent assez vite qu'il est vain d'essayer de se défendre contre un seigneur aussi puissant ; plutôt que de subir ses assauts, mieux vaut devenir son allié, d'autant que les supplices infligés sont loin d'être désagréables. Ils décident ainsi de reconquérir leur liberté intérieure en choisissant d'aimer. Le changement d'attitude de Soredamor en fournit un bon exemple. La demoiselle n'avait jamais daigné aimer un homme, aussi beau, preux et noble fût-il, avant de rencontrer Alexandre. Elle qui refusait a priori d'aimer ne résiste pas longtemps à l'amour dès qu'elle voit le jeune chevalier ; après un bref moment de révolte pendant lequel elle croit pouvoir s'en préserver, elle reconnaît que toute défense est inutile et cède à ce désir inconnu. Mais, au lieu de rester objet de l'Amour, elle s'affirme en tant que sujet. Si Amour veut que Soredamor aime, elle le veut aussi ; elle en trouve même la justification dans son nom (texte 10, p. 60).

Par conséquent, le malade d'amour prend peu à peu conscience de ce mal dont il ressent avec plaisir les

---

1. *Cligès*, v. 3052-3069.

tourments ; il l'assume et s'efforce de le surmonter. Cette maîtrise d'un sentiment qui le submergeait et l'anéantissait au début est digne d'un *fin amant*, d'un amant parfait.

1. *Chanson*

JAUFRÉ RUDEL

L'AMOR DE LONH

Lanquan li jorn son lonc en may,
M'es bèlhs dous chans d'auzèlhs de lonh,
E quan mi suy partitz de lay,
Remembra'm d'un amor de lonh :
5 Vau de talan embroncs e clis
Si que chans ni flors d'albespis
No'm platz plus que l'yverns gelatz.

Be tenc lo Senhor per veray
Per qu'ieu veirai l'amor de lonh ;
10 Mas per un ben que m'en eschay
N'ai dos mals, quar tant m'es de lonh.
Ai ! car me fos lai pelegris,
Si que mos fustz e mos tapis
Fos pels sieus bèlhs huèlhs remiratz !

15 Be'm parrà jòys quan li querray,
Per amor Dieu, l'alberc de lonh :
E, s'a lièys platz, alberguarai
Près de lièys, si be'm suy de lonh :
Adonc parrà'l parlamens fis
20 Quan drutz lonhdàs er tan vezis
Qu'ab bèls digz jauzirà solatz.

1. *Chanson*

AMOUR LOINTAIN

Lorsque les jours sont longs en mai,
il me plaît le doux chant des oiseaux lointains,
et quand je suis parti de là-bas,
il me souvient d'un amour lointain :
5 à cause du désir, je vais courbé et la tête basse,
de sorte que ni chants ni fleurs d'aubépine
ne me plaisent plus que l'hiver gelé.

Je le tiens certes pour véridique le Seigneur
pour lequel je verrai cet amour lointain ;
10 mais pour un bien qui m'en échoit,
j'en ressens deux maux, car cet amour m'est si lointain !
Hélas ! que ne suis-je pèlerin là-bas,
de sorte que mon bourdon et mon esclavine
seraient contemplés par ses beaux yeux.

15 Quelle joie m'apparaîtra quand je lui demanderai,
pour l'amour de Dieu, d'héberger l'hôte lointain :
et, s'il lui plaît, je logerai
près d'elle, aussi lointain que j'en sois maintenant.
Quels charmants entretiens alors,
20 quand l'amant lointain sera si voisin
qu'il pourra jouir du plaisir de ses doux propos.

Iratz e jauzens m'en partray,
S'ieu ja la vey, l'amor de lonh :
Mas non sai quoras la veyrai,
25 Car trop son nostras terras lonh :
Assatz hi a pas e camis,
E per aissò no'n suy devis…
Mas tot sia cum a Dieu platz !

Ja mais d'amor no'm jauziray
30 Si no'm jau d'est' amor de lonh,
Que gensor ni melhor no'n sai
Vès nulha part, ni près ni lonh :
Tant es sos prètz verais e fis
Que lay el reng dels Sarrazis
35 Fos hieu par lieys chaitius clamatz !

Dieus que fetz tot quant ve ni vai
E formèt sest' amor de lonh
Mi don poder, que còr ieu n'ai,
Qu'ieu veya sest' amor de lonh,
40 Verayamen, en tals aizis,
Si que la cambra e'l jardis
Mi ressemblès totz temps palatz !

Ver ditz qui m'apella lechay
Ni deziron d'amor de lonh,
45 Car nulhs autres jòys tan no'm play
Cum jauzimens d'amor de lonh.
Mas sò qu'ieu vuèlh m'es atahis.
Qu'enaissi'm fadèt mos pairis
Qu'ieu amès e no fos amatz.

50 Mas sò qu'ieu vuoill m'es atahis.
Totz sia mauditz lo pairis
Que'm fadèt qu'ieu non fos amatz !

Triste et joyeux, je me séparerai d'elle,
si jamais je le vois, cet amour lointain ;
mais je ne sais quand je le verrai,
25 car nos pays sont trop lointains :
il y a beaucoup de passages et de chemins,
et pour cela, je n'ose rien prédire à ce sujet…
Qu'il en soit donc comme il plaît à Dieu !

Jamais d'amour je ne jouirai
30 si je ne jouis pas de cet amour lointain,
car je ne connais de femme plus gracieuse ni meilleure
nulle part, ni près ni loin ;
son mérite est si vrai et si sûr
que là-bas, au pays des Sarrasins,
35 je voudrais pour elle être appelé captif.

Que Dieu qui fit tout ce qui va et vient
et forma cet amour lointain
me donne le pouvoir – car j'en ai le désir –
d'aller voir cet amour lointain
40 en personne et en de telles demeures
que la chambre et le jardin
me semblent toujours un palais.

Il dit vrai celui qui m'appelle avide
et désireux d'amour lointain,
45 car nulle autre joie ne me plaît autant
que de jouir de l'amour lointain.
Mais à mes désirs il est fait obstacle,
car mon parrain m'a voué
à aimer sans être aimé.

50 Mais à mes désirs il est fait obstacle.
Maudit soit donc le parrain
qui m'a voué à ne pas être aimé !

2. *La Prise d'Orange*

Laisse X

« Amis, beau frere, est Orenge si riche ? »
Dist li chetis : « Si m'aïst Dex, beaus sire,
Se veïez le palés de la vile
Qui toz est fet a voltes et a listes !
270 Si l'estora Grifonné d'Aumarice,
Uns Sarrazins de mout merveilleus vice ;
Il ne croist fleur desi qu'en paienie
Qui n'i soit painte a or et par mestrie.
La dedenz est Orable la roïne :
275 Ce est la feme au roi Tiebaut d'Aufrique ;
Il n'a si bele en tote paiennie,
Bel a le cors, s'est grelle et eschevie,
Blanche a la char comme est la flor d'espine,
Vairs euz et clers qui tot adés li rïent.
280 Tant mar i fu la seue gaillardie
Quant Dieu ne croit, le filz sainte Marie !
– Voir, dist Guillelmes, en grant pris l'as or mise,
Mes, par la foi que ge doi a m'amie,
Ne mengerai de pain fet de farine
285 Ne char salee, ne bevrai vin sor lie•,
S'avrai veü com Orenge est assise ;
Et si verrai icele tor marbrine•
Et dame Orable, la cortoise roïne.
La seue amor me destraint et justise
290 Que nel porroie ne penser ne descrire ;
Se ge ne l'ai, par tens perdrai la vie. »

2. *La Prise d'Orange*

L'AMOUR FOU DE GUILLAUME

« Ami, cher compagnon, Orange est-elle si magnifique ?
– Par Dieu, je vous l'assure, cher seigneur, répond
    le prisonnier,
ah ! si vous voyiez le palais de la ville
entièrement fait de voûtes et bordé de mosaïques !
270 Il fut construit par Grifaigne d'Aumarie,
un Sarrasin extraordinairement rusé.
Il ne pousse pas une fleur jusqu'en territoire païen
qui n'y soit représentée en or et avec art.
C'est à l'intérieur du palais que vit la reine Orable,
275 la femme du roi Tibaut d'Afrique ;
il n'existe pas une telle beauté dans tout le pays païen :
elle est gracieuse, mince et svelte,
sa peau est blanche comme l'aubépine,
ses yeux, vifs et clairs, continuellement rieurs.
280 Sa beauté est malheureusement bien vaine,
puisqu'elle ne croit pas en Dieu, le fils de sainte
    Marie !
– Vraiment, dit Guillaume, tu viens de lui donner
    grand prix,
mais, par la fidélité que je dois à mon amie,
je ne mangerai pas de pain fait de farine,
285 ni de viande salée, je ne boirai pas de vin sur lie
avant d'avoir vu comment Orange est située ;
je verrai aussi cette fameuse tour de marbre
et dame Orable, la courtoise reine.
L'amour que j'ai pour elle me tourmente et me
    domine
290 à tel point que je ne pourrais l'imaginer ni le décrire ;
si je ne la possède pas, je perdrai bientôt la vie.

Dist li chetis : « Vos pensez grant folie.
S'estïez ore el palés de la vile
Et veïssiez cele gent sarrazine,
295 Dex me confonde• se cuidïez tant vivre
Que ça dehors venissiez a complie !
Lessiez ester, pensé avez folie. »

3. *Cligès*

CHRÉTIEN DE TROYES

V. 667-715

« Comant ? Set donc Amors mal faire ?
Don n'est il dolz et debonaire ?
Je cuidoie que il n'eüst
670 En Amor rien qui boen ne fust,
Mes je l'ai molt felon• trové.
Nel set, qui ne l'a esprové,
De quex jeus Amors s'antremet.
Fos est qui devers lui se met,
675 Qu'il vialt toz jorz grever les suens.
Par foi, ses geus n'est mie buens :
Malvés joer se fet a lui ;
Je cuit qu'il me fera enui.
– Que ferai donc ? Retrerai m'an ?
680 Je cuit que je feroie san,
Mes ne sai comant je le face.
S'Amors me chastie et menace
Por aprandre et por anseignier,
Doi je mon mestre desdaignier ?
685 Fos est qui son mestre desdaingne !
Ce qu'Amors m'aprant et ansaingne

– Vous déraisonnez, réplique le prisonnier.
Si vous étiez maintenant dans le palais de la ville,
à la vue des Sarrasins,
295 que Dieu m'anéantisse si vous espériez vivre assez
        longtemps
pour en sortir sain et sauf le soir !
Oubliez cela, c'est une folie. »

3. *Cligès*

LE MAL D'AMOUR

« Comment ? Amour peut donc faire mal ?
N'est-il pas doux et bienveillant ?
Je m'imaginais qu'il n'y avait
670 en Amour que du bien,
mais je l'ai trouvé très cruel.
Qui ne les a pas éprouvés ne sait pas
quels jeux Amour pratique.
Il est fou celui qui se met dans sa troupe,
675 car il veut toujours faire souffrir les siens.
Ma foi, son jeu n'est pas agréable :
il est mauvais de jouer avec lui ;
je crois qu'il me causera des tourments.
– Que faire alors ? Me retirer ?
680 Ce serait, je crois, le bon sens,
mais je ne sais comment faire.
Si Amour me corrige et me menace
pour m'instruire et m'éduquer,
dois-je dédaigner mon maître ?
685 Il est fou celui qui dédaigne son maître !
Les leçons et les enseignements d'Amour,

Doi je garder et maintenir :
Granz biens m'an porroit avenir.
– Mes trop me bat, ice m'esmaie.
690 – Ja n'i pert il ne cop ne plaie.
Et si m'an plaing ? Don n'ai ge tort ?
– Nenil, qu'il m'a navré si fort
Que jusqu'au cuer m'a son dart trait,
Mes ne l'a pas a lui retrait.
695 – Comant le t'a donc trait el cors,
Quant la plaie ne pert defors ?
Ce me diras : savoir le vuel !
Comant le t'a il tret ? – Par l'uel.
– Par l'uel ? Si ne le t'a crevé ?
700 – A l'uel ne m'a il [rien] grevé,
Mes au cuer me grieve formant.
– Or me di donc reison comant
Li darz est par mi l'uel passez
Qu'il n'an est bleciez ne quassez.
705 Se li darz par mi l'uel i antre,
Li cuers por coi s'en dialt el vantre,
Que li ialz aussi ne s'an dialt,
Qui le premier cop an requialt ?
– De ce sai ge bien reison randre :
710 Li ialz n'a soing de rien antandre
Ne rien ne puet feire a nul fuer,
Mes c'est li mereors au cuer,
Et par ce mireor trespasse,
Si qu'il [nel] blesce ne ne quasse,
715 Le san don li cuers est espris. »

je dois les observer et les pratiquer :
il pourrait m'en venir grand bien.
– Mais il me maltraite trop, cela m'inquiète.
690 – Pourtant on ne voit ni coup ni plaie.
Et je me plains ? N'ai-je pas tort ?
– Non, car il m'a blessé si profondément
qu'il m'a envoyé sa flèche en plein cœur
sans la retirer ensuite.
695 – Comment t'a-t-il donc percé le corps,
puisqu'on ne voit aucune plaie au dehors ?
Dis-le-moi : je veux le savoir !
Comment t'a-t-il percé le corps ? – Par l'œil.
– Par l'œil ? Et il ne te l'a pas crevé ?
700 – Ce n'est pas à l'œil qu'il m'a fait mal,
mais au cœur, cruellement.
– Dis-moi donc comment
la flèche a traversé l'œil
sans le blesser ni le briser.
705 Si la flèche passe par l'œil,
pourquoi est-ce le cœur qui souffre dans la poitrine
et non pas l'œil
qui a reçu le premier coup ?
– Je connais bien l'explication :
710 L'œil ne ressent rien
et ne peut absolument rien faire
mais c'est le miroir du cœur
et c'est par ce miroir que passe,
sans le blesser ni le briser,
715 le sentiment qui enflamme le cœur. »

4. *Le Conte du graal*

CHRÉTIEN DE TROYES

V. 1795-1829

1795 Et la pucele vint plus cointe
Et plus acesmee et plus jointe
Que espreviers ne papegauz.
Ses mantiaus fu et ses blïauz
D'une porpre noire, estelee
1800 De vair•, et n'ert mie pelee
La pane, qui d'ermine fu ;
D'un sebelin noir et chenu,
Qui n'estoit trop lons ne trop lez,
Fu li mantiaus au col orlez.
1805 Et se je onques fis devise
An biauté que Deus eüst mise
An cors de fame ne an face,
Or me replest qu'une an reface
Ou je ne mantirai de mot.
1810 Deslïee• fu et si ot
Les chevos teus, s'estre poïst,
Que bien cuidast qui les veïst
Que il fussent tuit de fin or,
Tant estoient luisant et sor.
1815 Le front ot blanc et haut et plain,
Con se il fust ovrez a main
Que de main d'ome l'uevre fust
De pierre ou d'ivoire ou de fust.
Sorciz brunez et large antr'uel ;
1820 An la teste furent li oel
Riant et vair•, cler et fandu.
Le nés ot droit et estandu,
Et miauz avenoit an son vis

4. *Le Conte du graal*

LA BEAUTÉ DE BLANCHEFLEUR

1795 La jeune fille s'avança plus gracieuse,
plus parée et plus élégante
qu'un épervier ou un perroquet.
Son manteau et sa tunique étaient
de pourpre noire, étoilée
1800 de fourrure grise et la doublure
d'hermine n'était pas râpée.
De la zibeline noire et blanche,
ni trop longue ni trop large,
bordait le col du manteau.
1805 Si jamais j'ai décrit
la beauté que Dieu a mise
dans le corps ou le visage d'une femme,
maintenant il me plaît à nouveau de le faire
une autre fois sans mentir d'un seul mot.
1810 Ses cheveux flottaient sur ses épaules :
ils étaient tels qu'à les voir,
on aurait cru, si c'était possible,
qu'ils n'étaient qu'or pur,
tant ils étaient d'une étincelante blondeur.
1815 Son front était blanc, dégagé, lisse,
comme ouvragé à la main
par un artiste qui l'aurait taillé
dans la pierre, l'ivoire ou le bois.
Ses sourcils étaient bruns, sensiblement écartés,
1820 et ses yeux éclairaient son visage,
riants, vifs, bien fendus.
Elle avait le nez droit et fin,
et sur son visage l'accord

       Li vermauz sor le blanc assis
1825   Que li sinoples• sor l'arjant.
       Por anbler san et cuer de jant
       Fist Deus de li passemervoille,
       N'onques puis ne fist sa paroille,
       Ne devant feite ne l'avoit.

5. *Le Roman d'Énéas*

V. 1302-1335

       Quant la chambre fu asserrie,
       Dame Dydo mie n'oublie
       Celui por cui le dieu d'amor
1305   L'avoit mise en tel freor.
       De lui commence a penser,
       En son coraige a recorder
       Son vis, son corps et sa figure,
       Ses diz, ses fais, sa parleüre,
1310   Les batailles que il li dist.
       Ne fust pour rien qu'elle dormist ;
       Torne et retorne souvent,
       Elle se pame et estent,
       Soufle, souspire et baille,
1315   Moult se demente et travaille,
       Tramble, fremist et si tressaut ;
       Li cuers li mant et si li faut.
       Moult est la dame mal baillie,
       Et quant c'est qu'elle s'entroblie,
1320   Ensamble o lui cuide• gesir,
       Entre ses bras tout nu tenir.
       Elle acolle son couvertoir,
       Confort n'i trueve ne amor ;

du vermeil et du blanc lui allait mieux
1825 que celui du sinople et de l'argent.
C'est pour ravir la raison et le cœur des gens
que Dieu avait fait d'elle une pure merveille :
jamais plus il ne fit sa pareille
et jamais auparavant il ne l'avait faite.

5. *Le Roman d'Énéas*

UNE NUIT AGITÉE

Quand la chambre fut tranquille,
la reine Didon n'oublie pas
celui pour qui le dieu d'amour
1305 l'avait mise dans un tel émoi ;
elle se met à penser à lui
et à se remémorer en son cœur
son visage, son corps, son allure,
ses paroles, ses actes, sa manière de parler,
1310 les batailles qu'il lui avait narrées.
Rien n'aurait pu la faire dormir ;
elle se tourne et se retourne souvent,
elle se pâme et s'étire,
souffle, soupire et bâille,
1315 elle se tourmente, se met au supplice,
tremble, frémit et tressaille ;
le cœur lui manque et elle défaille.
La dame connaît de cruels tourments,
et quand elle perd conscience,
1320 elle croit coucher avec lui
et le tenir tout nu dans ses bras.
Elle étreint sa couverture
et n'y trouve ni amour ni réconfort ;

.M. fois baisa son oreillier
1325 Tout pour l'amour au chevalier ;
     Cuidoit que cil qui ert absenz
     Enz en son lit li fust presens :
     N'i estoit mie, aillors estoit,
     Parloit o lui com se l'ooit.
1330 Enz en son lit le taste et quiert,
     Quant nel trueve, du poing se fiert ;
     Elle plore et fait grant duel,
     Des larmes mouille son linçuel.
     Moult se detorne la roÿne,
1335 Primes aus denz et puis sovine.

6. *Le Chevalier de la charrette*

CHRÉTIEN DE TROYES

V. 711-747

     Et cil de la charrete panse
     Con cil qui force ne deffanse
     N'a vers Amors qui le justise,
     Et ses pansers est de tel guise
715 Que lui meïsmes en oblie,
     Ne set s'il est ou s'il n'est mie,
     Ne ne li manbre de son non,
     Ne set s'il est armez ou non,
     Ne set ou va, ne set don vient,
720 De rien nule ne li sovient
     Fors d'une seule, et por celi
     A mis les autres en obli,
     A cele seule panse tant
     Qu'il n'ot• ne voit ne rien n'antant•.
725 Et ses chevax molt tost l'en porte,

mille fois elle baise son oreiller
1325 pour l'amour du chevalier ;
elle s'imagine que l'absent
est présent dans son lit :
il n'en est rien, il se trouve ailleurs,
mais elle lui parle comme s'il l'entendait.
1330 Elle le cherche à tâtons dans son lit,
ne le trouvant pas, elle se donne des coups de poing ;
elle pleure et s'abandonne au désespoir,
mouillant son drap de ses larmes.
La reine ne cesse de se retourner
1335 d'abord sur le ventre, puis sur le dos.

6. *Le Chevalier de la charrette*

LANCELOT PENSIF

L'occupant de la charrette est plongé dans ses pensées
comme un être sans force ni défense
à l'endroit d'Amour qui le gouverne.
Et sa méditation est telle
715 qu'il perd toute notion de lui-même ;
il ne sait plus s'il est ou s'il n'est pas,
il n'a plus souvenir de son nom,
il ne sait s'il est armé ou non,
il ne sait où il va, il ne sait d'où il vient,
720 il ne se souvient de rien
sauf d'une seule personne, et pour celle-là
il a mis les autres en oubli.
À celle-là seule il pense si fort
qu'il n'entend, ne voit, ni ne comprend rien.
725 Cependant son cheval l'emporte à toute vitesse

Ne ne vet mie voie torte,
Mes la meillor et la plus droite,
Et tant par avanture esploite
Qu'an une lande l'a porté.
730 An cele lande avoit un gué
Et d'autre part armez estoit
Uns chevaliers qui le gardoit,
S'ert une dameisele o soi
Venue sor un palefroi.
735 Ja estoit pres de none basse•,
N'ancor ne se remuet ne lasse
Li chevaliers de son panser.
Li chevax voit et bel et cler
Le gué, qui molt grant soif avoit ;
740 Vers l'eve cort quant il la voit.
Et cil qui fu de l'autre part
S'escrie : « Chevaliers, ge gart
Le gué, si le vos contredi. »
Cil ne l'antant ne ne l'oï,
745 Car ses pansers ne li leissa,
Et totes voies s'esleissa
Li chevax vers l'eve molt tost.

7. *Le Conte du graal*

CHRÉTIEN DE TROYES

V. 4172-4210

Voloit une rote de jantes
Que la nois avoit esbloïes.
Veües les a et oïes,
4175 Qu'eles s'an aloient bruiant
Por un faucon qui vint traiant

sans faire de détours,
mais par la meilleure route et la plus directe.
Il se hâte tant et si bien que par hasard
il l'a mené jusqu'à une lande
730 où se trouvait un gué.
Sur la rive opposée ce gué était
gardé par un chevalier en armes.
Une demoiselle, venue sur un palefroi,
lui tenait compagnie.
735 Il était déjà bien plus de trois heures de l'après-midi,
pourtant le chevalier ne quittait pas encore
ses pensées ni ne s'en lassait.
Le cheval aperçoit la belle eau claire
du gué, lui qui était assoiffé ;
740 il court vers l'eau dès qu'il la voit.
Celui qui était sur la rive opposée
s'écrie : « Chevalier, je suis le gardien
de ce gué, et je vous l'interdis. »
L'autre ne comprend ni n'entend rien,
745 toujours absorbé dans ses pensées,
tandis que son cheval s'est élancé
très vite en direction de l'eau du gué.

7. *Le Conte du graal*

L'EXTASE DE PERCEVAL

Voici venir un vol d'oies sauvages
que la neige avait éblouies.
Il les a vues et entendues,
4175 car elles fuyaient à grand bruit
devant un faucon qui les pourchassait

Aprés eles de grant randon
Tant qu'il an trova a bandon
Une fors de rote sevree,
4180 Si l'a si ferue et hurtee
Que contre terre l'abati.
Mes trop fu main, si s'an parti,
Qu'il ne s'i vost liier ne joindre.
Et Percevaus comance a poindre
4185 La ou il ot veü le vol.
La jante fu navree el col,
Si seigna trois gotes de sanc
Qui espandirent sor le blanc,
Si sanbla natural color.
4190 La jante n'ot mal ne dolor,
Qui contre terre la tenist,
Tant que cil a tans i venist :
Ele s'an fu einçois volee.
Quant Percevaus vit defolee
4195 La noif sor quoi la jante jut
Et le sanc qui ancor parut,
Si s'apoia desor sa lance
Por esgarder cele sanblance•,
Que li sans et la nois ansanble
4200 La fresche color li resanble
Qui ert an la face s'amie.
Si panse tant que il s'oblie,
Qu'autresi estoit an son vis
Li vermauz sor le blanc assis
4205 Con cez trois gotes de sang furent,
Qui sor la blanche noif parurent.
An l'esgarder que il feisoit
Li ert avis, tant li pleisoit,
Qu'il veïst la color novele
4210 De la face s'amie bele.

à toute vitesse ;
il en trouva une à l'écart,
séparée des autres,
4180 et il l'a frappée et heurtée si violemment
qu'il l'a abattue sur le sol.
Mais il était trop tôt dans la matinée : il s'en éloigna
sans chercher à la saisir ni à l'étreindre.
Quant à Perceval, il commence à éperonner
4185 vers l'endroit où il avait vu le vol.
L'oie était blessée au cou
et elle saigna trois gouttes de sang
qui se répandirent sur le blanc,
comme une couleur naturelle.
4190 L'oie n'avait pas été mise à mal au point
de rester clouée au sol
jusqu'à ce qu'il eût le temps d'arriver :
elle s'était déjà envolée.
Quand Perceval vit la neige qui était tassée
4195 à l'endroit où s'était abattue l'oie
et le sang qui apparaissait encore,
il s'appuya sur sa lance
pour contempler cette image,
car le sang et la neige ensemble
4200 lui rappelaient le teint frais
du visage de son amie.
Tout à cette pensée, il s'oublia lui-même :
sur son visage le vermeil ressortait
sur le blanc de la même manière
4205 que ces trois gouttes de sang
qui apparaissaient sur la neige blanche.
À force de regarder,
il lui semblait, tant il y prenait plaisir,
qu'il voyait les fraîches couleurs
4210 du visage de sa belle amie.

8. *Jehan et Blonde*

PHILIPPE DE RÉMY

V. 458-487

Adont ra Jehans paine mise
A li servir si comme il seut,
460 Mais li desirs dont il se deut
Li fait jeter les ex a cele
Dont il esprent de l'estincele.
Si ententiument le regarde
Que de riens ne se donne garde•,
465 Fors sans plus de li esgarder.
La seut il son sens mal garder•,
Car par cel fol regardement
Dut morir sans recouvrement.
Du regart en tel penser vint
470 Que de trencier ne li souvint.
Blonde qui si le voit penser
De cel penser le veut tenser,
Si li dist que il trence tost.
Mais il ne l'entent pas si tost.
475 Puis li redist : « Jehans, trenchiés !
Dormés vous chi, ou vous songiés ?
S'il vous plaist, donés m'a mengier,
Ne ne voelliés or plus songier ! »
A cel mot Jehans l'entendi,
480 S'est tressalis tout autressi
Com cil qui en soursaut s'esveille.
De s'aventure s'esmervelle.
Tous abaubis tint son coutel
Et quida trenchier bien et bel,
485 Mais de penser est si destrois
Que il s'est trenciés en deus dois.
Li sans en saut et il se lieve.

8. *Jehan et Blonde*

LE TROUBLE DE L'ÉCUYER TRANCHANT

Alors Jehan s'est efforcé
de la servir comme d'habitude,
460 mais la passion qui l'afflige
lui fait jeter les yeux sur celle
qui a enflammé son cœur.
Il la regarde si intensément
qu'il ne se préoccupe de rien
465 d'autre que de la contempler.
Il ne sut pas raison garder,
car de ce regard insensé
il faillit mourir sans recours.
Ce regard le plongea dans une telle songerie
470 qu'il oublia de trancher.
Blonde qui le voit ainsi rêver
veut l'en délivrer,
et elle lui dit qu'il se hâte de trancher.
Mais, comme il ne l'entend pas aussitôt,
475 elle lui répète : « Jehan, tranchez !
Est-ce que vous dormez ici ou vous rêvez ?
S'il vous plaît, donnez-moi à manger,
et veuillez désormais ne plus rêver ! »
À ces mots, Jehan l'entendit,
480 et il tressaillit tout comme
celui qui s'éveille en sursaut.
Il s'étonne de ce qui lui arrive.
Tout stupéfait, il prit son couteau,
escomptant trancher bel et bien,
485 mais ses pensées l'accablent tant
qu'il s'est coupé à deux doigts.
Le sang en jaillit, il se relève.

9. *Le Roman d'Énéas*

V. 8019-8052

« Et ja est ce tout souatume.
8020 Souef trait mal qui l'acoustume,
Et se il a un poy de mal,
Li biens s'en sive par igal.
Ris et joie vient de plourer,
Et grant deport vient de pamer,
8025 Baisier vienent de baailier,
Embrasement vient de veillier,
Grant leesce vient de souspir,
Fresche color vient de pallir.
El cors s'en suit la grant doulçor
8030 Qui touz sanne li maus d'amor ;
Sanz herbe boivre, sanz racine,
A chascun mal fait sa mecine ;
N'i estuet oingement n'entrait,
La plaie sanne qu'il a fait ;
8035 Se il te veult un poi navrer*,
[Bien te savra enpres saner*.]
Garde au temple confaitement
Amor y est point soubtilment
Et tient .II. dars en sa main destre
8040 Et une boiste en la senestre :
Li uns des dars est d'or en son,
Qui fait aimer ; l'autre de plon
Qui fait haïr : deversement
Nauvre et point Amor forment.
8045 Li dart moustrent qu'il puet navrer,
Et la boiste qu'il puet saner ;
Sor lui n'estuet mire* venir
Pour la plaie qu'il fait garir* ;

9. *Le Roman d'Énéas*

L'AMBIVALENCE DE L'AMOUR

« Et l'amour est toute douceur.
8020 Qui s'y accoutume endure une agréable souffrance,
et s'il éprouve un peu de mal,
le bonheur s'ensuit également.
Le rire et la joie viennent des pleurs,
un grand plaisir vient de la pâmoison,
8025 les baisers viennent des bâillements,
les embrassements viennent des veilles,
une grande joie vient des soupirs,
une fraîche couleur d'une pâleur.
Le corps est gagné par la grande douceur
8030 qui soigne tous les maux d'amour ;
sans potion d'herbes ni de racines,
Amour, à chaque mal, applique son remède,
pas besoin d'onguent ni de baume,
il guérit la plaie qu'il a faite ;
8035 s'il veut te faire une légère blessure,
il saura bien, ensuite, te guérir.
Regarde dans le temple comment
Amour est peint avec un art subtil ;
il tient deux flèches dans la main droite
8040 et une boîte dans la gauche :
l'une des flèches a une pointe d'or,
elle fait aimer ; l'autre, de plomb,
fait haïr : divers sont
les violents coups et blessures d'Amour.
8045 Les flèches montrent qu'il peut blesser,
et la boîte qu'il peut soigner,
près de lui, pas besoin de médecin
pour la plaie qu'il guérit ;

Il tient la mort et la santé,
8050 Il resane quant a navré.
Moult doit l'en bien souffrir d'amor
Qui navre et sanne en un jor. »

10. *Cligès*

CHRÉTIEN DE TROYES

V. 953-988

« Amors voldroit, et je le vuel,
Que sage fusse et sanz orguel
955 Et deboneire et acointable,
Vers toz por un seul amïable.
Amerai les ge toz por un ?
Bel sanblant• doi feire a chascun
Mes Amors ne m'anseigne mie
960 Qu'a toz soie veraie• amie.
Amors ne m'aprant se bien non.
Por neant n'ai ge pas cest non
Que Soredamors sui clamee ;
Amer doi, si doi estre amee,
965 Si le vuel par mon non prover
Qu'amors doi an mon non trover.
Aucune chose senefie
Ce que la premiere partie
En mon non est de color d'or,
970 Et li meillor sont li plus sor•.
Por ce tieng mon non a meillor
Qu'an mon non a de la color
A cui li miaudres ors s'acorde.
Et la [fins] amors me recorde,
975 Car qui par mon droit non m'apele

il détient la mort et la santé,
8050 il soigne quand il a blessé.
On doit bien supporter Amour
qui blesse et guérit en un jour. »

10. *Cligès*

UNE ONOMASTIQUE SIGNIFIANTE

« Amour voudrait, et moi aussi,
que je sois sage et sans orgueil,
955 bienveillante, accueillante
et aimable envers tous à cause d'un seul être.
Les aimerai-je tous à cause d'un seul ?
Je dois faire bon accueil à chacun,
mais Amour ne m'enseigne pas
960 à être pour tous une amie sincère.
Amour ne m'apprend que de bonnes choses.
Ce n'est pas pour rien que je porte
ce nom de Soredamor ;
je dois aimer et être aimée,
965 et je veux en donner la preuve par mon nom,
car dans mon nom je dois trouver l'amour.
La première partie de mon nom
est pleine de sens :
elle contient la couleur de l'or,
970 et les plus blonds sont les meilleurs.
Je tiens mon nom pour le meilleur
de contenir la couleur
qui s'accorde avec le plus bel or,
et la fin du mot me rappelle l'amour,
975 car en m'appelant par mon propre nom,

Toz jorz amors me renovele ;
Et l'une mitiez l'autre dore
De doreüre clere et sore,
Et autant dit Soredamors
980 Come sororee d'amors.
Doreüre d'or n'est si fine
Come ceste qui m'anlumine.
Molt m'a donc Amors enoree,
Quant il de lui m'a sororee,
985 Et je metrai an lui ma cure,
Que de lui soie doreüre,
Ne ja mes ne m'an clamerai.
Or aim et toz jorz amerai. »

on rappelle toujours l'amour dans mon cœur.
Une moitié de mon nom dore l'autre
d'une dorure éclatante et blonde
et Soredamor signifie
980 « Dorée d'amour ».
La dorure de l'or n'est pas aussi pure
que celle qui m'illumine ;
Amour m'a donc fait un grand honneur
en répandant sur moi son or ;
985 je vais me consacrer à lui
afin d'être sa dorure
et je n'y renoncerai jamais.
Maintenant j'aime et j'aimerai toujours ! »

II

LA DÉFINITION
DE LA *FINE AMOR* [1]

Il convient de préciser les différentes valeurs de *fin(e)*, lesquelles relèvent de l'emploi figuré de l'étymon latin *finem* au sens de « degré supérieur ». Qu'il qualifie des choses ou des êtres, l'adjectif souligne toujours leur qualité exceptionnelle, leur excellence, d'où les acceptions suivantes : « accompli, parfait », « extrême, absolu, total », « pur, affiné », « délicat, tendre », « fidèle, loyal », qui, toutes ensemble, caractérisent bien l'expression *fin'amors* (en langue d'oc) et *fine amor* (en langue d'oïl). Celle-ci est-elle équivalente à la locution « amour courtois » ? Quels sont les traits majeurs de cette *fine amor*

---

1. Il ne faut pas s'étonner du genre de l'article défini *la* devant *fine amor*. En effet, bien que le substantif latin *amor* soit masculin, le nom *amo(u)r* est, sous l'influence de l'ancien provençal, féminin jusqu'au XVᵉ siècle. C'est à partir du XVIᵉ siècle qu'apparaît pour ce terme le genre masculin. Les auteurs des XVIᵉ et XVIIᵉ siècles emploient les deux genres au singulier et au pluriel, tandis que les grammairiens tentent d'établir de subtiles différences. Ainsi, pour Vaugelas, le mot est masculin quand il désigne Cupidon ou l'amour de Dieu, et féminin de préférence dans les autres cas. La règle moderne est due à Thomas Corneille, selon lequel le substantif est masculin au singulier mais féminin au pluriel.

chantée par les troubadours puis les trouvères, et narrée
par quelques romanciers ?

AMOUR COURTOIS ET *FINE AMOR*

Plutôt que d'employer la formule « amour courtois »,
si fréquente de nos jours pour qualifier cet amour délicat,
réservé aux nobles du Moyen Âge, les poètes de l'époque
médiévale avaient recours à d'autres adjectifs, notamment *bone* et *fine*, pour qualifier cet amour parfait,
« épuré, non pas dans le sens qu'il serait platonique, mais
comme un métal en fusion coule du creuset, pur de tout
alliage et de toute scorie [1] ». Ainsi Bernard de Ventadour
reconnaît que, malgré la saison hivernale, il ressent une
chaleur printanière en son âme :

> *Anar pòsc ses vestidura*
> *Nutz en ma chamisa*
> *Que **fin'amors** m'assegura*
> *De la freida bisa.*
>
> Je puis aller sans vêtements,
> nu sous ma chemise,
> car l'amour parfait me protège
> contre la froide bise [2].

Quelques années plus tard, le châtelain de Coucy
avoue à sa dame son indéfectible attachement et son
dévouement total :

---

1. Michel Zink, « Un nouvel art d'aimer », *L'Art d'aimer au
Moyen Âge*, p. 11-12.
   2. *Anthologie des troubadours*, p. 137, v. 13-16.

> *Ne cuidiez pas, dame, que je recroie*
> *De vous amer, se mors nel me desfent !*
> *Quar **fine amours** tient mon cuer et maistroie,*
> *Qui tout me done a vous entierement.*
>
> Ne croyez pas, dame, que je renonce
> à vous aimer, sauf si la mort me l'interdit !
> Car l'amour parfait retient et gouverne mon cœur
> et me fait me consacrer tout entier à vous [1].

De son côté, Gace Brulé affirme la fidélité douloureuse de son amour :

> *De **bone Amour** vuil que mes cuers se duille,*
> *Que nuns fors moi n'a vers li fin corage.*
>
> Je veux que mon cœur souffre d'un amour profond
> car envers elle nul n'a un cœur aussi loyal que moi [2].

Nous pourrions multiplier les exemples de ces expressions *fine amor* et *bone amor*, chères aux troubadours et aux trouvères. Les romanciers, quant à eux, vont généraliser l'expression *fine amor*, héritée de la *canso* provençale et désignant à l'origine la tendre inclination d'un célibataire pour une dame mariée, et l'appliquer à diverses relations sentimentales, non seulement la liaison adultère entre Tristan et Yseut, entre Lancelot et Guenièvre, et entre l'impératrice Athanaïs et le jeune Paridès dans *Éracle* de Gautier d'Arras, mais aussi le lien étroit unissant deux célibataires, tels Guillaume de Machaut et sa jeune admiratrice, ou deux époux comme Odée et Sone de Nansay, voire la profonde amitié d'Yvain et de Gauvain dans le *Chevalier au lion* [3].

---

1. *Œuvres attribuées au chastelain de Couci*, éd. A. Lerond, PUF, 1964, ch. VII, « Mout m'est bele la douce conmençance », p. 91, v. 31-34.

2. *Chansons des trouvères*, p. 410, v. 5-6.

3. Béroul, *Roman de Tristan*, éd. bilingue par Ph. Walter, Le Livre de Poche, « Lettres gothiques », 1989, v. 2722 : « *Je vos pramet par **fine***

La locution « amour courtois » est-elle pour nous l'exacte traduction en français moderne du syntagme *fine amor* ? Certes les deux expressions offrent maints points communs puisque l'une et l'autre caractérisent un art d'aimer aristocratique, délicat, respectueux de la femme aimée et source de valeur pour l'amant. Pourtant ces deux appellations ne nous semblent pas exactement synonymes, même si les critiques les confondent parfois. Tandis que la première définit, au sens large, l'attachement entre deux êtres dans sa dimension sociale, la seconde, à l'acception plus étroite, s'attache à la pureté et au caractère absolu de leur sentiment. Si l'amour courtois se réfère surtout à une communauté d'élite, la *fine amor* ressortit à un niveau individuel ; véritable religion de l'amour, elle sublime son chant. L'amour courtois magnifie la dame que la *fine amor* divinise.

LES CARACTÉRISTIQUES DE LA *FINE AMOR*

La *fine amor* possède des traits spécifiques qui lui confèrent à la fois sa complexité et sa grandeur.

Un amour adultère

La *fine amor* est par essence adultère, en pensée, en rêve ou en fait, à une époque où l'on se souciait d'unir

---

amor » ; Thomas, *Roman de Tristan*, éd. bilingue par E. Baumgartner et I. Short, Champion Classiques, 2003, v. 2641 : « *De nostre **amur fine** et veraie* » ; dans *Le Livre du voir dit*, Guillaume de Machaut, évoquant Lancelot et Guenièvre, précise à leur sujet : « *Qui tant s'amerent d'amour fine* » (v. 6338) ; dans *Éracle* de Gautier d'Arras (éd. G. Raynaud de Lage, Honoré Champion, 1976, v. 4914-4915), Paridès, l'amant de l'impératrice Athanaïs, répond à l'empereur qui le menace de mort : « *Ne quit pas que cil muire a honte/ Qui muert por **fine amor** veraie* » ; *Le Livre du voir dit*, v. 1440-1441 : ... *ma dame chiere/ Que j'aim*

des lignages et des terres plutôt que des cœurs. Dans le *De Amore*, André Le Chapelain cite ainsi une lettre écrite par la comtesse de Champagne sur cette question : « nous disons et nous affirmons comme pleinement établi que l'amour ne peut étendre ses droits entre deux époux. Les amants en effet s'accordent mutuellement toute chose gratuitement, sans qu'aucune obligation les pousse. Les époux, au contraire, sont tenus par devoir d'obéir réciproquement à leurs volontés et ne peuvent en aucune façon se refuser l'un à l'autre [1] ». Contrairement au *fin amant* qui cherche chaque jour à conquérir et à mériter l'amour de sa dame, le mari a acquis sa femme, une fois pour toutes, le jour de l'hyménée ; il n'a pas à fournir des efforts incessants, à s'amender, à se surpasser constamment pour gagner les faveurs d'une épouse qui lui appartient définitivement. En tant que seigneur, il est assuré de pouvoir la posséder, à son gré, alors que l'amant vit dans la crainte perpétuelle de perdre l'élue de son cœur. Tandis que le mari a des droits, le *fin amant* n'a que des devoirs [2]. D'un autre côté, si la dame est contrainte de consentir à la liaison charnelle avec celui-là, elle choisit librement de s'y adonner ou non avec celui-ci.

Selon Georges Duby, la *fine amor* est un jeu éducatif, aussi formateur que le tournoi sur le plan chevaleresque. « La femme, écrit le célèbre historien, est un leurre, analogue à ces mannequins contre lesquels le chevalier nouveau se jetait, dans les démonstrations sportives qui suivaient les cérémonies de son adoubement. La dame n'était-elle pas conviée à se parer, à masquer, démasquer

---

d'amour fine et entière… ; *Sone de Nansay*, v. 18407, et *Le Chevalier au lion*, v. 6009.

    1. *Traité de l'amour courtois*, livre I, chap. VI, p. 111-112.

    2. Voir Moshé Lazar, *Amour courtois et fin'amors*, Klincksieck, 1964.

ses attraits, à se refuser longtemps, à ne se donner que parcimonieusement, par concessions progressives, afin que, dans les prolongements de la tentation et du danger, le jeune homme apprenne à se maîtriser, à dominer son corps[1] ? » Ce divertissement d'amour lointain, quasi inaccessible, voire interdit pour l'épouse du seigneur, s'imposait au XIIe siècle, à une époque où la multiplicité des mariages risquait de morceler et donc d'amoindrir le patrimoine familial. L'hymen était réservé au fils aîné, tandis que les puînés étaient condamnés au célibat. Le meilleur moyen de les maintenir dans cet état, de les détourner de toute idée d'union légitime et d'éviter qu'ils éprouvent un sentiment d'envie à l'égard de leur père et de leur frère aîné consistait à les engager dans ce jeu amoureux qui les disciplinait, leur apprenait les bonnes manières, la discrétion, la maîtrise de soi et en même temps développait leur vaillance, car il convenait pour chacun d'eux d'éblouir la dame par des exploits.

Toutefois certains romanciers montrent que parfois la dame et le *bacheler* ne jouent plus. Leur relation, ludique à l'origine, est devenue au fil du temps plus sérieuse. Il ne s'agit plus entre eux d'un simple badinage mais d'un amour sincère, par conséquent moins favorable à la régulation économique et politique. En effet, par sa situation adultérine, la *fine amor* est subversive puisqu'elle menace les institutions sociales et religieuses, outrage le sacrement du mariage et la morale, risque enfin de détruire la famille sur laquelle se fonde le système féodal. Dans le *Roman de Tristan* de Thomas, Brangien, la suivante d'Yseut, dénonce les crimes liés à l'amour de la reine et de Tristan, considéré comme une « folie », une « honte »

---

1. Georges Duby, *Mâle Moyen Âge. De l'amour et autres essais*, Flammarion, 1988, p. 75-94. La citation se trouve aux pages 76-77.

pour son lignage, une *malveisté* (« malignité »), une *felunie* (« trahison ») envers le roi Marc, un déshonneur [1]. Les amants sont d'ailleurs conscients de commettre un grave péché. La *fine amor* devient alors *amor vilaine* (« un amour indigne [2] ») et surtout *fole amor*, une passion folle, insensée, démesurée, marquée par une sexualité exacerbée, quasi bestiale, un amour coupable qui bafoue les règles de la société. C'est l'expression utilisée dans *La Mort du roi Arthur* et dans le *Tristan en prose* pour qualifier la relation adultère entre Lancelot et Guenièvre d'une part, Tristan et Yseut de l'autre [3]. Dans les deux cas, les amants refusent de reconnaître le caractère infâme de leur amour. Lancelot et Yseut affirment, lui devant Arthur et elle devant Marc, leur innocence et la perfidie de leurs délateurs, comme s'ils cherchaient à nier la réalité de l'adultère. En fait ils proclament une contrevérité qu'Arthur et Marc désirent entendre par-dessus tout. Ainsi, lorsque le souverain de Cornouailles découvre, dans la forêt du Morois, les deux amants endormis dans

---

1. Thomas, *Roman de Tristan, op. cit.* : *folie* (v. 1689 et 2099) ; *huntage* (v. 1699) ; *malveisté* (v. 1703) ; *felunie* (v. 2100) ; *desonur* (v. 1710).

2. Béroul, *Roman de Tristan*, v. 502.

3. Yseut affirme devant Marc qu'elle n'entretient pas de relation coupable avec Tristan : « *Se il m'amast de **fole amor**…* » (Béroul, *Roman de Tristan*, v. 496). Dans le *Tristan en prose*, elle tient des propos similaires après que Tristan l'eut délivrée des mains de Palamède et ramenée auprès du roi (*Le Roman de Tristan en prose*, éd. R. Curtis, Munich, 1963, § 516, p. 120). Le roi Arthur utilise la même expression de *fole amor* quand il répète à son neveu Gauvain l'accusation proférée par Agravain contre Lancelot et la reine Guenièvre dans *La Mort du roi Arthur*, § 20, p. 86, l. 32-35). Lancelot ne reconnaît pas la turpitude de son amour et, en rendant son épouse à Arthur, il clame son innocence et la fourberie de ses délateurs : « *Et Lancelos dist au roi : "Sire, sachiez veraiement que, se je amasse madame la reïne de **fole amor** ausi com li desloiax de vostre cort le vos ont fet entendant, je ne la vos rendisse des mois…"* » (*ibid.*, § 133, p. 302, l. 2-5).

la loge de feuillage, au lieu de constater le flagrant délit, il se persuade de leur innocence en remarquant des indices ambigus, mais qu'il interprète toujours dans un sens témoignant de leur pureté (**texte 11, p. 92**). S'ils mentent à autrui ou à eux-mêmes, Lancelot, Yseut et Marc se forgent donc une vérité illusoire, agréable à proclamer et à écouter parce qu'elle préserve l'honneur de chacun.

Dans *La Quête du Saint Graal*, Lancelot, qui, la veille, à la vue du Graal, fut saisi d'une étrange torpeur – signe de son indignité – se rend dans un ermitage. Pressé par le religieux de se confesser, Lancelot lui avoue son amour, certes source de largesse et de vaillance, mais aussi de turpitude et de colère divine (**texte 12, p. 94**). À l'inverse, dans *Le Haut Livre du Graal*, il refuse de se repentir de ce péché si doux à ses yeux et de renoncer à son amour que son confesseur juge diabolique. Pour Lancelot, la *fine amor* qui l'unit à la reine saura apitoyer le Seigneur et attirer sa bienveillance ; il croit en un Sauveur bon et indulgent. Puisque Dieu est Amour, il ne peut qu'être compatissant et charitable envers les amants sincères [1].

C'est aussi ce que pensent Tristan et Yseut que le philtre, bu à la suite d'une méprise, déculpabilise à leurs yeux. Ce *lovendrins* (« breuvage d'amour [2] »), destiné à unir de manière indéfectible la fille du souverain d'Irlande à son futur époux Marc, ce « vin herbé », métaphore d'un désir sexuel irrésistible, symbole d'un amour réciproque et fatal, d'un destin de passion et de mort auquel ils ne peuvent échapper, constitue un merveilleux prétexte. Tristan explique ainsi à l'ermite Ogrin que, loin de choisir de l'aimer, la reine y a été contrainte par cette

---

1. *Le Haut Livre du Graal*, éd. bilingue par A. Strubel, Le Livre de Poche, « Lettres gothiques », 2007, p. 460-463.
2. Béroul, *Roman de Tristan*, v. 2138 : « *Li lovendrins, li vin herbez.* » Le premier terme est anglais : *love-drink*.

boisson magique[1], un plaidoyer qu'Yseut elle-même
confirme peu après, en pleurant aux pieds de l'ermite :

> « *Sire, por Deu omnipotent,*
> *Il ne m'aime pas, ne je lui,*
> *Fors par un herbé dont je bui*
> *Et il en but : ce fu pechiez.* »

> « Seigneur, au nom de Dieu tout-puissant,
> il ne m'aime et je ne l'aime
> qu'à cause d'un breuvage que j'ai bu
> et qu'il a bu : telle fut notre faute[2]. »

Au demeurant Tristan et la reine semblent bénéficier
de la protection divine dans la mesure où ils sont plusieurs fois « miraculeusement » sauvés de situations fort
périlleuses telles que le saut prodigieux de la chapelle, la
libération d'Yseut arrachée aux lépreux ou la découverte
des deux amants endormis et séparés par « l'épée de
chasteté ». Par conséquent, les amants de Cornouailles
se savent coupables sur un plan social et moral, bien que,
dans leur cœur, ils se sentent innocents, car victimes
enivrées du philtre. Ils ont foi en une autre justice que
celle des hommes, une justice céleste dont ils ont cru voir
des signes favorables en sortant indemnes de terribles
dangers. En général les *fins amants* espèrent que les mensonges, les ruses et les forfaits commis ici-bas leur seront
pardonnés dans l'au-delà, et que Dieu, plus sensible à la
force et à la constance de leur amour qu'au péché d'adultère, leur ouvrira les portes du paradis pour l'éternité.
Toutefois, placée dans une situation analogue à celle
d'Yseut, Fénice, éprise de Cligès, le neveu d'Alis, son
futur époux, refuse cette infâme pratique du ménage à

---

1. *Ibid.*, v. 1381-1386.
2. *Ibid.*, v. 1412-1415.

trois (**texte 13, p. 98**). En tout cas le caractère extra-
conjugal de leur relation contraint les amants à une
extrême prudence et à une totale discrétion.

Un amour secret

Les risques encourus (perte des biens, déshonneur,
bannissement, exil, excommunication, supplices, mutila-
tions, pendaison, bûcher), si la relation coupable était
découverte, nécessitent une continuelle circonspection.
Naturellement en public le *fin amant* ne doit ni se vanter
d'être aimé, ni faire la moindre confidence à ce propos,
ni même laisser paraître ses sentiments sur son visage ; il
lui faut cacher son trouble, ses joies et ses peines afin que
personne ne puisse soupçonner l'objet cher à son cœur.
S'il veut perpétuer son amour, il est obligé de demeurer
le plus réservé et silencieux possible, persuadé que la
divulgation de l'amour entraîne sa disparition, comme
André Le Chapelain l'affirme dans le *De Amore* :
« Quand l'amour est divulgué, il dure rarement [1]. »

Les amants se montrent d'autant plus précautionneux
et méfiants qu'ils sont entourés de *losengiers*, personnages médisants, menteurs, envieux, déloyaux et cruels.
Ceux-ci ont pour seul but de détruire l'amour, d'éteindre
sa flamme et son ardeur, comme l'exprime le héros éponyme de *Florimont*, roman d'Aimon de Varennes :
« *Amors est la chandoile ardans,/ Et des losengiers vient li
vans* [2]. » Dans *Le Roman de la rose*, Guillaume de Lorris
précise bien les défauts de ces hypocrites présents à la
cour de Richesse (**texte 14, p. 100**). Les termes qui les
désignent ou les qualifient dans la poésie lyrique se

---

1. André Le Chapelain, *Traité de l'amour courtois*, p. 182, règle XIII.
2. Aimon de Varennes, *Florimont*, éd. A. Hilka, Göttingen, 1933,
v. 8327-8328.

révèlent toujours péjoratifs. Les *losengiers* sont *failli* (« lâches », « sournois »), *faus* (« fourbes »), *felons* (« perfides », « cruels »), *menteor* (« menteurs »), *mescreüz* (« déloyaux »), *mesdisanz, trahitour* (« traîtres »), *tricheor* (« trompeurs ») ; plus souvent ensemble qu'isolément, ils forment une compagnie menaçante et méprisable, *fole* (« insensée »), *de mal aire* (« ignoble »), *malaüree* (« maudite »), *malparliere* (« médisante »), constituée de *males genz* (« mauvaises gens »), de *vilainnes gens* (« méchantes gens »), en somme une *pute gent haïe* (« sale engeance haïe »). La plupart des troubadours et des trouvères les craignent et les détestent, à l'instar de Gace Brulé.

> *De c'est graindre ma paours*
> *Que ma dame ont assise*
> *Losengier et menteour*
> *Et genz de male guise.*

> Ma peur ne fait que croître
> car ma dame est assiégée
> par les médisants, les menteurs
> et les gens de mauvaise manière [1].

Ces *losengiers* représentent en quelque sorte le monde extérieur hostile aux amants qu'ils surveillent étroitement. Ils épient leurs moindres gestes et regards, s'efforcent de surprendre leurs conversations, leurs tendres aveux afin de dénoncer leur liaison au mari dont ils suscitent la jalousie. Envieux eux-mêmes de leur bonheur, ils cherchent à tout prix à s'y opposer, à désunir le couple d'amoureux en diffusant leurs secrets et en salissant leur réputation. En outre ils n'hésitent pas à rapporter à la dame dont ils éveillent d'injustes soupçons des calomnies sur son ami qu'ils veulent discréditer à ses yeux.

---

1. Gace Brulé, *Poèmes d'amour des XIIe et XIIIe siècles*, p. 56, « Quant voi la flor boutoner », v. 37-40.

Dans la littérature narrative, le *losengier* peut être une femme jalouse, cherchant à se venger d'avoir été repoussée. C'est le cas dans une nouvelle intitulée *La châtelaine de Vergy* [1]. L'héroïne éponyme accorde son amour à un valeureux chevalier, à la condition que leur liaison reste cachée ; si par malheur il la dévoilait, il perdrait aussitôt l'amour de l'élue de son cœur et le don de sa personne. Pour se retrouver en toute sécurité, les amants décident d'adopter le stratagème suivant : dès que la dame sera seule, elle enverra son petit chien dans le verger où son ami se tiendra subrepticement ; à ce signal, il saura qu'il peut se rendre dans la chambre de la dame sans risquer de rencontrer son mari ou un quelconque fâcheux. Leur relation intime dure longtemps. Toutefois la duchesse de Bourgogne, éprise du chevalier, lui fait des avances qu'il rejette en prétextant qu'il ne veut pas déshonorer son seigneur. Ulcérée, la duchesse se plaint mensongèrement auprès de son mari de ce que son vassal l'a priée d'amour. Accusé à tort par le duc, le chevalier lui avoue alors, sous le sceau du secret, qu'il aime la châtelaine de Vergy et qu'il la rejoint grâce au manège du petit chien. Le soir même, le duc accompagne le jeune homme à son rendez-vous et, dissimulé dans le jardin, il constate qu'il lui a bien dit la vérité. Le lendemain, il accueille chaleureusement son loyal vassal, provoquant le dépit de sa femme. Cette dernière parvient à arracher les confidences de son époux sur l'oreiller. Elle promet de garder le silence, mais sachant désormais qu'elle fut dédaignée pour une personne de condition inférieure, elle est animée par un esprit de vengeance. À la Pentecôte, en présence de nombreuses dames rassemblées, elle lance

---

1. *La châtelaine de Vergy*, éd. bilingue par J. Dufournet et L. Dulac, Gallimard, « Folio », 1994.

une perfide allusion à la châtelaine de Vergy en la louant pour son art de dresser un petit chien. Celle-ci, très affligée, se retire dans une chambrette. Persuadée de la trahison du chevalier, elle se désole et meurt de douleur. Quand le chevalier la trouve inanimée et apprend d'une fillette, témoin de la scène, les dernières paroles de sa bien-aimée désespérée par la déloyauté de son ami, il se perce le cœur d'un coup d'épée. Informé à son tour par l'adolescente et découvrant les deux cadavres, le duc retire de la poitrine de son vassal l'arme qu'il abat ensuite sur la tête de la duchesse. Après avoir enterré les amants dans le même cercueil et son épouse dans un autre lieu, il prend la croix pour l'outre-mer et devient templier.

La relation de ce drame illustre le pouvoir malfaisant de ces espions et de ces mouchards dont il faut toujours se méfier. Au demeurant soucieux de dissimuler l'identité de la personne chérie, les troubadours recourent à des *senhals*, pseudonymes poétiques qu'elle seule en principe sera en mesure de comprendre [1]. Ces appellations masquées traduisent les sentiments d'admiration, de tendresse, d'espérance ou de joie de leurs créateurs, comme le montrent ces quelques exemples parmi d'autres : *Bel Esgar* (« Beau Regard »), *Bel Vezer* (« Belle Apparence »), *Mielhs de Domna* (« la Meilleure des Dames »), *Bel Conort* (« Belle Consolation »), *Bel Esper* (« Bel Espoir »), *Bel Paradis* (« Beau Paradis »). Guilhem IX, duc d'Aquitaine et comte de Poitiers, le premier troubadour connu, désigne dans la dernière *cobla* (strophe) de sa *canso* (chanson) *Ab la dolchor del temps novel*, l'une de ses *domnas* (dames) par le nom codé *Bon Vezi* (« Bon

1. Sur ce sujet, voir Alfred Jeanroy, *La Poésie lyrique des troubadours*, 1934, Genève, Slatkine Reprints, 1998, t. I, p. 317-320, et Imre Szabics, « Pseudonymes poétiques dans la lyrique troubadouresque : les *senhals* », *Revue d'études françaises*, n° 2, 1997, p. 115-122.

Voisin ») que certains spécialistes ont assimilée à Mau-
bergeonne, la vicomtesse de Châtellerault, une ville
proche de sa résidence principale [1].

La suzeraineté de la dame

Alors que la société politique et religieuse manifeste
la prépondérance de l'homme sur la femme, tandis que
l'amour courtois prônerait plutôt l'égalité entre les deux,
la *fine amor* affirme la supériorité de la *dame*. On se souvient du cérémonial de l'hommage féodal au cours
duquel deux chevaliers s'engagent, l'un devenant le
vassal de l'autre [2]. Agenouillé devant son seigneur, celui-
là place ses deux mains jointes dans les siennes (c'est
l'*immixtio manuum*) et lui déclare : « Sire, je deviens votre
homme » ; le suzerain le relève alors et prononce ces
paroles : « Je vous reçois et vous prends comme vassal. »
L'hommage est suivi du serment de fidélité (la *foi*), prêté
debout par le vassal, la main posée sur les Livres saints
ou sur une châsse contenant des reliques. Pour sceller cet
accord, le seigneur baise alors son nouveau vassal sur la
bouche (l'*osculum*). Un dernier acte s'y ajoute, la *saisine*,
c'est-à-dire la possession d'un fief que le seigneur accorde
à son vassal ; et cette investiture s'accompagne de la
remise d'un objet symbolique, tel qu'un bâton ou un
étendard.

Les troubadours et les trouvères vont transposer les
rites et le vocabulaire du contrat vassalique dans le
registre amoureux. Le *fin amant* se déclare ainsi

---

1. *Chansons de Guillaume IX*, éd. A. Jeanroy, Honoré Champion,
2e éd., 1927 ; voir aussi Jean-Charles Payen, *Le Prince d'Aquitaine*,
Honoré Champion, 1980.
2. Voir François-Louis Ganshof, *Qu'est-ce que la féodalité ?*, Tallandier, 5e éd., 1982.

« l'homme lige », autrement dit le vassal absolu, loyal et dévoué de la *dame* au service de laquelle il entre (**texte 15, p. 102**). De nombreux termes de la féodalité [1], tels que : *s'abandoner* (« se mettre à la merci de »), *s'afier* (« se fier »), *baillie* (« puissance tutélaire »), *baisier*, *dangier* (« pouvoir discrétionnaire »), *feauté* (« loyauté »), *fief*, *foi*, *guerredon* (« don en échange d'un don antérieur », « récompense »), *hom* (« vassal »), *homage lige* (« d'une fidélité sans restriction »), *otroier* (« accorder »), *rendre* (« donner entièrement »), *retenir*, *saisir* (« mettre en possession d'un fief »), *saisine* (« prise de possession d'un fief »), *seignorie* (« autorité »), *service*, *servir*, sont détournés de leur sens originel pour prendre une autre orientation dans le domaine de la *fine amor*. Même si la passion fatale et irrépressible qui unit les deux amants de Cornouailles, enivrés par le *lovendrin*, ne constitue pas la parfaite illustration de la *fine amor* qui est un amour choisi, fondé sur la raison, la mesure et la volonté, Tristan et Yseut adoptent dans certaines circonstances des comportements et des propos caractéristiques des *fins amants*. C'est le cas au moment où ils se séparent et échangent des présents après leur séjour dans la forêt du Morois (**texte 16, p. 106**).

Le *fin amant* doit manifester une qualité vassalique majeure, sa parfaite obéissance aux commandements de sa bien-aimée. Quand elle ordonne, il obtempère de bonne grâce et cherche à satisfaire le moindre désir de sa dame, ainsi que le souligne le narrateur du *Chevalier de la charrette* : « Celui qui aime se montre très obéissant, il fait bien vite et volontiers, s'il est un parfait ami, ce

---

1. Voir, sur ces vocables et d'autres, Roger Dragonetti, *La Technique poétique des trouvères dans la chanson courtoise. Contribution à l'étude de la rhétorique courtoise*, Bruges, 1960 ; Genève, Slatkine Reprints, 1979, p. 61-113.

qui doit plaire à son amie [1]. » Certes, au début du récit,
l'hésitation de Lancelot à monter sur la charrette d'infamie qui transporte d'ordinaire les traîtres, les meurtriers,
les chevaliers vaincus en champ clos, les voleurs et les
brigands de grand chemin, pour savoir ce qu'est devenue
la reine à la recherche de laquelle il s'est lancé, semble
une marque de résistance du héros à une subordination
totale. En fait ce n'est pas Guenièvre qui l'enjoint de
sauter sur ce véhicule ignominieux, mais un misérable
nain de sale engeance dont Lancelot ne peut que se
méfier. Il est alors partagé entre deux forces antagonistes,
d'une part la Raison qui représente le respect des conventions sociales, l'éthique féodale fondée sur le sens de
l'honneur, de l'autre l'Amour qui exige de ses fidèles les
plus grands sacrifices. Lorsqu'il comprend que c'est
Amour, et non pas le nain, qui le lui ordonne, il bondit
dans la charrette sans plus attendre [2]. La honte du chevalier est l'honneur du *fin amant* ; elle est le prix à payer
pour faire triompher l'amour. Toutefois cet atermoiement de Lancelot, l'espace d'un instant, lui vaut d'être
éconduit sèchement par sa dame lorsqu'il la retrouve
après avoir franchi le pont de l'épée. Peu après, elle lui
reproche d'avoir tardé à monter sur la voiture conduite
par le nain ; loin de se révolter contre une telle tyrannie,
il plaide coupable et sollicite humblement son pardon
(**texte 17, p. 110**). Lui qui avait déjà fait preuve de doci-
lité, cessant le combat dès qu'il avait entendu Guenièvre
accéder à la supplique de Baudemagus en consentant à
interrompre son duel avec Méléagant, se montre par la
suite entièrement soumis à la volonté de sa dame, voire
à ses moindres caprices. Ainsi, au tournoi de Noauz, il

1. Chrétien de Troyes, *Le Chevalier de la charrette*, v. 3806-3809.
2. *Ibid.*, v. 372-377.

sacrifie son honneur sans l'ombre d'une hésitation, obéit aux injonctions les plus humiliantes de sa suzeraine et accepte de fuir ses adversaires comme un lâche. Peu lui importe désormais de se comporter au mieux ou au pis, avec bravoure ou couardise ; la seule chose qui compte à ses yeux, c'est d'agir au gré de sa dame [1].

Outre sa soumission, le *fin amant*, au service de sa dame, doit faire preuve d'une fidélité absolue. Il lui faut négliger les invites éventuelles de femmes séduites par sa beauté, sa courtoisie, sa vaillance ou sa renommée, et prêtes à lui accorder leurs dernières faveurs. En fait, loyal envers celle qui possède son cœur, il n'est attiré par aucune autre et répond par une chasteté sans faille à leurs demandes lascives. Par exemple, lors de la fausse tentative de viol narrée dans *Le Chevalier de la charrette*, la vue de son hôtesse dénudée jusqu'au nombril n'éveille aucun désir chez Lancelot. La nuit venue, comme l'exige la coutume, il partage le lit de la tentatrice, mais refuse de coucher nu selon l'habitude médiévale ; il prend ses distances et ne tourne jamais son regard vers la demoi-selle [2]. Par la suite Lancelot repousse également, avec délicatesse, les avances de sa geôlière, l'épouse du séné-chal de Méléagant [3].

Tristan se révèle-t-il aussi fidèle à sa bien-aimée ? Dans un premier temps on pourrait en douter, puisqu'il se marie avec la sœur de son compagnon Kaherdin, Yseut aux Blanches Mains. Cette jeune fille qui s'est éprise de lui l'attire par sa beauté et par son nom, identiques à ceux de la reine [4]. Désireux à la fois de se délivrer de son tourment et de faire l'expérience de ce que connaît Yseut

---

1. *Ibid.*, v. 3813-3820 et 5898-5903.
2. *Ibid.*, v. 1086-1092 et 1210-1233.
3. *Ibid.*, v. 5486-5500.
4. Thomas, *Le Roman de Tristan*, v. 403-408. Voir aussi v. 427-438.

la Blonde avec son mari, curieux de savoir si on peut
oublier un amour désespéré pour une femme par la jouissance avec une autre, Tristan se résout à épouser Yseut
aux Blanches Mains qu'il désire sans l'aimer, puisque son
cœur continue à appartenir à la reine. Mais loin d'échapper à la souffrance, il en endure une plus vive encore.
Lors de la nuit de noces, tiraillé entre son désir pour
Yseut aux Blanches Mains et son amour pour Yseut la
Blonde, il s'abstient de faire l'amour à sa femme, prétextant une maladie à son flanc droit (**texte 18, p. 112**). Si
Tristan n'est pas inconstant et reste finalement chaste,
son attirance pour la jeune fille et son mariage avec elle
attestent, selon Thomas, une infidélité sinon en acte, du
moins en intention : « En effet s'il avait éprouvé un
amour parfait, il n'aurait pas aimé la jeune fille contre la
volonté de son amie [1]. »

Le vassal soumis, obéissant et fidèle à sa suzeraine doit
en outre user de patience et de persévérance s'il veut être
récompensé par elle.

Une conquête difficile

Dans son *De Amore*, André Le Chapelain rappelle
l'une des règles édictées par le Roi d'Amour : « Une
conquête facile rend l'amour sans valeur ; une conquête
difficile lui donne du prix [2]. » La dame aimée n'accorde
pas son amour d'emblée : elle met son soupirant à
l'épreuve du temps, seul moyen de vérifier la sincérité
et la permanence du sentiment qui anime celui-ci. Cette
passion soudaine n'est peut-être qu'un feu de paille, aussitôt allumé aussitôt éteint. Le chevalier ou le poète qui

---

1. *Ibid.*, v. 525-527.
2. *Traité de l'amour courtois*, livre II, p. 182, règle XIV.

prétend l'aimer ardemment n'est peut-être qu'un don Juan volage, un vil séducteur aux multiples conquêtes. Dans le roman occitan du XIIIe siècle intitulé *Jaufré*, Brunissen explique ainsi qu'une femme doit être priée d'amour trois fois avant d'y répondre favorablement [1]. La dame tarde d'autant plus à s'engager dans une relation, au demeurant plus périlleuse pour elle que pour l'homme, qu'elle est assez souvent versatile et surtout *sans merci*, c'est-à-dire sans pitié. Ces traits de caractère exigent que l'amoureux supporte toute une série d'attitudes contradictoires, tantôt affables tantôt hautaines ; à l'accueil chaleureux succède la froideur, aux déclarations les démentis, aux résolutions les incertitudes, aux aveux les désaveux, aux avances les rebuffades. Il faut que le *fin amant* triomphe de tous les obstacles, se méfie des *losengiers* et du mari jaloux, parvienne à surmonter des moments de doute, voire de désespoir provoqués par les tours et les détours, les minauderies, les caprices, les délais, les atermoiements, les faux-fuyants, les palinodies et les humiliations de la dame pour qu'au terme d'une longue attente, d'affres et de langueurs il puisse enfin prétendre à obtenir la réciprocité de son amour. La belle inhumaine qui lui a imposé ces tourments afin d'éprouver sa loyauté et sa fidélité peut répondre favorablement à sa requête, si elle le désire en estimant son ami digne d'être aimé. Mais le manque de compassion de la dame risque aussi de désespérer son soupirant qui, tel le troubadour Bernard de Ventadour, préfère renoncer à l'amour et à la poésie (**texte 19, p. 116**).

Cette conquête délicate n'est pas exempte d'inquiétudes, de hantises, d'angoisses. Comme l'exprime la

---

1. *Le Roman de Jaufré. Les Troubadours*, trad. R. Lavaud et R. Nelli, Desclée de Brouwer, 1960, p. 431, v. 7530-7552.

sagesse populaire à travers un proverbe, « *Amour ne fut onc* (= jamais) *sans crainte* [1]. » En effet le *fin amant* a constamment peur de déplaire à sa dame, d'être éconduit ou abandonné par elle, dénigré et calomnié par les *losengiers*, fustigé par un mari jaloux, délaissé pour un rival, en somme d'aimer en vain sans jamais être aimé. Il craint en outre les souffrances suscitées par l'indifférence, le dédain ou les revirements inopinés de la belle ainsi que les tourments dus à l'éloignement, la séparation, l'absence et la permanence d'un désir inassouvi. Chrétien de Troyes souligne dans *Cligès* que la frayeur est en quelque sorte consubstantielle à l'amour :

> *Amors sanz crienme et sanz peor*
> *Est feus ardanz et sanz chalor,*
> *Jorz sanz soloil, cire sanz miel,*
> *Estez sanz flor, yvers sanz giel,*
> *Ciax sanz lune, livres sanz letre.*

> L'amour sans la crainte et la peur
> est un feu brûlant sans chaleur,
> un jour sans soleil, de la cire sans miel,
> un été sans fleurs, un hiver sans gel,
> un ciel sans lune, un livre sans lettres [2].

Au cours des entrevues, le *fin amant* est en piètre posture. Le chevalier, pourtant hardi dans les combats, se montre étrangement timoré, tandis que le poète, d'ordinaire si expert à manier les mots, reste soudain muet, tel Guillaume de Machaut incapable, en découvrant sa jeune admiratrice, de répondre à ses aimables propos de bienvenue, tant il est ému [3]. Assurément, la timidité et le trouble

---

1. *Proverbes français*, op. cit, n° 86.
2. Chrétien de Troyes, *Cligès*, v. 3875-3879.
3. Guillaume de Machaut, *Le Livre du voir dit*, p. 208-211, v. 1926-1935.

du *fin amant*, paralysé par la vue de sa bien-aimée, ne favorisent guère la conquête de celle-ci, d'autant que les convenances et la pudeur interdisent à une femme de déclarer sa flamme en premier, comme le reconnaît Soredamor éprise d'Alexandre : « On n'a jamais vu une femme commettre le forfait de requérir l'amour d'un homme, à moins d'avoir complètement perdu la raison. Je serais une vraie folle, si je laissais sortir de ma bouche des paroles qui me seraient reprochées ; quand il les entendrait de ma bouche, je crois qu'il m'en mépriserait davantage et me reprocherait souvent de l'avoir prié la première [1]. »

Ce délai imposé entre la première requête du soupirant et la récompense accordée par la dame est toutefois contesté par divers personnages, tel Guigemar, le héros éponyme du lai de Marie de France. Il expose à la « malmariée » dont il est épris son opposition à ce rituel artificiel d'un désir longtemps contenu, d'un amour sans cesse différé, d'une indifférence simulée. Selon lui, ce comportement, indigne d'une femme sensée, caractériserait plutôt les courtisanes [2]. La dame lui donne raison et lui accorde aussitôt ce qu'il demande, baisers, caresses, étreintes. L'opposition aux pratiques de la *fine amor* est encore plus forte quand elle émane d'une femme, comme c'est le cas de la jeune épouse du sénéchal dans *Durmart le Gallois* ; elle ne repousse pas la requête du protagoniste et se justifie en ces termes : « Je n'estime pas du tout une dame qui se fait toujours prier par son ami, à partir du moment où elle le chérit. La joie et le plaisir valent mieux qu'un long délai et un long tourment. Assurément en tardant longtemps les dames ne gagnent rien. Mainte en

---

1. Chrétien de Troyes, *Cligès*, v. 998-1008.

2. *Lais de Marie de France. Guigemar*, éd. bilingue par A. Micha, GF-Flammarion, 1994, v. 515-525.

a perdu son ami qu'elle aurait voulu retenir. On doit
hâter sa joie plutôt que perdre et gaspiller son temps [1]. »

Agnès de Tonnerre dans *Joufroi de Poitiers* et l'héroïne
de *Flamenca* [2] tiennent des discours analogues qui
remettent en cause les usages sophistiqués de femmes
jouant, parfois à contrecœur, l'insensibilité ou la cruauté
pour mieux se conformer au type de la « dame sans
merci », à la conquête si difficile. Mais cette attitude
froide peut leur coûter cher. À force de refouler leur
libido et de frustrer leur soupirant de tout plaisir sexuel,
à force de cacher leurs véritables sentiments sous une
indifférence feinte, elles risquent d'être repoussées à leur
tour et de connaître la solitude, quand elles décident
enfin, après de longues années, de s'abandonner à
l'amour (**texte 20, p. 120**). Flamenca, amoureuse de
Guillaume et aimée de lui, dénonce l'orgueil et la folie
de ces belles inhumaines. Cependant ces propos restent
exceptionnels. Le plus souvent la dame fait languir son
ami avant de consentir à lui accorder la récompense qu'il
aura méritée par tant de patience et de constance.

Une source de perfectionnement

Le *fin amant* s'efforce de mériter l'amour de sa dame
en se montrant sous son meilleur jour, en manifestant
ses qualités militaires et courtoises : puissance, habileté,
vaillance, sagesse, largesse, loyauté, esprit, urbanité. La
fine amor est un principe de progrès, d'ennoblissement,
d'élévation. Elle amende tous ses adeptes, comme le
reconnaît le trouvère picard Gautier de Dargies :

---

1. *Durmart le Gallois*, éd. J. Gildea, Villanova, The Villanova Press,
1965-1966, t. I, v. 286-296.

2. *Joufroi de Poitiers*, éd. P.B. Fay et J.L. Grigsby, Genève, Droz,
1972, v. 2036-2052 ; *Flamenca*, éd. bilingue par J.-C. Huchet, U.G.E.,
« 10/18 », 1988, v. 6202-6222 et 6259-6270.

> *Tuit cil qui sunt devroient obeïr*
> *A fine amour, c'on en est plus vaillant,*
> *Larges, courtois, sages et entendans.*

> Tous les êtres devraient obéir
> aux règles de l'amour parfait qui rend plus vaillant,
> généreux, courtois, sage et intelligent [1].

De même, dans *Galeran de Bretagne* de Renaut, Frêne rappelle cette vérité au messager du héros éponyme : « Car celui qui aime vraiment n'en vaut que mieux dans les mêlées et les assauts, il en est plus avisé et plus hardi [2]. » En effet les difficultés surmontées mettent en évidence les vertus du soupirant. La conquête rituelle de la dame exige un constant dépassement de la part du conquérant, obligé de se transcender pour parvenir à ses fins. Stimulé par son amour et son espérance d'être aimé, l'inconnu devient célèbre et le chevalier renommé devient invincible. L'un et l'autre savent parfaitement que leur réputation rejaillit sur celle de la dame. Chaque victoire qu'ils remportent accroît la gloire de celle qu'ils chérissent. La première fois qu'il affronte Méléagant en un combat acharné, Lancelot, qui s'est blessé en franchissant le Pont de l'Épée, sent ses forces décliner. Cependant, informé par une demoiselle que la reine assiste au duel, il recouvre assez de vigueur et d'audace pour dominer son adversaire [3]. Tout chevalier, regardé, voire admiré par sa bien-aimée est donc galvanisé par cette présence bienveillante ; il accomplit alors d'authentiques exploits dans les batailles collectives ou singulières.

---

1. *Poèmes d'amour des XIIᵉ et XIIIᵉ siècles*, Gautier de Dargies, « La gent dient pour coi je ne faiz chanz », p. 62-63, v. 10-12.
2. Renaut, *Galeran de Bretagne*, éd. bilingue par J. Dufournet, Champion Classiques, 2009, v. 3191-3193.
3. Chrétien de Troyes, *Le Chevalier de la charrette*, v. 3728-3729.

Par conséquent, comme il veut convaincre sa dame qu'il est un véritable *preudome*, un homme de mérite, digne d'être aimé, le *fin amant* se surpasse constamment, s'amende, s'affine. Même une fois que la belle lui aura accordé son cœur, il continuera à se perfectionner dans tous les domaines car il sait qu'une conquête n'est jamais définitive et que son amie a besoin de l'admirer encore et toujours pour lui rester attachée. Ce dépassement de soi-même est sa façon d'aimer, voire d'idolâtrer.

UNE RELIGION DE L'AMOUR

Le poète Raoul de Soissons exprime sa dévotion par des gestes et des termes religieux :

> *Bele dame, droiz cors sainz,*
> *Je vous enclin jointes mains*
> *Au lever et au couchier.*
>
> Chère dame, précieuse icône,
> mains jointes, je vous salue en m'inclinant,
> à mon lever et à mon coucher [1].

La vénération absolue de la dame aboutit ainsi à une sacralisation de l'amour. La *fine amor* devient un authentique culte avec sa divinité, ses rites, ses offices et ses « saintes » reliques. Il ne s'agit pas pour autant d'un amour éthéré ou platonique. Le désir et le plaisir sexuels ne sont pas supprimés, mais sublimés. Loin d'entraver la sensualité, la ferveur l'exalte. Par exemple, le rendez-vous nocturne entre Lancelot et Guenièvre, dans le *Chevalier de la charrette*, décrit des moments d'intimité charnelle

---

1. *Poèmes d'amour des XIIᵉ et XIIIᵉ siècles*, Raoul de Soissons, « Chançon legiere a chanter », p. 120-121, v. 37-39.

encadrés par des attitudes hiératiques (**texte 21, p. 124**).
Au demeurant, le chevalier conserve précieusement
quelques reliques sacrées de sa dame, en l'occurrence plusieurs de ses blonds cheveux qu'il a enlevés d'un peigne
oublié par la reine sur la margelle d'une fontaine [1]. Chrétien de Troyes s'amuse à évoquer ce culte fétichiste de
Lancelot vénérant quelques cheveux de sa bien-aimée. Ils
constituent pour lui une source inépuisable de bonheur
et de richesse ; ils sont non seulement plus précieux que
des gemmes mais semblent même dotés d'un pouvoir
magique, presque miraculeux, dispensant le héros de
recourir à des électuaires ou d'implorer des saints. Prati-
quant zélé, fervent adorateur, prêt au sacrifice et au martyre, incapable de détacher les yeux de son idole et plongé
plusieurs fois en extase, qu'il la regarde émerveillé ou
qu'il pense à elle en son absence [2], Lancelot ressemble à
ces « mystiques abîmés dans la contemplation [3] ».

Dans *Le Livre du voir dit*, Guillaume de Machaut se
comporte de manière similaire. Par exemple, accueilli
avec liesse par Toute Belle, il lui répond *A mains jointes
et a genoulz* [4]. À l'instar du chevalier de la Table ronde,
il possède lui aussi ses objets « sacrés », tel le premier
rondeau envoyé par son admiratrice [5], et l'enthousiasme
de l'idolâtre est encore plus vif quand il reçoit en cadeau
le portrait de la demoiselle (**texte 22, p. 128**). Celle-ci est
assimilée à une divinité à l'action thérapeutique, à une

1. Chrétien de Troyes, *Le Chevalier de la charrette*, v. 1463-1484.

2. *Ibid.*, v. 560-567 (lors du passage du cortège de la reine), 711-777
(lors du franchissement du gué), 1430-1448 (au moment de la découverte du peigne) et 3675-3684 (pendant le combat contre Méléagant).

3. Jean Frappier, *Chrétien de Troyes*, Hatier, « Connaissance des
lettres », 1968, p. 139.

4. Guillaume de Machaut, *Le Livre du voir dit*, v. 3515.

5. *Ibid.*, v. 189-198.

sainte thaumaturge. N'est-elle pas capable de ressusciter
le poète [1] ? Les saints reconnus par l'Église sont-ils aussi
efficaces ? Sans vouloir blasphémer, Guillaume en doute.
Toute Belle, qui a réussi à lui rendre sa joie de vivre, n'a-
t-elle pas accompli le plus beau miracle qui soit [2] ?

Par conséquent, la *fine amor* est un amour adultère et
secret, fondé sur un rituel strict fixant les relations entre
une dame et son soupirant, obligé de se surpasser s'il
veut mériter la moindre faveur de sa bien-aimée. Mais le
fin amant est plus qu'un vassal soumis et loyal au service
de sa suzeraine ; s'élevant du dévouement à la dévotion,
il devient un adorateur qui déifie sa dame et sacralise
l'amour. La *fine amor* est plus encore qu'un art, un véritable culte.

---

1. *Ibid.*, v. 818-825. On observe plusieurs occurrences du verbe *ressusciter*, v. 825, 1510, 1859 et 2120.
2. *Ibid.*, v. 932-933 : *Qu'onques nul miracle ne vi/ Si grant com d'un
amant ravi* (« car jamais je n'ai vu aucun miracle aussi grand que celui
d'un amant en extase »).

11. *Le Roman de Tristan*

BÉROUL

V. 1981-2016

Li rois deslace son mantel•,
Dont a fin or sont li tasel :
Desfublez fu, molt out gent cors.
Du fuerre trait l'espee fors,
1985 Iriez s'en torne, sovent dit
Qu'or veut morir s'il nes ocit.
L'espee nue an la loge• entre.
Le forestier• entre soventre,
Grant erre aprés le roi acort :
1990 Li ros li çoine• qu'il retort.
Li rois en haut le cop leva,
Iré le fait, si se tresva.
Ja decendist li cop sor eus,
Ses oceïst, ce fust grant deus,
1995 Qant vit• qu'ele avoit sa chemise
Et q'entre eus deus avoit devise,
La bouche o l'autre n'ert jostee,
Et qant il vit la nue espee
Qui entre eus deus les desevrot,
2000 Vit les braies• que Tristran out :
« Dex ! dist li rois, ce que puet estre ?
Or ai veü tant de lor estre,
Dex ! je ne sai que doie faire,
Ou de l'ocire ou du retraire.

11. *Le Roman de Tristan*

Le roi délace son manteau
dont les attaches sont en or fin.
Une fois dévêtu, il a une noble prestance !
Il tire son épée hors du fourreau,
1985 s'avance furieux et répète
qu'il préfère mourir s'il ne les tue pas maintenant.
L'épée nue, il entre dans la hutte.
Le forestier suit le roi,
en courant vite derrière lui :
1990 le roi lui fait signe de s'en retourner.
Il lève son arme,
la colère l'enflamme puis se dissipe :
le coup allait s'abattre sur eux,
il les aurait tués, et c'eût été un grand malheur,
1995 quand il vit qu'Yseut avait sa chemise,
qu'entre eux deux il y avait un espace
et que leurs bouches n'étaient pas jointes.
Et quand il vit l'épée nue
séparant leurs deux corps,
2000 et les braies que portait Tristan,
« Dieu, dit le roi, qu'est-ce que cela signifie ?
Maintenant que j'ai bien vu leur attitude,
mon Dieu ! je ne sais plus ce que je dois faire,
les tuer ou me retirer.

2005 Ci sont el bois, bien a lonc tens.
      Bien puis croire, se je ai sens,
      Se il s'amasent folement,
      Ja n'i eüsent vestement,
      Entrë eus deus n'eüst espee,
2010 Autrement fust cest'asenblee.
      Corage avoie d'eus ocire :
      Nes tocherai, retrairai m'ire.
      De fole amor corage n'ont.
      N'en ferrai nul. Endormi sont :
2015 Se par moi eirent atouchié
      Trop par feroie grant pechié. »

12. *La Quête du Saint Graal*

« Sire, fet Lancelot, il est einsi que je sui morz de
pechié• d'une moie dame que je ai amee toute ma vie, et
ce est la reine Guenievre, la fame le roi Artus. Ce est cele
qui a plenté m'a doné l'or et l'argent et les riches dons
5 que je ai aucune foiz donez as povres chevaliers. Ce est
cele qui m'a mis ou grant boban et en la grant hautece
ou je sui. Ce est cele por qui amor j'ai faites les granz
proeces dont toz li mondes parole. Ce est cele qui m'a fet
venir de povreté en richece et de mesaise a toutes les
10 terriannes beneurtez. Mes je sai bien que par cest pechié
de li s'est Nostres Sires si durement corociez a moi qu'il
le m'a bien mostré puis ersoir. »

2005   Ils vivent dans la forêt depuis bien longtemps.
       J'ai tout lieu de croire, si j'ai du bon sens,
       que s'ils s'aimaient d'un amour coupable,
       ils ne porteraient plus de vêtements,
       entre eux deux il n'y aurait pas une épée,
2010   et ils se seraient disposés d'une autre manière.
       J'avais l'intention de les tuer :
       je ne les toucherai pas, je réfrénerai ma colère.
       Ils n'ont pas d'amour coupable dans leurs cœurs.
       Je ne frapperai aucun des deux. Ils sont endormis :
2015   si je les touchais,
       je commettrais une très grave faute. »

12. *La Quête du Saint Graal*

LE REPENTIR DE LANCELOT

   « Seigneur, dit Lancelot, il est vrai que je vis en état de
péché mortel à cause d'une dame que j'ai aimée toute ma
vie, la reine Guenièvre, l'épouse du roi Arthur. Pourtant
c'est elle qui m'a donné en abondance l'or, l'argent et les
5 magnifiques cadeaux que j'ai distribués quelquefois à de
pauvres chevaliers. C'est à elle que je dois ma magnificence
et le rang élevé que j'occupe. C'est par amour pour elle que
j'ai accompli les exploits exceptionnels dont tout le monde
parle. C'est elle qui m'a fait passer de la pauvreté à la
10 richesse et de l'infortune à tout le bonheur terrestre. Mais je
sais bien que c'est à cause du péché que j'ai commis avec elle
que Notre Seigneur s'est durement irrité contre moi,
comme Il me l'a clairement montré depuis hier soir. »

Et lors li conte coment il avait veu le Saint Graal si
q'onques ne s'estoit remuez encontre lui, ne por honor
15 de lui ne por amor de Nostre Seignor. [...]

« Mes por ce que vos m'avez dit, [fet Lancelot], que je
n'ai mie encore tant alé que je ne puisse retorner, se je
me vueil garder de renchaoir en pechié mortel, creant• je
premierement a Dieu et a vos aprés que ja mes a la vie
20 que je ai menee si longuement ne retornerai, ainz tendrai
chasteé et garderai mon cors au plus netement que je
porrai. Mes de sivre chevalerie ou de fere d'armes ne me
porroie je tenir tant come je fusse si sains et si haitiez•
come je sui. » Et quant li preudons ot ceste parole, si est
25 mout liez et dist a Lancelot :

« Certes, se vos le pechié de la roine voliez lessier, je
vos di por voir que Nostre Sires vos ameroit encore et
vos envoieroit secors et vos regarderoit en pitié, et vos
donroit pooir d'achever mainte chose ou vos ne poez
30 avenir par vostre pechié.

– Sire, fet Lancelot, je le les, en tel maniere que ja mes
ne pecherai en li ne en autre. »

Et quant li preudons l'ot, si li enjoint tel penitance
com il cuide que il puisse faire, et l'asoult et beneist et li
35 prie que il remaigne hui mes o lui. Et il respont que a
fere li covient, car il n'a cheval sor quoi il puisse monter,
ne escu ne lance ne espee. « De ce vos aiderai je bien, fet
li preudons, ainz demain au soir. Car ci pres maint uns
miens freres chevaliers, qui m'envoiera cheval et armes et
40 tout ce que mestier sera, si tost come je li manderai. » Et
Lancelot respont que donc remaindra il volentiers ; et li
preudons en est liez et joianz.

Ensi demora Lancelot o le preudome qui l'amonestoit
de bien fere. Et tant li dist li hermites bones paroles que

Alors Lancelot raconte à l'ermite comment il avait vu le
15 Saint Graal sans pouvoir, à aucun moment, se bouger à son
encontre, ni par respect pour lui ni par amour pour Notre
Seigneur. […]

« Mais puisque vous m'avez dit, [déclare Lancelot],
que je ne suis pas allé si loin que je ne puisse revenir sur
20 mes pas, si du moins je m'applique avec détermination à
ne pas retomber en péché mortel, je promets à Dieu
d'abord, à vous ensuite, de ne jamais plus reprendre la
vie que j'ai si longtemps menée, mais d'observer la chasteté et de garder mon corps le plus pur que je pourrai.
25 Mais abandonner la chevalerie et le métier des armes, je
ne le pourrais pas tant que je serai aussi bien portant que
je le suis. » Heureux d'entendre ces paroles, l'ermite dit à
Lancelot : « Assurément, si vous acceptiez de renoncer à
votre relation coupable avec la reine, je vous affirme que
30 Notre Seigneur vous aimerait encore, vous apporterait
son aide, vous témoignerait sa miséricorde et vous per-
mettrait d'achever maintes aventures que vous ne pouvez
accomplir à cause de votre péché.

– Seigneur, dit Lancelot, j'y renonce : jamais plus je
35 ne pécherai ni avec elle, ni avec une autre. »

À ces mots, l'ermite lui impose la pénitence qu'il
estime qu'il pourra accomplir ; il l'absout, le bénit et le
prie de rester avec lui ce jour-là. Lancelot répond qu'il y
est contraint, car il n'a ni cheval à monter, ni écu, ni
40 lance, ni épée. « Je vous aiderai à vous en procurer,
reprend l'ermite, avant demain soir. En effet un de mes
frères, qui est chevalier, habite près d'ici ; il m'enverra un
cheval, des armes et tout ce qui sera nécessaire dès que
je le lui demanderai. » Lancelot répond qu'il restera donc
45 volontiers, ce qui rend l'ermite très heureux.

Lancelot resta ainsi avec l'ermite qui l'exhortait à bien
se conduire. Il lui dit tant de bonnes paroles que Lancelot

45 Lancelot se repent mout de la vie qu'il a si longuement
menee. Car il voit bien, s'il i moreust, il perdist s'ame ;
et li cors par aventure en fust maubailliz s'il poïst de ce
estre atainz. Et por ce se repent il qu'il ot onques fole
amor vers la reine, car il i a usé son tens. Si s'en blasme
50 et honist, et creante bien en son cuer que ja mes n'i ren-
charra.

13. *Cligès*

CHRÉTIEN DE TROYES

V. 3120-3154

3120 « Mes l'empereres me marie,
      Don je sui iriee et dolante,
      Por ce que cil qui m'atalante
      Est niés celui que prendre doi.
      Et se cil a joie de moi,
3125 Donc ai je la moie perdue
      Ne je n'i ai nule atandue.
      Mialz voldroie estre desmanbree
      Que de nos .II. fust remanbree
      L'amors d'Ysolt et de Tristan,
3130 Don mainte folie dit an
      Et honte en est a reconter.
      Ja ne m'i porroie acorder
      A la vie qu'Isolz mena.
      Amors en li trop vilena,
3135 Que ses cuers fu a un entiers
      Et ses cors fu a .II. rentiers•.
      Ensi tote sa vie usa
      N'onques les .II. ne refusa.

se repentit profondément de la vie qu'il avait si longtemps menée. Il comprenait bien en effet que, s'il était
mort dans cet état, il aurait perdu son âme, et son corps,
peut-être, aurait risqué d'être mis à mal, en cas d'accusation. Aussi se repent-il d'avoir éprouvé pour la reine un
amour coupable et d'avoir ainsi gaspillé sa vie. Il
s'accuse, se blâme et jure bien en son cœur de ne plus
jamais retomber dans ce péché.

13. *Cligès*

FÉNICE CONDAMNE L'ATTITUDE D'YSEUT

3120 « Mais l'empereur m'épouse,
ce qui me contrarie et m'afflige beaucoup,
parce que celui qui me plaît,
est le neveu de celui que je dois épouser.
Et si ce dernier trouve sa joie en moi,
3125 alors c'est moi qui ai perdu la mienne,
et il ne me reste aucun espoir.
Je préférerais être écartelée
plutôt que notre situation à tous deux rappelle
l'amour d'Yseut et de Tristan
3130 dont on raconte tant de folies
et qu'il est honteux de rapporter.
Je ne pourrais jamais m'accommoder
de la vie que mena Yseut.
L'amour s'avilit trop en elle,
3135 car son cœur n'appartenait qu'à un seul homme
tandis que son corps était à deux bénéficiaires.
Ainsi passa-t-elle toute sa vie
sans se refuser à aucun des deux.

Ceste amors ne fu pas resnable,
3140 Mes la moie iert toz jorz estable,
Car de mon cors et de mon cuer
N'iert ja fet partie a nul fuer.
Ja mes cors n'iert voir garçoniers•
N'il n'i avra .II. parçoniers•.
3145 Qui a le cuer, cil a le cors,
Toz les autres an met defors.
Mes ce ne puis je pas savoir
Comant puisse le cors avoir
Cil a cui mes cuers s'abandone,
3150 Qant mes peres autrui me done
Ne je ne li os contredire.
Et quant il est de mon cors sire,
S'il an fet chose que ne vuelle
N'est pas droiz c'un autre i acuelle. »

14. *Le Roman de la rose*

GUILLAUME DE LORRIS

V. 1017-1052

Delez Biauté se tint Richece,
Une dame de grant hautece,
De grant pris et de grant afaire.
1020 Qui a li ni as siens mesfaire
Osast riens par fais ou par dis,
Il fust mout fiers• et mout hardis,
Qu'ele puet mout nuire et aidier
[Ce n'est mie ne d'ui ne d'ier]
1025 Que riches• gens ont grant poissance
De faire aïde ou nuisance.
Tuit li grignor et li menor

Cet amour fut contraire à la raison,
3140 mais le mien sera toujours immuable,
car mon corps et mon cœur
ne seront jamais séparés à aucun prix.
Jamais en vérité mon corps ne se prostituera
ni n'aura deux propriétaires.
3145 Qui a le cœur a aussi le corps,
j'en exclus tous les autres.
Mais je n'arrive pas à savoir
comment pourrait avoir mon corps
celui auquel mon cœur s'abandonne,
3150 puisque mon père me donne à un autre
et que je n'ose pas m'y opposer.
Dès que celui-ci sera le maître de mon corps,
même s'il en use malgré moi,
il n'est pas légitime que j'en accueille un autre. »

14. *Le Roman de la rose*

LA PRÉSENCE DES *LOSENGIERS*

À côté de Beauté se tenait Richesse,
une dame de bonne noblesse,
de grande valeur et de haut rang.
1020 Celui qui aurait osé lui faire du mal, à elle
et aux siens, en actes ou en paroles,
aurait été bien orgueilleux et téméraire,
car elle peut avec force nuire ou aider.
[Ce n'est pas d'aujourd'hui ni d'hier]
1025 que les riches sont tout-puissants
pour aider ou pour nuire.
Tous, les plus grands et les plus humbles,

      Portoient a Richece honor ;
      Tuit baoient a li servir
1030 Por l'amor de li deservir ;
      Chascuns sa dame la clamoit,
      Car tous li mondes la cremoit ;
      Tous li mons ert en son dangier.
      En sa cort ot maint losengier,
1035 Maint traïtor, maint envïeus :
      Ce sont cil qui sont curïeus
      De desprisier et de blamer
      Tous ceus qui font miex a amer.
      Par devant, por eus losengier,
1040 Loent les gens li losengier ;
      Tout le monde par parole oignent,
      Mes lor losenges les gens poignent
      Par derrier ens jusques à l'os,
      Qu'il abaissent des bons les los,
1045 Desloiautent les alosés.
      Mains prodommes ont accusés
      Li losengiers par lor losenges,
      Car il font ceus des cors estranges
      Qu'en deüssent estre privés.
1050 Mal puissent il estre arivés,
      Icil losengier plain d'envie !
      Car nus prodons n'aime lor vie.

15. *Chanson III*

CHÂTELAIN DE COUCY

I

La douce voiz du louseignol sauvage
Qu'oi nuit et jour cointoier et tentir

honoraient Richesse ;
tous aspiraient à la servir
1030 pour mériter son amour.
Chacun l'appelait sa dame,
car tout le monde la craignait ;
tout le monde était sous sa domination.
À sa cour se trouvaient maints flatteurs,
1035 maints traîtres, maints envieux :
ce sont gens soucieux
de déprécier et de blâmer
tous ceux qui méritent le plus d'être aimés.
Par-devant, pour les tromper,
1040 les flatteurs glorifient les gens
et par leurs propos passent de la pommade à tout
    le monde,
mais leurs flatteries les transpercent
par-derrière jusqu'à l'os,
car ils rabaissent la renommée des bons
1045 et déprécient les gens de renom.
Maints hommes de bien ont été discrédités
par les mensonges des flatteurs,
car ils bannissent des cours ceux
qui devraient en être les familiers.
1050 Puissent-ils aborder aux rives du malheur,
ces flatteurs pleins d'envie !
Car nul homme de bien n'aime leur vie.

15. *Chanson III*

L'HOMMAGE LIGE

I

La douce voix du rossignol sauvage
que j'entends nuit et jour gazouiller et jaser

M'adoucist si le cuer et rassouage
Qu'or ai talent que chant pour esbaudir.
5 Bien doi chanter puis qu'il vient a plaisir
Cele qui j'ai fait de cuer lige homage ;
Si doi avoir grant joie en mon corage,
S'ele me veut a son oez retenir.

II

Onques vers li n'eu faus• cuer ne volage,
10 Si m'en devroit pour tant mieuz avenir,
Ainz l'aim et serf et aour par usage,
Mais ne li os mon pensé descouvrir,
Quar sa biautez me fait tant esbahir
Que je ne sai devant li nul language ;
15 Nis reguarder n'os son simple• visage,
Tant en redout mes ieuz a departir.

III

Tant ai en li ferm assis mon corage
Qu'ailleurs ne pens, et Diex m'en lait joïr !
C'onques Tristanz, qui but le beverage,
20 Pluz loiaument n'ama sanz repentir ;
Quar g'i met tout, cuer et cors et desir,
Force et pooir, ne sai se faiz folage ;
Encor me dout qu'en trestout mon eage
Ne puisse assez li et s'amour servir.

IV

25 Je ne di pas que je face folage,
Nis se pour li me devoie morir,
Qu'el mont ne truis tant bele ne si sage,

apaise et soulage tant mon cœur
qu'à présent je désire chanter pour me réjouir.
5 Je dois bien chanter puisque c'est le plaisir
de celle à qui j'ai de mon cœur fait un hommage total ;
et je dois avoir une grande joie en mon cœur,
si elle veut me retenir à son service.

II

Jamais je n'eus envers elle un cœur trompeur ni volage,
10 aussi devrais-je avoir meilleure destinée,
mais je l'aime, la sers et l'adore avec constance,
sans oser lui découvrir mes pensées,
car sa beauté me trouble à tel point
que devant elle je ne sais plus parler ;
15 je n'ose même plus contempler son pur visage,
tant je crains d'avoir à en détacher mes yeux.

III

J'ai si fermement fixé mon cœur en elle
que je ne pense à nulle autre, et que Dieu me laisse
en jouir !
Jamais Tristan, qui but le philtre,
20 n'aima plus loyalement sans regret ;
car je lui donne tout, cœur, corps et désir,
force et puissance, je ne sais si je fais une folie ;
de plus je crains que toute ma vie
ne puisse suffire à la servir, elle et son amour.

IV

25 Je ne dis pas que ce soit une folie,
même si pour elle je devais mourir,
car je ne trouve au monde femme si belle ni si sage,

Ne nule rienz n'est tant a mon desir ;
Mout aim mes ieuz qui me firent choisir ;
30 Lors que la vi, li laissai en hostage
Mon cuer, qui puiz i a fait lonc estage,
Ne ja nul jour ne l'en quier departir.

V

Chançon, va t'en pour faire mon message
La u je n'os trestourner ne guenchir,
35 Quar tant redout la fole gent ombrage
Qui devinent, ainz qu'il puist avenir,
Les bienz d'amours – Diex les puist maleïr ! –
A maint amant ont fait ire et damage ;
Maiz j'ai de ce mout cruel avantage
40 Qu'il les m'estuet seur mon pois obeïr.

16. *Le Roman de Tristan*

BÉROUL

V. 2694-2732

Iseut parla o grant sospir :
2695 « Tristran, entent un petitet :
Husdent* me laisse, ton brachet.
Ainz berseret a veneor
N'ert gardé e a tel honor
Con cist sera, beaus douz amis.
2700 Qant gel verrai, ce m'est avis,
Menberra moi de vos sovent.
Ja n'avrai si le cuer dolent,

ni créature qui comble mieux mon désir ;
j'aime beaucoup mes yeux qui me la firent
   remarquer ;
30 dès que je la vis, je lui laissai en otage
mon cœur, qui depuis a fait chez elle un long
   séjour,
sans que jamais je cherche à l'en séparer.

V

Chanson, va-t'en porter mon message
là où je n'ose retourner ni faire un simple détour,
35 tant je crains la folle engeance des jaloux
qui devinent, avant même qu'il puisse arriver,
le bonheur d'amour, puisse Dieu les maudire !
Ils ont causé chagrin et dommage à maint amant ;
mais j'ai sur ce point un très cruel avantage :
40 il me faut contre mon gré leur obéir.

16. *Le Roman de Tristan*

L'ÉCHANGE DE CADEAUX

Yseut poussa un profond soupir et dit :
2695 « Tristan, écoute-moi un peu.
Laisse-moi Husdent, ton braque.
Jamais un chien de chasse
ne sera gardé avec autant d'égards
que celui-ci, mon tendre ami.
2700 Quand je le verrai, il me semble,
je me souviendrai souvent de vous.
Si triste que soit mon cœur,

Se je le voi, ne soit lie.
Ainz, puis que la loi fu jugie,
2705 Ne fu beste si herbergie
Ne en si riche lit couchie.
Amis Tristan, j'ai un anel,
Un jaspe vert a un seel.
Beau sire, por l'amor de moi,
2710 Portez l'anel en vostre doi ;
Et s'il vos vient, sire, a corage
Que me mandez rien par mesage,
Tant vos dirai, ce sachiez bien,
Certes, je n'en croiroie rien,
2715 Se cest anel, sire, ne voi.
Mais, por defense de nul roi,
Se voi l'anel, ne lairai mie,
Ou soit savoir ou soit folie,
Ne face çou que il dira,
2720 Qui cest anel m'aportera,
Pour ce qu'il soit a nostre anor :
Je vos pramet par fine amor.
Amis, dorrez me vos tel don,
Husdant le baut, par le landon ? »
2725 Et il respont : « La moie amie,
Husdent vos doins par drüerie.
– Sire, c'est la vostre merci.
Qant du brachet m'avez seisi,
Tenez l'anel, de gerredon. »
2730 De son doi l'oste, met u son.
Tristran en bese la roïne,
Et ele lui, par la saisine.

sa vue me réjouira.
Jamais, depuis que la loi divine fut proclamée,
2705 un animal n'aura eu un si bon gîte
ni n'aura couché dans un lit aussi somptueux.
Tristan, mon ami, j'ai une bague,
avec un jaspe vert et un sceau.
Cher seigneur, pour l'amour de moi,
2710 portez la bague à votre doigt ;
si le désir vous prend, seigneur,
de m'envoyer un mot par un messager,
je vous l'affirme et soyez-en sûr,
je n'en croirai rien,
2715 si je ne vois pas, seigneur, cet anneau.
Mais aucune interdiction royale
ne m'empêchera, si je vois l'anneau,
– que cela soit sagesse ou folie –
de faire ce que me dira
2720 celui qui m'apportera cet anneau,
pourvu que cela soit conforme à notre honneur :
Je vous le promets au nom de notre parfait amour.
Ami, me donnerez-vous en présent
le vif Husdent avec sa laisse ? »
2725 Et Tristan répond : « Mon amie,
je vous donne Husdent en gage d'amour.
– Seigneur, je vous remercie.
Puisque vous m'avez confié le braque,
prenez la bague en échange. »
2730 Elle l'ôte de son doigt et la lui met au sien ;
Tristan donne un baiser à la reine,
et elle le lui rend, en gage mutuel de possession.

17. *Le Chevalier de la charrette*

CHRÉTIEN DE TROYES

V. 4477-4508

Et quant Lanceloz voit son eise,
Qu'il ne dit rien que molt ne pleise
La reïne, lors a consoil
4480 A dit : « Dame, molt me mervoil
Por coi tel sanblant me feïstes
Avant hier, quant vos me veïstes,
N'onques un mot ne me sonastes.
A po la mort ne m'an donastes,
4485 Ne je n'oi tant de hardemant
Que tant com or vos an demant
Vos en osasse demander.
Dame, or sui prez de l'amander•,
Mes que le forfet dit m'aiez
4490 Dom j'ai esté molt esmaiez. »
Et la reïne li reconte :
« Comant ? Don n'eüstes vos honte
De la charrete et si dotastes ?
Molt a grant enviz i montastes,
4495 Quant vos demorastes deus pas.
Por ce, voir, ne vos vos je pas
Ne aresnier ne esgarder.
– Autre foiz me doint Dex garder,
Fet Lanceloz, de tel mesfet,
4500 Et ja Dex de moi merci n'et
Se vos n'eüstes molt grant droit !
Dame, por Deu, tot or androit
De moi l'amande• an recevez,
Et se vos ja le me devez

17. *Le Chevalier de la charrette*

LA SOUMISSION DE LANCELOT

Quand Lancelot voit que la reine est satisfaite
et que tous ses propos lui plaisent beaucoup,
alors il lui a dit en confidence :
4480 « Dame, je me demande avec étonnement
pourquoi vous m'avez réservé cet accueil
avant-hier, en me voyant,
et vous ne m'avez pas dit un seul mot.
Vous avez failli me donner la mort,
4485 et je n'ai pas eu assez d'audace,
comme en cet instant,
pour oser vous en demander la raison.
Dame, je suis prêt à vous en faire réparation
      maintenant,
à condition que vous me révéliez le crime
4490 qui m'a causé un si grand tourment. »
Alors la reine le lui explique :
« Comment ? N'avez-vous donc pas eu honte
de la charrette, n'avez-vous pas hésité ?
Vous y êtes monté bien à contrecœur,
4495 quand vous avez tardé l'espace de deux pas.
Voilà pourquoi, en vérité, je n'ai pas voulu
vous parler ni vous regarder.
– Puisse Dieu me préserver une autre fois,
dit Lancelot, d'un tel forfait,
4500 et que Dieu n'ait jamais pitié de moi
si vous n'aviez pas tout à fait raison d'agir ainsi !
Dame, par Dieu, ici même
recevez-en de moi réparation,
et si vous devez un jour me le

4505 Pardoner, por Deu, sel me dites !
      – Amis, toz an soiez vos quites•,
      Fet la reïne, oltreemant :
      Jel vos pardoing molt boenemant. »

18. *Le Roman de Tristan*

THOMAS

V. 795-854

795 Tristran se colche, Ysolt l'embrace
     Baise lui la buche e la face,
     A li l'estraint, del cuer susspire
     E volt iço qu'il ne desire.
     A sun voleir est a contraire
800 De laissier sun buen u del faire.
     Sa nature proveir se volt,
     La raison se tient a Ysolt ;
     Le desir qu'ad vers la reïne
     Tolt le voleir vers la meschine• ;
805 Le desir lui tolt le voleir,
     Que nature n'i ad poeir.
     Amur e Raisun• le destraint
     E le voleir de sun cors vaint.
     Le grant amor qu'ad vers Ysolt
810 Tolt ço que la nature volt
     E vaint icele volenté
     Que senz desir out en pensé.
     Il out boen voleir de li faire,
     Mais l'amur le fait molt retraire ;
815 Gente la sout, bele la set,

4505 pardonner, par Dieu, dites-le-moi !
— Ami, vous en êtes tout à fait quitte,
fait la reine, et sans réserve :
Je vous pardonne cette faute de bonne grâce. »

18. *Le Roman de Tristan*

TRISTAN TIRAILLÉ
ENTRE LES DEUX YSEUT

795 Tristan se couche, Yseut l'embrasse,
elle lui baise la bouche et le visage,
elle l'étreint, soupire du fond du cœur
et désire ce qu'il ne veut pas.
Il va contre sa volonté,
800 qu'il renonce à son plaisir ou qu'il le prenne.
Sa nature veut se manifester,
mais sa raison reste du côté d'Yseut ;
l'amour qu'il éprouve pour la reine
lui ôte le désir qu'il a de la jeune fille ;
805 l'amour lui ôte le désir,
de sorte que la nature n'y peut rien.
Amour et Raison le tourmentent
et triomphent des désirs de son corps.
Le grand amour qu'il porte à Yseut
810 écarte les exigences de la nature
et triomphe de ce désir
sans amour auquel il pensait.
Il avait bien envie de la posséder,
mais son amour pour la reine le fait reculer ;
815 il savait la jeune fille gracieuse, désormais il la sait
belle,

E volt sun buen, sun desir het ;
Car s'il nen oust si grant desir,
A son voleir poust asentir,
Mais a sun grant desir s'asent.
820 En paine est e en turment,
En grant pensé, en grant anguisse ;
Ne set cume astenir se poisse
Ne coment vers sa femme deive,
Par quel engin• covrir se deive.
825 Nequedent un poi fu huntuse
E fuit ço dunt fu desiruse,
Eschive ses plaisirs e fuit
C'umcore n'out de sun deduit.
Dunc dit Tristran : « Ma bele amie,
830 Nel tornez pas a vilanie•
Un conseil que vos voil geïr,
Si vos pri molt del covrir,
Que nuls nel sace avant de nos,
Unques nel dis fors ore a vos.
835 De ça vers le destre costé
Ai el cors une emfermeté,
Tenu m'ad molt lungement,
Anoit m'ad anguissé forment ;
Par le grant travail qu'ai eü
840 M'est il par le cors esmeü,
Si anguissusement me tient
E si pres del feie me vient
Que jo ne m'os plus emveisier
Ne mei pur le mal travaillier.
845 Uncques pois ne me travaillai
Que treis feiz ne me pasmai ;
Malades en jui lunges aprés.
Ne vos em peist si ore le lais,
Nos le ravrum encore asez

il voudrait lui donner du plaisir, mais il hait
   l'amour qui l'en prive ;
car s'il n'avait éprouvé un si grand amour,
il aurait pu céder au plaisir,
mais il obéit à son grand amour.

820 Il est en proie à la peine, au tourment,
aux pensées douloureuses, à une terrible angoisse ;
il ne sait comment il pourra s'abstenir,
ni comment il doit se comporter avec sa femme,
ni quelle ruse il doit adopter pour se dérober.

825 Cependant elle était un peu timide
et elle fuit ce qu'elle désirait,
elle esquive et fuit la jouissance,
car elle n'avait pas encore goûté au plaisir.
Tristan dit alors : « Ma douce amie,

830 ne prenez pas pour une vilénie
un secret que je veux vous confier,
et je vous prie instamment de ne pas le dévoiler,
afin que personne d'autre que nous ne l'apprenne ;
je n'en ai jamais parlé à personne avant vous.

835 Par ici, du côté droit,
j'ai une maladie
qui me fait souffrir depuis longtemps,
cette nuit encore, elle m'a beaucoup tourmenté ;
à la suite des grands efforts que j'ai faits,

840 la douleur s'est répandue dans tout mon corps,
et elle me cause un tel tourment,
elle est si proche du foie
que je n'ose plus faire l'amour
ni faire le moindre effort, par peur de la douleur.

845 Depuis, chaque fois que j'ai fait un effort,
je me suis évanoui à trois reprises,
et ensuite je suis resté étendu malade un long
   moment.
Ne m'en veuillez pas si aujourd'hui j'y renonce ;
nous aurons bien d'autres occasions

850 Quant jo voldrai e vos voldrez.
   – Del mal me peise, Ysolt resspont,
   Plus que d'altre mal en cest mond,
   Mais de l'el dunt vos oi parler
   Voil jo e puis bien desporter. »

19. *Chanson*

BERNARD DE VENTADOUR

Quan vei la lauseta mover
De jòi sas alas contra'l rai,
Que s'oblid' e's laissa cazer
Per la doussor qu'al còr li vai,
5 Ailas ! quals enveja m'en ve
De cui qu'eu veja jauzion !
Meravilhas ai, quar dessé
Lo còrs de dezirièr no'm fon.

Ailas ! tan cujava saber
10 D'amor, e tan petit en sai !
Quar eu d'amar no'm pòsc tener
Celèis don ja pro non aurai ;
Tòut m'a mon còr, e tòut m'a se,
E mi mezeis e tot lo mon ;
15 E quan si'm tòlc, no'm laisset re
Mas dezirièr e còr volon.

Anc non agui de mi poder
Ni no fui meus deslòr en çai,
Que'm laissèt en sos òlhs vezer
20 En un miralh que mout mi plai.

850 quand je le voudrai et que vous le voudrez.
   – Votre mal m'inquiète, répond Yseut,
   plus que tout autre au monde.
   Mais pour cette autre chose dont je vous entends
       parler,
   je veux et peux bien m'en passer. »

19. *Chanson*

LE RENONCEMENT À L'AMOUR

   Quand je vois l'alouette battre
   de joie ses ailes dans un rayon de soleil,
   puis s'abandonner et se laisser tomber,
   par la douceur qui lui vient au cœur,
5 hélas ! j'envie tous ceux
   que je vois joyeux !
   Et je m'étonne que sur-le-champ
   mon cœur ne fonde pas de désir.

   Hélas ! Combien je me croyais savant
10 en amour, et combien peu j'en sais !
   Car je ne puis m'empêcher d'aimer
   celle dont je n'obtiendrai nulle faveur.
   Elle m'a ôté mon cœur et s'est dérobée à moi,
   elle m'a pris moi-même et le monde entier ;
15 et en se dérobant à moi, elle ne m'a rien laissé
   que mon désir et mon cœur ardent.

   Je n'eus plus de pouvoir sur moi-même
   et je ne m'appartins plus depuis l'instant
   où elle me permit de me regarder dans ses yeux,
20 en ce miroir qui tant me plaît.

Miralhs, pòs me mirèi en te,
M'an mòrt li sospir de preon,
Qu'aissi'm perdèi com perdèt se
Lo bèlhs Narcisus• en la fon.

25 De las dòmnas mi dezesper,
Jamais en lor no'm fiarai,
Qu'aissi com las sòlh captener
Enaissi las descaptenrai :
Pos vei que nulha pro no'm te
30 Ab lèis que'm destrui e'm cofon,
Totas las dopt e las mescré,
Car sai que atretals se son.

D'aissò's fai ben femna parer
Ma dòmna, per qu'eu l'o retrai,
35 Que vòl çò qu'òm no deu voler•,
E çò qu'òm li deveda fai.
Cazutz sui en mala mercé,
Et ai ben fait com fòls en pon•,
E no sai perqué m'esdevé,
40 Mas quar tròp pogèi contra mon.

Mercès es perduda per ver,
Et eu non o saubi ancmai,
Car cil que plus en degr'aver,
Non a ges, et on la querrai ?
45 A ! quan mal sembla, qui la ve,
Que aquest caitiu deziron
Que ja ses lèis non aurà be•,
Laisse morir, que no l'aón.

Pòs ab mi dòns no'm pòt valer
50 Prècs ni mercés ni'l dreitz qu'eu ai,
Ni a lèis no ven a plazer
Qu'eu l'am, jamais no lo'i dirai.

Miroir, depuis que je me suis miré en toi,
mes profonds soupirs m'ont tué,
car je me suis perdu comme se perdit
le beau Narcisse en la fontaine.

25 Je désespère des dames,
jamais plus je ne me fierai à elles,
et autant j'avais l'habitude de les défendre,
autant désormais je les abandonnerai,
puisque je constate qu'aucune ne me secourt
30 auprès de celle qui me détruit et m'anéantit ;
je les crains toutes et m'en méfie,
car je sais qu'elles sont toutes les mêmes.

En cela elle se montre bien femme,
ma dame, et je le lui reproche,
35 car elle veut ce qu'on ne doit pas vouloir
et fait ce qu'on lui défend.
Je suis tombé en disgrâce
et j'ai vraiment agi comme le fou sur le pont.
Je ne sais pas pourquoi cela m'est arrivé,
40 si ce n'est que j'ai voulu monter trop haut.

Pitié est bien perdue en vérité,
et moi, je ne l'avais jamais su,
car celle qui devrait le plus en avoir
n'en a pas du tout, et où la chercherai-je ?
45 Ah ! combien il semble peu, à celui qui la voit,
que ce malheureux, plein de désir,
qui, sans elle, ne connaîtra jamais le bonheur,
elle puisse le laisser mourir, faute de secours !

Puisqu'auprès de ma dame rien ne peut me servir,
50 ni prières ni merci ni les droits qui sont miens,
et qu'il ne lui plaît pas
que je l'aime, jamais plus je ne le lui dirai.

Aissi'm part d'amor e'm recré• :
Mòrt m'a per e mòrt li respòn,
55 E vau m'en, pòs ilh no'm reté,
Caitius, en eissilh, no sai on.

Tristans•, ges non auretz de me,
Qu'eu m'en vau caitius, no sai on :
De chantar me gic e'm recré,
60 E de jòi e d'amor m'escón.

20. *Chanson*

CONON DE BÉTHUNE

L'autrier avint en cel autre païs
C'uns chevaliers eut une dame amee.
Tant com la dame fu en son bon pris
Li a s'amor escondite et veee•.
5 Puis fu un jors k'ele li dist : « Amis,
Mené vous ai par parole mains dis ;
Ore est l'amors coneüe et provee.
Des or mais sui tot a vostre devis. »

Li chevaliers le regarda el vis,
10 Si la vit mout pale et descoulouree.
« Dame, fait il, certes mal sui baillis
Ke n'eüstes piech'a• ceste pensee.
Vostres cler vis, ki sambloit flors de lis,
Est si alés, dame, de mal em pis
15 K'il m'est a vis ke me soiés emblee.
A tart avés, dame, cest consell pris. »

Quant la dame s'oï si ramprosner•,
Grant honte en ot, si dist par sa folie :

C'est ainsi que je me sépare d'amour et y renonce :
Elle m'a fait mourir et je lui réponds par la mort,
55 et je m'en vais, puisqu'elle ne me retient pas,
malheureux, en exil, je ne sais où.

Tristan, vous n'aurez plus rien de moi,
car je m'en vais, malheureux, je ne sais où.
J'abandonne les chansons et j'y renonce,
60 et loin de la joie et de l'amour, je vais me cacher.

20. *Chanson*

DÉBAT ENTRE LA DAME ET LE CHEVALIER

Naguère il arriva dans un autre pays
qu'un chevalier aima une dame.
Tant que la dame fut dans toute sa beauté,
elle refusa et repoussa son amour.
5 Puis un jour elle lui dit : « Ami,
je vous ai bercé de paroles maintes fois ;
à présent votre amour est reconnu et prouvé.
Désormais je suis toute à vous. »

Le chevalier, regardant son visage,
10 la vit très pâle et sans couleur.
« Dame, je suis vraiment anéanti
que nous n'ayez pas eu cette pensée plus tôt.
Votre clair visage, qui semblait fleur de lys,
s'est tellement fané, madame,
15 que j'ai l'impression que vous m'avez été volée.
Votre décision, dame, est bien tardive ! »

Quand la dame s'entendit ainsi railler,
elle en eut grand-honte et dit dans sa folie :

« Par Dieu, vassal•, jel dis por vos gaber•.
20 Quidiés vos dont k'a certes le vos die ?
Onques nul jor ne me vint em penser.
Sariés vos dont dame de pris amer ?
Nenil, par Dieu ! ains vos prendroit envie
D'un bel vallet• baisier et acoler.

25 – Dame, fait il, j'ai bien oï parler
De vostre pris, mais ce n'est ore mie ;
Et de Troie rai jou oï conter
K'ele fu ja de mout grant signorie ;
Or n'i puet on fors les plaices trover.
30 Et si vous lo ensi a escuser
Ke cil soient reté de l'iresie•
Qui des or mais ne vous vauront amer.

– Par Dieu, vassal, mout avés fol pensé,
Quant vous m'avés reprové mon eaige.
35 Se j'avoie tot mon jovent usé,
Si sui riche et de si haut paraige
C'om m'ameroit a petit de beauté.
Encoir n'a pas un mois entir passé
Ke li Marchis• m'envoia son messaige,
40 Et li Barrois• a por m'amor josté.

– Par Dieu, dame, ce vos a mout grevé
Ke vos fiés tos jors ens signoraige ;
Mais tel set ont ja por vos sospiré,
Se vos estiés fille au Roi de Cartaige,
45 Ki ja mais jor n'en aront volenté.
On n'aime pas dame por parenté,
Mais quant ele est belle et cortoise et saige.
Vos en savrés par tans la verité. »

« Par Dieu, vassal, je l'ai dit pour me moquer de vous.
20 Croyez-vous que j'étais sincère en vous parlant ?
Jamais une telle idée ne m'est venue à l'esprit.
Sauriez-vous donc aimer une dame de valeur ?
Non, par Dieu ! Vous auriez plutôt envie
d'embrasser et d'enlacer un beau jeune homme.

25 – Dame, répond-il, j'ai bien entendu parler
de votre valeur, mais ce n'est pas maintenant ;
de Troie j'ai aussi entendu dire
que ce fut jadis une cité très puissante ;
or maintenant on n'en peut retrouver que les traces.
30 C'est pourquoi je vous conseille d'éviter
que soient accusés de sodomie
ceux qui désormais ne voudront pas vous aimer.

– Par Dieu, vassal, vous êtes insensé
de me reprocher mon âge.
35 Même si ma jeunesse était toute passée,
je suis si riche et de si haut rang
qu'on m'aimerait avec peu de beauté.
Il n'y a pas encore un mois de cela,
le marquis m'a envoyé un message,
40 et le Barrois a jouté pour l'amour de moi.

– Par Dieu, dame, cela vous a beaucoup nui
de vous fier toujours à votre puissance ;
mais bon nombre de ceux qui ont soupiré pour vous,
même si vous étiez la fille du roi de Carthage,
45 n'en auront plus jamais le désir.
On n'aime pas une dame pour son lignage,
mais pour sa beauté, sa courtoisie et sa sagesse.
Vous reconnaîtrez bientôt la vérité de mon
    propos. »

21. *Le Chevalier de la charrette*

CHRÉTIEN DE TROYES

V. 4659-4726

Et puis vint au lit la reïne,
4660 Si l'aore et se li ancline,
Car an nul cors saint ne croit tant.
Et la reïne li estant
Ses braz ancontre, si l'anbrace,
Estroit pres de son piz le lace,
4665 Si l'a lez li an son lit tret
Et le plus bel sanblant li fet
Que ele onques feire li puet,
Que d'amors et del cuer li muet.
D'Amors vient qu'ele le conjot.
4670 Et s'ele a lui grant amor ot,
Et il .C. mile tanz a li,
Car a toz autres cuers failli
Amors avers qu'au suen ne fist.
Mes an son cuer tote reprist
4675 Amors, et fu si anterine
Qu'an toz autres cuers fu frarine.
Or a Lanceloz quanqu'il vialt,
Quant la reïne an gré requialt
Sa conpaignie et son solaz,
4680 Quant il la tient antre ses braz
Et ele lui antre les suens.
Tant li est ses jeus dolz et buens
Et del beisier et del santir
Que il lor avint sanz mantir
4685 Une joie et une mervoille
Tel c'onques ancor sa paroille
Ne fu oïe ne seüe,

21. *Le Chevalier de la charrette*

LA NUIT D'AMOUR
ENTRE GUENIÈVRE ET LANCELOT

Arrivé ensuite au lit de la reine,
4660 il reste en adoration et s'incline devant elle,
car il ne croit autant à nulle relique.
Alors la reine lui tend
les bras, l'enlace,
et le serre étroitement sur sa poitrine,
4665 elle l'attire près d'elle dans son lit
et lui réserve le plus bel accueil
qu'elle puisse jamais lui faire,
car il surgit de son cœur et de l'Amour.
Amour l'incite à lui faire fête.
4670 Mais si grand que soit pour lui son amour,
il l'aime cent mille fois plus,
car Amour a laissé tous les autres cœurs
à l'abandon, excepté le sien.
Dans son cœur, Amour a repris toute sa vigueur
4675 et de manière si absolue
qu'il s'est étiolé dans tous les autres cœurs.
Maintenant Lancelot a tout ce qu'il veut,
puisque la reine accueille volontiers
son agréable compagnie,
4680 puisqu'il la tient entre ses bras
et qu'elle le tient entre les siens.
Ce jeu lui est si doux et si bon,
avec les baisers et les étreintes,
que sans mentir il leur advint
4685 une joie si merveilleuse
qu'on n'en a jamais encore
entendu ni connu de semblable.

Mes toz jorz iert par moi teüe,
Qu'an conte ne doit estre dite.
4690 Des joies fu la plus eslite
Et la plus delitable cele
Que li contes nos test et cele.
Molt ot de joie et de deduit
Lanceloz tote cele nuit.
4695 Mais li jorz vient, qui molt li grieve,
Quant de lez s'amie se lieve.
Au lever fu li droiz martirs,
Tant li fu griés li departirs,
Car il i suefre grant martire.
4700 Ses cuers adés cele part tire
Ou la reïne se remaint.
N'a pooir que il l'an remaint,
Que la reïne tant li plest
Qu'il n'a talant que il la lest :
4705 Li cors s'en vet, li cuers sejorne•.
Droit vers la fenestre s'an torne,
Mes de son cors tant i remaint
Que li drap sont tachié et taint
Del sanc• qui cheï de ses doiz.
4710 Molt s'an part Lanceloz destroiz,
Plains de sopirs et plains de lermes.
Del rasanbler n'est pas pris termes,
Ce poise lui, mes ne puet estre.
A enviz passe a la fenestre,
4715 S'i antra il molt volantiers.
N'avoit mie les doiz antiers,
Que molt fort s'i estoit bleciez ;
Et s'a il les fers redreciez
Et remis an lor leus arriere
4720 Si que, ne devant ne derriere,
N'an l'un ne an l'autre costé,
Ne pert qu'an an eüst osté
Nus des fers ne tret ne ploié.

Mais je garderai toujours le silence à ce sujet,
car on ne doit pas l'évoquer dans un conte.
4690 Ce fut la joie la plus parfaite
et la plus délicieuse, celle
que le conte nous tait et nous cache.
Lancelot eut beaucoup de joie et de plaisir
toute cette nuit-là.
4695 Mais le jour arrive, ce qui le contrarie fort,
puisqu'il se lève d'auprès de son amie.
Au lever il fut un vrai martyr,
tant la séparation fut douloureuse pour lui,
il souffrit là un cruel martyre.
4700 Son cœur ne cesse de l'entraîner
là où la reine est restée.
Il n'a pas le pouvoir de le reprendre,
car la reine lui plaît tant
qu'il n'a pas envie de la laisser :
4705 le corps s'en va, le cœur demeure.
Lancelot retourne droit à la fenêtre,
mais il reste assez de son corps,
puisque les draps sont tachés et teintés
par le sang qui est tombé de ses doigts.
4710 Lancelot s'en va, désespéré,
plein de soupirs et plein de larmes.
Aucun autre rendez-vous n'est fixé,
ce qui l'afflige ; mais cela n'est pas possible.
Il repasse à contrecœur la fenêtre
4715 par où il était entré avec tant de joie.
Il n'avait plus les doigts entiers,
car il s'y était grièvement blessé ;
pourtant il a redressé les barreaux
et les a remis à leur place,
4720 si bien que ni par devant ni par derrière,
ni d'un côté ni de l'autre,
il n'apparaît que l'on eût ôté,
tiré ou tordu l'un d'eux.

Au departir a soploié
4725 A la chanbre et fet tot autel
Con s'il fust devant un autel.

22. *Le Livre du voir dit*

GUILLAUME DE MACHAUT

V. 1478-1511

Je m'en alai grant aleüre,
Tous seulz, sans nulle creature,
1480 Et m'enfermai dedens ma chambre
Com cilz qui n'avoit cuer ne manbre
Qui ne fremist de droite joie
Pour le grant plaisir que j'avoie
De vëoir ce riche present.
1485 Et, quant n'i ot fors moi present,
Je pris ceste ymage• jolie,
Qui trop bien fu entortillie
Des cuevrechiés ma douce amour.
Si la desliay sans demour,
1490 Et, quant je la vi si tres belle,
Je li mis a non *Toute Belle*.
Et tantost li fis sacrefice,
Non pas de tor ne de genice,
Ainçois li fis loial hommage
1495 De mains, de bouche et de courage,
A genous et a jointes mains.
Et vraiement ce fu du mains,
Car sa douce plaisant emprainte
Fu en mon cuer si fort emprainte
1500 Que ja mais ne s'en partira
Tant com li corps par terre ira,

En partant il s'est prosterné
4725 devant la chambre et a agi exactement
comme s'il était face à un autel.

22. *Le Livre du voir dit*

L'IDOLÂTRE

Je m'en allai à vive allure,
Tout seul, sans personne,
1480 et m'enfermai dans ma chambre,
en homme dont le cœur et les membres
frémissaient d'une vraie joie,
à cause de l'ardent désir que j'avais
de voir ce riche présent.
1485 Quand je fus seul,
je pris ce plaisant portrait
parfaitement enveloppé
avec des voiles de mon doux amour.
Je dégageai le portrait sans retard,
1490 et en le voyant d'une extrême beauté,
je lui donnai pour nom *Toute Belle*.
Aussitôt je lui offris un sacrifice,
non pas de taureau ou de génisse,
mais en lui rendant un fidèle hommage
1495 des mains, de la bouche et du cœur,
à genoux et les mains jointes.
C'était en vérité le moins que je pouvais faire,
car son empreinte douce et agréable
s'imprima si fort en mon cœur
1500 qu'elle ne le quittera jamais
aussi longtemps que mon corps vivra sur terre ;

Ains sera de moi aouree,
Servie, amee et honnouree
Com ma souveraine deesse
1505 Qui garist tout ce qu'Amours blesse
En moi, ou elle ouvra• jadis
Trop plus que sains de paradis ;
Quar j'estoie du tout perdus,
Mas, desconfis et esperdus,
1510 Mais .II. fois m'a resuscité
Par franchise et douce pité.

bien plus, Toute Belle sera par moi adorée,
servie, aimée et honorée
comme ma déesse souveraine,
1505 qui guérit toutes les blessures faites par Amour
en moi, où elle œuvra naguère
bien plus qu'un saint du paradis,
car j'étais à l'article de la mort,
abattu, désespéré, désemparé,
1510 mais elle m'a ressuscité deux fois
par sa générosité et sa douce pitié.

III

LES DIFFÉRENTES FORMES
DE L'AMOUR COURTOIS

Née dans le midi de la France, au sein d'une civilisation florissante, indépendante, ouverte, moins marquée par la guerre et la religion, la *fin'amors* évolue en passant du Sud au Nord, dans une communauté plus fermée, dominée par la classe militaire et le clergé. Les romanciers de langue d'oïl, plus soucieux que les troubadours de respecter la morale et d'ancrer leur récit dans la réalité, vont s'efforcer d'adapter la *fine amor* au contexte social. La plupart d'entre eux se détournent ainsi de l'adultère pour relater la liaison de deux célibataires tantôt jusqu'à leur mariage, tantôt au-delà de l'hyménée ; ils s'intéressent alors à l'existence d'un couple marié, vivant une sorte d'amour courtois conjugal, à une époque (fin XIIᵉ-XIIIᵉ siècle) où la croissance économique et la plus grande aisance des familles nobles autorisent les cadets à s'unir légitimement [1]. Certes les amoureux les plus célèbres, Tristan et Yseut d'une part, Lancelot et Guenièvre d'autre part, sont adultères ; certes plusieurs lais de Marie de France, tels que *Guigemar, Equitan, Bisclavret, Yonec, Laüstic, Milun, Chèvrefeuille, Eliduc,* et

---

1. Voir à ce sujet Georges Duby, *Mâle Moyen Âge. De l'amour et autres essais*, p. 100.

quelques romans en vers ou en prose comme les *Romans de Tristan*, les deux versions de la *Folie Tristan*, le *Tristan en prose*, *Éracle* de Gautier d'Arras, *Le Chevalier de la charrette* de Chrétien de Troyes, le *Lancelot en prose*, *La Quête du Saint Graal*, *La Mort du roi Arthur*, *Le Roman du châtelain de Coucy et de la dame de Fayel* de Jakemés ou *La Châtelaine de Vergy* narrent des histoires d'amours adultères. Toutefois ces récits sont minoritaires. Les écrivains préfèrent décrire des amours chevaleresques, idylliques ou matrimoniales, en somme des unions légitimes plutôt que des relations dangereuses pour la famille et destructrices des fondements de la civilisation féodale et chrétienne.

L'AMOUR CHEVALERESQUE

Tandis que la *fine amor* lie une noble dame à un troubadour, un trouvère ou un chevalier, l'amour dit chevaleresque [1] est exclusivement réservé à ce dernier. Il s'adresse surtout à une demoiselle qui, une fois séduite par les vertus guerrières de son prétendant, accepte de l'épouser. La vaillance militaire compte plus que l'intensité ou la sincérité des sentiments, valeurs essentielles pour le *fin amant*. De surcroît, si la *fine amor* repose en partie sur la supériorité et la suprématie de la suzeraine, l'amour chevaleresque insiste sur l'égalité entre les amants sur le plan affectif. L'amour de la jeune fille se mérite, non plus grâce à la constance d'un cœur passionné, mais grâce aux exploits accomplis lors des batailles. Plusieurs princesses sarrasines s'énamourent

---

1. Sur l'amour chevaleresque, voir notamment René Nelli, *L'Érotique des troubadours*, Toulouse, Privat, 1963, p. 63-77.

ainsi de guerriers chrétiens à la vue de leurs hauts faits. C'est le cas de la musulmane Mirabel : d'abord réticente à l'égard d'Aiol par conviction religieuse, elle est conquise dès qu'elle admire les prouesses du chevalier engagé dans sa lutte contre les Sarrasins et se déclare même prête à renier sa foi : « Vous avez bien entendu dire aux uns et aux autres qu'une femme ne tarde pas à aimer un homme qui donne de beaux coups dans la bataille. Elle lui cria, de sorte qu'il l'entendit à l'avant-garde : "Seigneur, approchez, vous qui êtes preux au maniement des armes, pour vous je croirai en Dieu, le Père spirituel [1]." »

En temps de paix, le chevalier s'illustre lors des tournois. Dans son *Historia regum Britanniae*, Geoffroy de Monmouth, relatant les fêtes organisées à Carlion pour le couronnement impérial d'Arthur, évoque des joutes propices à enflammer le cœur de spectatrices exigeantes : « Les dames courtoises ne daignaient agréer l'amour d'un chevalier que si trois fois au moins il avait fourni des preuves de sa vaillance au combat. Il s'ensuivait que les dames se conduisaient chastement et que leur amour ennoblissait les chevaliers [2]. » Il crée ainsi une union étroite entre *amor* et *militia*, entre l'amour et la chevalerie, alliance que reprend Wace dans son *Roman de Brut* [3]. Si l'amour décuple la force et la bravoure du chevalier, la gloire acquise dans les combats par celui-ci suscite, chez la personne aimée, des élans d'admiration et de tendresse (**texte 23, p. 162**). Gauvain, le parangon de la

---

1. *Aiol*, éd. J. Normand et G. Raynaud, Firmin Didot, SATF, 1877, v. 5596-5600.

2. Geoffroy de Monmouth, *Historia regum Britanniae*, éd. E. Faral, *La Légende arthurienne. Études et documents*, Honoré Champion, 1929, t. III, chap. CLVII, l. 41-44. La traduction est de Jean Frappier, p. 29.

3. Wace, *Roman de Brut*, éd. I. Arnold, SATF, 1938-1940, v. 10511-10520.

courtoisie, précise la raison des exploits réalisés par ses compagnons de la Table ronde :

> « *Pur amistié e pur amies*
> *Funt chevaliers chevaleries.* »

> « Par amour pour leurs amies
> les chevaliers font des prouesses [1]. »

Parfois c'est en portant secours à une *pucele desconseilliee* (« une jeune fille désemparée ») que le chevalier gagne son cœur. Ainsi Perceval débarrasse-t-il Blanchefleur de ses ennemis, Clamadeu des Îles et son sénéchal Anguingueron, qui, à la tête de leurs troupes, assiégeaient Beaurepaire, le château de la malheureuse. La victoire du héros lui vaut d'être agréé comme ami par la demoiselle reconnaissante [2]. Quant à Guinglain, il délivre Blonde Esmerée d'un enchantement qui l'avait transformée en une guivre. En recevant sur la bouche le « fier baiser » du monstre, il rend à la victime sa forme humaine, et la belle lui propose aussitôt de le récompenser en l'épousant [3].

« L'amour chevaleresque » est souvent aussi difficile à conquérir que la *fine amor*, dans la mesure où la dame sans merci est remplacée par une demoiselle aussi ombrageuse, exigeante et hautaine qu'elle, « l'orgueilleuse d'amour [4] ». Il s'agit en général d'une adolescente de haute naissance et de grande beauté, novice dans le domaine sentimental, qui refuse *a priori* d'aimer. C'est le

---

1. *Ibid.*, v. 10771-10772.
2. Chrétien de Troyes, *Perceval ou le Conte du graal*, v. 1999-2937.
3. Renaud de Beaujeu, *Le Bel Inconnu*, éd. bilingue par M. Perret et I. Weill, Champion Classiques, 2003, v. 2493-3672.
4. Voir Claude Lachet, *Sone de Nansay et le roman d'aventures en vers au XIIIe siècle*, Honoré Champion, 1992, p. 319-340.

cas de Soredamor, sans doute le premier exemple du type, *qui desdaigneuse estoit d'amors*, ainsi que la qualifie Chrétien de Troyes dans *Cligès* (v. 446). Le romancier décrit son attitude paradoxale : « Elle n'avait jamais entendu parler d'un homme qu'elle daignât aimer, malgré sa beauté, sa prouesse, sa puissance et son rang [1]. » Ydoine manifeste le même dédain vis-à-vis des hommes, quels qu'ils soient : « Elle était si méprisante à l'égard de l'amour, si fière et si orgueilleuse, si dédaigneuse envers tous les hommes qu'elle ne prisait en son cœur aucun homme au monde, malgré sa beauté, sa vaillance, sa richesse, sa parenté et sa noblesse, même s'il avait levé les yeux sur elle : elle était d'un orgueil démesuré [2]. » Qu'elles s'appellent Soredamor, Ydoine, Beauté, Blonde, Lyriopé, Clarie, Yde de Donchery, ou qu'elles portent un nom révélateur de leur caractère comme la Fière de Calabre et Orgueilleuse d'amour, toutes possèdent une très haute opinion d'elles-mêmes et s'estiment sans égale par leur noblesse, leur richesse et leur beauté. Cette présomption les amène de surcroît à afficher un souverain mépris à l'égard de leurs soupirants, qu'elles jugent indignes de la moindre attention. Ces altières demoiselles jouent les indifférentes et les inhumaines parce qu'elles redoutent de s'avilir en s'attachant à un homme de condition inférieure et de moindre renommée. Ydoine, la fille du duc de Bourgogne, se détourne ainsi d'Amadas, le fils du sénéchal, par peur d'une déchéance honteuse : « Je ne veux pas me déshonorer à cause de toi. Je suis une jeune fille de haute naissance : en mon for intérieur je ne puis trouver une raison de t'aimer, car je n'en serais jamais louée, mais blâmée par tous, en effet je m'abaisserais par

1. *Cligès*, v. 447-450.
2. *Amadas et Ydoine*, v. 176-184.

cet amour [1]. » Cette crainte de la mésalliance est d'autant
plus vive que les demoiselles sont le plus souvent courti-
sées par d'obscurs jouvenceaux, dont certains sont
encore de simples écuyers. Par exemple, la fille aînée de
Tiébaut de Tintagel refuse d'accorder son cœur à son
soupirant, Méliant de Lis, avant qu'il soit chevalier.
Comme il renouvelle sa requête amoureuse après son
adoubement, elle lui rétorque qu'il n'a pas accompli
assez d'exploits pour mériter son amour [2].

Ces jeunes filles éprouvent une frayeur encore plus profonde et intense : la peur d'aimer. Leur orgueil peut être
vu comme un moyen de défense qu'elles utilisent parce
qu'elles appréhendent l'inconnu. Ainsi, la demoiselle à
qui Blancandin a déclaré sa flamme méconnaît l'amour
et refuse obstinément de le connaître [3]. Au lieu de
s'ouvrir à un sentiment ignoré, elles choisissent de se
replier sur elles-mêmes car l'amour de soi leur paraît plus
sûr que l'amour d'autrui. Comment pourraient-elles être
certaines que leur prétendant n'est pas un séducteur sans
scrupules capable de les tromper [4] ? Quoi qu'il en soit, la
farouche indifférence de « l'orgueilleuse d'amour »
constitue l'obstacle majeur qui se dresse sur la route du
héros contraint de vaincre la résistance de la fière demoiselle par des exploits guerriers et par l'exaltation de ses
qualités physiques et morales. En effet, les silences mépri-
sants, les cruelles rebuffades et les moqueries humiliantes
de la belle inhumaine mettent en relief la vaillance, la
constance et la générosité du *bachelier*. Son prestige sera

---

1. *Ibid.*, v. 531-537.
2. *Perceval ou le Conte du graal*, v. 4850-4852 et 4856-4868.
3. *Blancandin et l'Orgueilleuse d'amour*, éd. F.P. Sweetser, Genève,
Droz, 1964, v. 1083-1088.
4. *Amadas et Ydoine*, v. 520-525, et *Cristal et Clarie*, éd. H. Breuer,
Dresde, 1915, v. 7498-7506.

d'autant plus grand s'il réussit à conquérir l'amour d'une jeune fille réputée pour son insensibilité et son intransigeance. Quelle gloire pour Ipomédon lorsqu'il parvient à séduire la Fière de Calabre, qui a éconduit auparavant le roi d'Arabie et de Perse ! Quel honneur pour Gliglois d'être aimé par Beauté, qui a déjà repoussé les avances du célèbre Gauvain[1] ! En renonçant à sa morgue pour chérir son ami, « l'orgueilleuse d'amour » magnifie, mieux que quiconque, les mérites du chevalier.

Car ces fières demoiselles finissent presque toutes par succomber à l'amour auquel elles ne voulaient pas s'adonner a priori. Il faut d'ailleurs reconnaître que leur orgueil constituait une atteinte à la raison, à la courtoisie et à la morale chrétienne. N'est-il pas en effet insensé de refuser d'emblée un sentiment aussi naturel que l'amour ? N'est-il pas de surcroît discourtois de faire preuve d'outrance et de démesure ? N'est-il pas enfin immoral de commettre sans scrupules l'un des sept péchés capitaux ? Par conséquent, chacun se réjouit de voir l'orgueil vaincu par l'amour. Les altières jouvencelles prennent conscience de leurs torts et se repentent de leur arrogance passée, à l'image d'Ydoine regrettant sa cruauté à l'égard d'Amadas : « Hélas ! Comme j'ai été trahie par ma folie, par ma démesure et par mon cœur trop cruel ! [...] J'ai été trop fière et dure envers lui et excessivement orgueilleuse ; j'ai agi comme une folle et une insensée[2]. »

Cet amour désormais réciproque ne tarde pas à être couronné par l'hyménée des deux jeunes gens. Soredamor s'unit à Alexandre, la Fière à Ipomédon, Ydoine à Amadas, Orgueilleuse d'amour à Blancandin, Beauté à

---

1. Hue de Rotelande, *Ipomédon*, éd. A.J. Holden, Klincksieck, v. 1027-1029, et *Le Roman de Gliglois*, v. 251-260.

2. *Amadas et Ydoine*, v. 1119-1121 et 1133-1135.

Gliglois, Blonde à Jehan, Lyriopé à Floris, Clarie à Cristal : toutes les « orgueilleuses d'amour » se marient, à l'exception d'Yde de Donchery. Cette dernière est, parmi ses consœurs, celle dont la superbe se maintient le plus longtemps et qui s'abandonne le plus tard à l'amour. Elle éconduit quatre fois le héros, montrant une animosité croissante à son égard, alimentée par une féroce jalousie envers Luciane puis Odée, toutes deux fréquentées honnêtement par le jeune homme. Et plus elle crie sa haine envers lui, accusé de mensonge et de perfidie, plus elle révèle à l'inverse son angoisse de le perdre et sa passion [1]. Mais son attitude dédaigneuse trahit également un tempérament mélancolique, plus enclin à la solitude, au secret, au désenchantement et au scepticisme qu'au bonheur de vivre et d'aimer [2]. Yde croit d'autant moins à l'amour heureux que, filleule de la mère de Sone, elle n'a pas le droit d'épouser celui qu'elle serait finalement disposée à aimer, comme elle le confie à Renaut, l'oncle de son ami [3]. Peut-être adopte-t-elle donc ces attitudes hiératiques, manifeste-t-elle ces sentiments d'indifférence et de cruauté, et refuse-t-elle à Sone la *merci* qu'il implore parce qu'elle sait pertinemment que leur amour n'a aucun avenir possible. Victime d'un interdit religieux, en l'occurrence d'un canon du IVe concile de Latran de 1215, elle cache son désespoir sous une apparente et froide arrogance et joue plus à « l'orgueilleuse d'amour » qu'elle n'en est vraiment une.

Yde de Donchery mise à part, les altières demoiselles se marient par amour, illustrant ainsi la victoire de leurs chevaliers servants dont les exploits et les vertus finissent par avoir raison de leurs peurs, de leurs réticences et de

---

1. *Sone de Nansay*, v. 817-830, 2739-2780 et 8598-8631.
2. *Ibid.*, v. 10014-10020.
3. *Ibid.*, v. 11104-11109.

leur impassibilité. L'amour chevaleresque triomphe avant d'être sacralisé par l'hymen. La cérémonie nuptiale est aussi la conclusion de l'amour idyllique.

L'AMOUR IDYLLIQUE

Le schéma narratif des romans idylliques [1], d'origine gréco-latine, ne varie guère d'une œuvre à l'autre : il s'agit de l'amour contrarié de deux enfants qui, séparés par leurs parents ou par un sort néfaste, se lancent à la recherche l'un de l'autre, parviennent à se retrouver et s'unissent légitimement au cours du dénouement. Il en est ainsi dans le *Conte de Floire et Blanchefleur*, dans *L'Escoufle* de Jean Renart, dans la chantefable *Aucassin et Nicolette*, dans *Galeran de Bretagne* de Renaut et dans *Guillaume de Palerme*. En général, les héros de ces récits s'aiment depuis leur plus tendre enfance. Floire et Blanchefleur, Guillaume et Aélis, Galeran et Frêne, connaissent un amour précoce. Nourris et élevés ensemble, ils ont le même âge, le même charme, les mêmes activités, les mêmes divertissements, les mêmes joies. Par suite de ces similitudes, certains en viennent à se ressembler. Par exemple Guillaume et Aélis, nés le même jour, sont si pareils de visage, de bouche et de regard qu'on aurait pu les croire frère et sœur [2]. Leur attachement mutuel résulte de leur existence commune, des études et des plaisirs partagés, de la connivence qui s'instaure progressivement à travers leurs conversations, leurs jeux et leurs rires. Floire et Blanchefleur qui, eux

---

1. Voir Myrrha Lot-Borodine, *Le Roman idyllique au Moyen Âge*, Picard, 1913.

2. Jean Renart, *L'Escoufle*, éd. F. Sweetser, Genève, Droz, 1974, v. 1945-1947.

aussi, sont nés le même jour, ont le privilège de connaître
« le vert paradis des amours enfantines [1] », en menant la
vie délicieuse et candide décrite par Robert d'Orbigny
(**texte 24, p. 166**). Cet amour ingénu, frais, instinctif, bien
différent du jeu codifié et sophistiqué de la *fine amor*, naît
simultanément dans le cœur des deux jeunes gens qui
s'éveillent peu à peu à la sensualité et s'accordent volontiers baisers, étreintes et caresses.

Si au début les parents ou les tuteurs, charmés par la
bonne entente et la grâce des enfants, loin de s'opposer
à leur tendre amitié, l'encouragent parfois, dès qu'ils
comprennent qu'avec le temps l'attachement des adolescents devient plus fort et plus profond, ils se montrent
plus réservés, voire franchement hostiles. Par exemple le
roi païen Félix, père de Floire, conscient que son fils est
éperdument épris de Blanchefleur, la fille d'une captive
devenue chambrière de la reine, et craignant une mésalliance, vend la jouvencelle à des marchands avant de faire
croire au jeune homme que sa bien-aimée est morte.
Mais, devant le désespoir de Floire prêt à se suicider, sa
mère lui révèle la vérité ; le damoiseau s'élance aussitôt à
la recherche de son amie [2]. Il en va de même pour Frêne,
abandonnée à sa naissance par sa mère qui venait
d'accoucher de jumelles. Découverte par le chapelain
Lohier et par des religieuses à la porte de leur abbaye
de Beauséjour, elle est d'abord recueillie par Hermine,
l'abbesse du lieu qui y élève son neveu Galeran, le fils du
comte de Bretagne. La fillette et le garçonnet reçoivent
une éducation aristocratique commune ; ils grandissent ensemble et s'éprennent l'un de l'autre. À la mort de ses
parents, Galeran est contraint de partir s'occuper de son

---

1. Baudelaire, *Les Fleurs du mal*, « Moesta et errabunda », v. 21.
2. Robert d'Orbigny, *Le Conte de Floire et Blancheflor*, v. 428-1232.

héritage tandis que l'abbesse, irritée par l'inclination que Frêne porte à son neveu, la chasse de l'abbaye [1].

L'amour idyllique, spontané et sincère, se heurte donc aux cadres et aux codes sociaux. Entre le monde des adultes et les deux adolescents éclate un conflit de générations et de valeurs. Alors que, pour les parents, ce qui compte avant tout est de choisir un conjoint digne de leur rang, pour les deux jeunes gens, l'essentiel est de vivre de concert, car leur amour, plus fort que les préjugés de classe, vaut toutes les dignités. Ce désaccord engendre chez Aucassin le refus d'accomplir ses devoirs féodaux et d'aider son père à repousser le comte Bougar de Valence, qui a envahi et dévasté le domaine de Beaucaire. Contre la promesse d'un baiser qu'il pourra échanger avec Nicolette, il accepte de se jeter dans la bataille et, en quelques coups d'épée, il fait prisonnier le chef ennemi qu'il conduit auprès de son père. Cependant, lorsque celui-ci se délie de son engagement et profère des menaces mortelles envers son fils et son amie, Aucassin se révolte, libère Bougar et l'exhorte à reprendre la guerre contre Garin [2]. La solidarité, une notion essentielle dans le monde médiéval et notamment dans l'univers épique, est complètement abolie.

Pour pouvoir vivre leur amour, les deux jeunes gens doivent alors quitter leur milieu devenu hostile. Nicolette s'échappe ainsi de la chambre où elle est détenue et s'enfonce dans la forêt où elle construit une hutte de feuillage. C'est là qu'Aucassin la retrouve peu après [3]. Dans *L'Escoufle*, Aélis, la fille de l'empereur de Rome,

---

1. Renaut, *Galeran de Bretagne*, v. 946-3978.
2. *Aucassin et Nicolette*, éd. bilingue par J. Dufournet, GF-Flammarion, 1984, chap. VIII-X.
3. *Ibid.*, chap. XII, XVI, XIX et XXVI.

comprenant, après la mort du comte Richard de Normandie, le père de son ami Guillaume, que ses parents empêcheront son union avec celui-ci, s'évade de la même façon que Nicolette et rejoint le jeune homme qui l'attend dans le jardin [1]. C'est pour un motif analogue que, dans *Guillaume de Palerme*, les deux amoureux, le héros éponyme et Mélior, s'enfuient le jour même où doit être célébré le mariage de la demoiselle, fille de l'empereur de Rome, avec Laertenidon, fils de l'empereur de Grèce. Les fugitifs se dissimulent sous des peaux d'ours, entrent dans un bois et s'abritent sous la feuillée, puis, pour échapper à leurs poursuivants, revêtent un nouveau déguisement de peaux de biche et de cerf [2].

Si, tout au long de leur voyage, Mélior et Guillaume de Palerme ont la chance de rester ensemble, Aucassin et Nicolette ainsi que Guillaume et Aélis ne connaissent ce bonheur qu'un moment. Ceux-là coulent des jours agréables au royaume de Torelore lorsque des Sarrasins les font prisonniers et les embarquent à bord de navires différents. Une tempête s'élève et sépare les deux héros, conduisant Aucassin à Beaucaire et Nicolette jusqu'à Carthagène, la cité natale de celle-ci [3]. Un destin contraire désunit aussi les protagonistes de *L'Escoufle*. Après avoir goûté aux délices d'une existence champêtre durant leur fuite, ils arrivent aux environs de Toul. Près d'une fontaine, Aélis, fatiguée par la chaleur, s'endort. Un milan aperçoit l'aumônière rouge contenant l'anneau donné par la demoiselle à son ami, comme gage d'amour. La prenant pour un morceau de viande, il la saisit dans ses serres et l'emporte. Guillaume s'élance à sa poursuite.

---

1. Jean Renart, *L'Escoufle*, v. 3858-4015.
2. *Guillaume de Palerme*, éd. A. Micha, Genève, Droz, 1990, v. 3105-3195 et 4397-4398.
3. *Aucassin et Nicolette*, chap. XXXIV-XXXVI.

À son réveil, la jouvencelle se croit abandonnée et se rend dans la ville de Toul toute proche. Lorsque l'adolescent retourne à l'endroit où il a laissé son amie, il est désespéré de ne pas l'y trouver. Pensant qu'elle a été enlevée par des émissaires de l'empereur de Rome, il décide de refaire en sens inverse le chemin parcouru avec elle[1]. Leur séparation durera plusieurs années.

Par conséquent l'« amour idyllique » est aussi difficile et tourmenté que la *fine amor* ou l'« amour chevaleresque » ; mais contrairement à ceux-ci pour lesquels les obstacles sont internes, dus notamment à l'indifférence d'une dame sans merci ou d'une demoiselle orgueilleuse, pour nos jeunes amoureux les barrières sont externes : opposition de leurs parents qui projettent un autre mariage pour leur fils ou leur fille que celui souhaité par leur enfant, sort néfaste, enlèvement, tempête, larcin d'un oiseau de proie.

Toutefois, après de multiples épreuves, les amoureux finissent par se retrouver. Leur quête est parfois longue et pénible. Par exemple, tandis qu'Aélis et Isabelle, son hôtesse de Toul et sa confidente, parcourent de nombreuses contrées pendant plus de deux années à la recherche de Guillaume, de son côté, celui-ci erre par maintes terres en quête de sa bien-aimée, qu'il ne revoit ni à Rome, ni à Saint-Jacques-de-Compostelle, ni à Toul, mais à Saint-Gilles où elle est entrée avec sa compagne au service du comte et de la comtesse. Les amoureux se reconnaissent difficilement au terme d'une séparation de sept ans[2] ! Galeran, ayant appris que sa tante avait chassé Frêne de l'abbaye, la fait rechercher en vain, durant une année, par vingt messagers à travers toute

1. Jean Renart, *L'Escoufle*, v. 4542-5192.
2. *Ibid.*, v. 7548-7731.

l'Europe[1]. Découragé, il la croit morte et serait prêt à épouser Fleurie, la sœur jumelle de Frêne, qui lui ressemble parfaitement. À l'annonce de ce prochain hyménée, Frêne se rend à La Roche-Guyon où la cérémonie doit avoir lieu. Harpiste talentueuse, elle chante un lai composé jadis par Galeran lui-même. Troublé, le chevalier reconnaît celle à qui il a donné son cœur. Les deux amoureux s'embrassent en pleurant tandis que Fleurie, accablée de chagrin, entrera au couvent[2].

Parfois c'est le jeune homme seul qui est à l'origine des retrouvailles, tel Floire qui se dirige vers Babylone où Blanchefleur a été emmenée, et qui, par ruse, réussit à s'introduire dans la « Tour aux pucelles » où sont gardées les fiancées de l'émir. Ailleurs, c'est grâce à la détermination et à la persévérance de la jeune fille que les amis sont à nouveau réunis. Si Aucassin attend passivement le retour éventuel de Nicolette, celle-ci s'enfuit de Carthagène, où on voulait la marier à un puissant roi sarrasin, franchit la haute mer et débarque en Provence, déguisée en jongleur[3].

Ainsi tout est bien qui finit bien. En effet le mariage constitue l'épilogue festif traditionnel des récits d'amour idyllique[4]. Il n'est plus question de mésalliance, dans la mesure où il unit deux nobles. Bien que Blanchefleur et Nicolette soient au début de l'histoire des captives, la première est en réalité la fille d'un comte chrétien et la seconde celle du roi de Carthagène et la cousine de l'émir.

---

1. Renaut, *Galeran de Bretagne*, v. 4348-4359.

2. *Ibid.*, v. 6992 *sq.*

3. *Le Conte de Floire et Blanchefleur*, v. 2418-2436 ; *Aucassin et Nicolette*, chap. XXXVIII-XXXIX.

4. *Le Conte de Floire et Blanchefleur*, v. 3138-3139 ; *L'Escoufle*, v. 8327 ; *Aucassin et Nicolette*, chap. XLI, v. 17-19 ; *Galeran de Bretagne*, v. 7700-7701 ; *Guillaume de Palerme*, v. 8905-8907.

Si Frêne, la fillette abandonnée et trouvée dans un arbre proche de l'abbaye de Beauséjour, découvre lors du dénouement qu'elle est la fille de Brundoré, châtelain de La Roche-Guyon, Guillaume apprend du loup-garou qui l'a jadis enlevé qu'il est le fils d'Embron, roi de Palerme et d'Apulie, et de Felise, elle-même fille de l'empereur de Grèce [1].

Les réjouissances nuptiales sont parfois suivies d'un couronnement. Ainsi Floire est-il sacré roi après s'être converti à la religion chrétienne, par amour pour Blanchefleur. Une destinée plus glorieuse encore attend les deux Guillaume : tandis que le protagoniste de *L'Escoufle*, devenu comte de Rouen, reçoit ensuite la couronne impériale des mains du souverain pontife, le héros éponyme de *Guillaume de Palerme*, roi de Pouille, est sacré lui aussi empereur de Rome par le pape Clément [2]. C'est la juste récompense des tourments endurés.

L'AMOUR CONJUGAL

Pour la grande majorité des romanciers du Nord, plus soucieux de respecter la morale chrétienne que ne l'étaient les troubadours, la *fine amor* adultère est un scandale, une relation honteuse qu'ils préfèrent épargner à leurs héros. Ils leur choisissent alors une union légitime, moins périlleuse qu'une liaison extraconjugale, souvent menacée et éphémère. Bien que le protagoniste éponyme

---

1. *Le Conte de Floire et Blancheffleur*, v. 16 ; *Aucassin et Nicolette*, chap. XXXVII, v. 7-8 ; *Galeran de Bretagne*, v. 7495 ; *Guillaume de Palerme*, v. 8096-8139.

2. *Le Conte de Floire et Blancheffleur*, v. 3305-3310 ; *L'Escoufle*, v. 8950-8953 ; *Guillaume de Palerme*, v. 9352-9362.

de *Durmart le Gallois* commence à se fourvoyer en s'éna-
mourant de la femme du sénéchal de son père, il comprend, au bout de trois ans, son erreur ; il s'éprend
ensuite d'une demoiselle, reine d'Irlande, qu'il finit par
épouser. Le trouvère profite de la cérémonie pour
démontrer la supériorité du second attachement de Durmart : « Assurément on ne doit pas blâmer l'amant parfait qui épouse son amie ; je dis que celui qui l'en blâme
a le cœur cruel et amer, car un amant parfait doit priser
plus la joie qui lui est donnée que celle qui lui est prêtée.
Il court un grand danger celui qui n'a pas pour épouse
son amie, car un autre peut la lui enlever, la prendre
devant lui, s'emparer d'elle et l'épouser devant ses
yeux [1]. »

Cette union nouvelle s'inscrit dans un cadre courtois
et répond aux exigences de la loi sociale et de la religion.
Les romanciers de langue d'oïl préconisent ainsi le
mariage d'amour, fondé sur la réciprocité des sentiments,
le libre consentement des futurs conjoints et leur égalité
dans le couple, trois valeurs primordiales à leurs yeux
mais tout à fait secondaires dans la société médiévale. En
effet les hymens sont le plus souvent arrangés par les
parents qui cherchent plus à enrichir leur patrimoine, à
accroître leurs domaines, leur puissance et leur fortune,
à apaiser d'éventuelles querelles entre familles qu'à assurer le bonheur de leurs enfants. Le mariage de ceux-ci
constitue pour eux une nécessité d'ordre politique et
socio-économique, mais nullement sentimental, alors que
l'union envisagée par les auteurs repose sur un assentiment mutuel. Il ne s'agit plus d'une union contrainte,
voulue par un père ou un frère, mais d'une alliance désirée, choisie librement par les deux jeunes gens. De surcroît, cet amour conjugal repose sur la parité des

---

1. *Durmart le Gallois*, v. 14998-15009.

conjoints. Dans cette conception courtoise du mariage, opposée à l'enseignement de saint Paul ou de religieux comme Yves de Chartres qui affirment la soumission de la femme à son mari [1], il n'y a plus de supérieur ni d'inférieur, plus de maître ni de serviteur, mais deux êtres qui s'estiment et se respectent. La demoiselle est à la fois la « femme », la « dame » et l'« amie » de celui qu'elle épouse. Les trois termes apparaissent à la rime sous la plume de Chrétien de Troyes lors de l'hymen de Cligès et de Fénice :

> *De s'amie a feite sa fame,*
> *Car il l'apele amie et dame,*
> *Et por ce ne pert ele mie*
> *Que il ne l'aint come s'amie,*
> *Et ele lui tot autresi*
> *Con l'en doit amer son ami.*

De son amie Cligès a fait sa femme,
car il l'appelle amie et dame,
ce qui ne l'empêche pas
de l'aimer comme son amie,
et elle, de la même manière, l'aime
comme on doit aimer son ami [2].

L'harmonie conjugale tient à ce respect partagé, à cette confiance réciproque – une confiance dont est dépourvu

---

1. Saint Paul, Épître aux Éphésiens (5, 21) : « Soyez soumis les uns aux autres dans la crainte du Christ. Que les femmes le soient à leurs maris comme au Seigneur : en effet, le mari est chef de sa femme, comme le Christ est chef de l'Église. » Yves de Chartres, *Panormia*, VI, 3 et 4 : « S'il y a discorde entre mari et femme, que le mari dompte la femme et que la femme domptée soit soumise à l'homme. La femme soumise à l'homme, c'est la paix dans la maison. [...] L'homme doit commander, la femme obéir. »

2. *Cligès*, v. 6737-6742.

l'empereur Laïs. Obligé de guerroyer, il envisage de faire surveiller sa femme Athanaïs. Son conseiller Éracle désapprouve son projet d'enfermer son épouse dans une tour pendant son absence ; il convient au contraire, selon lui, de la laisser libre de ses mouvements et de faire crédit à sa vertu, car, en l'emprisonnant, son mari risque de la pervertir et de l'inciter au péché [1]. Loin de suivre les sages recommandations d'Éracle, Laïs séquestre Athanaïs dans un donjon gardé par vingt-quatre chevaliers. Avec amertume, l'impératrice se plaint de ce châtiment immérité qu'on lui inflige, de cette réclusion que sa conduite jusqu'alors irréprochable ne justifie aucunement. Lors d'une fête traditionnelle qu'elle doit présider, elle s'éprend d'un jeune harpiste de talent, Paridès, le fils d'un sénateur. Grâce à un subterfuge, elle réussit à rejoindre son ami et se donne à lui. Toutes les précautions prises par l'empereur ont l'effet inverse de celui qu'il escomptait ; au lieu de garantir la chasteté, l'enfermement n'a engendré que tromperie, luxure et adultère. La meilleure manière d'assurer la fidélité du couple est de faire confiance à son conjoint. Au demeurant les épouses, claustrées par leurs maris, souvent de vieux barbons jaloux, comme les héroïnes des lais de *Guigemar* et d'*Yonec*, comme Agnès de Tonnerre dans *Joufroi de Poitiers* ou encore Flamenca, la femme d'Archambaut [2], les cocufient sans scrupule.

La vie à deux exige aussi de trouver un équilibre entre le temps de l'amour et celui des activités chevaleresques. Aimant son épouse sans mesure, Érec ne veut plus la quitter et renonce à participer aux tournois ; ses compagnons condamnent cet abandon des armes, cette trahison de la chevalerie en le traitant entre eux de *recreant*, un

1. Gautier d'Arras, *Éracle*, v. 3034-3037 et 3041-3050.
2. Marie de France, *Guigemar*, v. 209-260 ; *Yonec*, v. 17-104 ; *Joufroi de Poitiers*, v. 808-821 ; *Flamenca*, v. 996-1170.

terme qui désigne notamment le lâche qui s'avoue vaincu et renonce au combat (**texte 25, p. 168**). Tourné uniquement vers son épouse et leur jouissance, Érec commet un « adultère » selon le jugement exprimé par saint Jérôme dans son *Adversus Jovinianum* : « Celui qui aime trop ardemment sa femme est un adultère. Si aimer la femme d'autrui est une indignité, il est bien plus indigne d'aimer la sienne, *id est* : d'être pris de passion pour la sienne. L'homme sensé doit aimer sa femme selon la raison et non selon les sentiments. Qu'il réfrène les élans de sa sensualité et qu'il ne soit pas porté d'abord vers le coït. Il n'est rien de plus honteux que d'aimer son épouse comme une femme adultère [1]. » Cet écrit du Père et docteur de l'Église a influencé la plupart des théologiens du XIIe siècle, comme Pierre Lombard qui proclame dans ses *Sentences* : « Dans le mariage sont autorisées les œuvres de la procréation, mais il est condamnable de goûter auprès de sa propre femme les plaisirs que l'on prend aux étreintes des courtisanes [2]. »

Yvain, le jeune marié, ne va-t-il pas lui aussi prolonger sa lune de miel avec Laudine et goûter les délices du bonheur conjugal, au risque de perdre son honneur et sa renommée en négligeant les joutes et les tournois ? Telles sont les craintes de Gauvain, célibataire endurci de la cour arthurienne, convaincu de la future déchéance de son ami s'il ne parvient pas à l'arracher aux enchantements de la vie à deux (**texte 26, p. 172**). Contrairement à Érec, qui demeure auprès de sa femme jusqu'au moment où, ayant surpris ses larmes et des paroles de regret, il décide de partir en aventure en l'emmenant avec lui, Yvain quitte Laudine au terme des festivités nuptiales

---

1. Le texte en latin et sa traduction sont cités par Claude Buridant, *Traité de l'amour courtois*, p. 233-234.
2. Voir *ibid.*, p. 234.

et accompagne Gauvain dans une tournée de tournois, au point qu'il oublie le délai d'un an et un jour fixé par son épouse. Il réussira toutefois à regagner l'amour de celle-ci en devenant le « chevalier au lion », ce nouveau chevalier non plus au service de ses intérêts et de sa gloire personnelle mais au service des faibles, des déshérités et des opprimés, ce champion invaincu du droit, de la liberté et de la paix. En fait, la meilleure manière pour le couple de résoudre le conflit entre le mariage et la prouesse, de trouver l'équilibre entre l'amour et la chevalerie, c'est de s'ouvrir aux autres, de secourir les pauvres et les persécutés, de pratiquer la largesse et la solidarité, de mettre fin aux querelles et aux disputes, de veiller à la concorde et à l'entente universelle, de se préoccuper du bonheur de chacun, en somme de sublimer l'amour conjugal en charité chrétienne. Tel est le rêve utopique proposé par Philippe de Rémy dans son roman *Jehan et Blonde* dont les deux héros se réconcilient avec le comte d'Oxford, le père de Blonde, puis se montrent généreux envers les personnes les plus démunies et les religieuses ; et, à leur image, toute la population fait preuve de dévouement et d'entraide [1].

Cependant l'aventure chevaleresque peut s'avérer périlleuse. Voyager de prime à vêpres par des chemins difficiles, traverser des forêts obscures, chercher un hébergement pour la nuit dans des pays inconnus, connaître des veilles et des jeûnes, affronter le mauvais temps, des brigands, des animaux sauvages ou des monstres constituent des épreuves pénibles et dangereuses que les maris veulent épargner à leurs femmes. Toutefois, certaines d'entre elles refusent d'être séparées de leurs époux [2].

---

1. Philippe de Rémy, *Jehan et Blonde*, v. 6151-6158 et 6171-6177.
2. Voir aussi *Guillaume d'Angleterre*, éd. bilingue par Ch. Ferlampin-Acher, Champion Classiques, 2007, v. 218-351 ; *Durmart le Gallois*,

C'est le cas de Florette, la compagne de Floriant. Celui-ci, à l'instar d'Érec, goûte les plaisirs amoureux avec la belle Florette et délaisse les activités militaires pendant trois années. Un jour, il entend une vieille femme lui reprocher d'être asservi à son épouse et de négliger la pratique des armes. Il décide alors de partir en Bretagne pour éprouver sa vaillance. Craignant d'être abandonnée, Florette en pleurs lui adresse une supplique (**texte 27, p. 174**). Devant son insistance, Floriant accepte finalement de l'emmener avec lui. De même Sone, appelé par le pape à quitter la Norvège pour rejoindre Rome et protéger la Sainte Église, promet à Odée qu'ils ne seront jamais séparés [1].

L'amour conjugal s'épanouit dans la procréation, qui renforce l'union du couple et contribue à la perpétuation dynastique. Ainsi les paternités de Sone augmentent-elles son amour pour Odée, qu'il doit chérir et honorer davantage depuis qu'elle a donné naissance à trois garçons [2]. Odée est également heureuse d'avoir enfanté. Pourtant, bien qu'elle ressente une immense affection pour ses fils, elle éprouve, envers son mari, un amour beaucoup plus fort. Le narrateur intervient personnellement dans le récit pour exprimer combien est étonnante la suprématie de Sone dans le cœur de l'impératrice : « Mais je vais dire une nouvelle surprenante dont je suis absolument sûr : elle aime mieux l'empereur, son époux légitime et son seigneur, que vingt enfants, aussi puissant chacun d'eux serait-il [3]. »

Loin d'être usé par le temps, l'amour conjugal s'accroît au fil des années, au fur et à mesure des joies partagées,

---

v. 15709-15720 ; *Claris et Laris*, éd. C. Pierreville, Honoré Champion, 2008, v. 15280-15293.

1. *Sone de Nansay*, v. 17758-17767.
2. *Ibid.*, v. 17788-17795.
3. *Ibid.*, v. 20908-20917.

des naissances désirées mais aussi des épreuves surmontées ensemble. C'est un amour qui s'inscrit dans la durée, comme le souligne Guenièvre invitant Alexandre et Soredamor à s'unir légitimement : « Dans l'honneur, par les liens du mariage, unissez-vous. C'est ainsi, je crois, que votre amour pourra durer longtemps [1]. »

Il s'agit d'autant moins d'une relation éphémère que, depuis le IVe concile de Latran en 1215, le mariage est reconnu officiellement comme l'un des sept sacrements. Pour l'Église, cette union indissoluble ne peut être rompue que par la mort de l'un des époux. L'auteur de *Sone de Nansay* estime même que l'amour conjugal liant le héros à Odée triomphe de la mort pour accéder à l'éternité. Dès que Sone a rendu son dernier soupir, l'impératrice se confesse puis se couche sur la poitrine de son mari et décède à son tour, unie pour toujours à son ami [2].

L'AMOUR FÉERIQUE

Il existe deux types de fées au Moyen Âge [3]. D'une part les fées marraines, maîtresses du destin, à l'instar des Parques antiques, sont présentes à la naissance des hommes et décident de leur vie et de leur mort ; elles peuvent aussi veiller à l'éducation du héros, telle la Dame du Lac qui enlève le jeune Lancelot devenu orphelin

---

1. Chrétien de Troyes, *Cligès*, v. 2288-2291.
2. *Sone de Nansay*, v. 21275-21284. Cf. Thomas, *Le Roman de Tristan*, v. 3233-3237c.
3. Sur les fées, voir notamment les deux ouvrages de Laurence Harf-Lancner, *Les Fées au Moyen Âge. Morgane et Mélusine, la naissance des fées*, Honoré Champion, 1984, et *Le Monde des fées dans l'Occident médiéval*, Hachette Littératures, 2003.

après le décès de son père, et se charge de l'élever. D'autre part les fées amantes procurent au mortel, élu de leur cœur, l'amour, la richesse et parfois une descendance.

Laurence Harf-Lancner a distingué deux schémas narratifs caractéristiques de l'amour féerique : le scénario mélusinien et le scénario morganien. Dans les contes dits mélusiniens, l'être surnaturel se rend dans le monde terrestre pour rencontrer le mortel qu'il a choisi d'aimer et de favoriser. C'est le cas dans le roman que Jean d'Arras a composé sur la légende de la fée Mélusine, fondatrice du lignage des Lusignan. Elle rencontre dans un cadre sylvestre, aquatique et nocturne, propice à l'amour féerique, Raymondin. Au cours d'une chasse, celui-là a tué malencontreusement son oncle d'un coup d'épieu destiné à un sanglier. Désespéré, il s'enfuit au cœur de la forêt et, à minuit, atteint une source appelée « Fontaine de Soif » ou « Fontaine aux fées » parce qu'elle est depuis longtemps le théâtre de nombreuses aventures. Trois dames l'y attendent, dont l'une, informée du tragique accident, l'interpelle, lui propose de l'aider et de faire de lui le seigneur le plus puissant au monde, à la condition qu'il promette de l'épouser. Raymondin, émerveillé par la radieuse beauté de la dame, s'y engage solennellement. Cet accord immédiat entre le chevalier et la fée témoigne d'un amour spontané, naturel, absolu entre deux êtres prédestinés l'un à l'autre [1]. C'est, après la rencontre et le coup de foudre réciproque, la deuxième phase de ce récit « mélusinien » : le pacte que la créature surnaturelle impose au mortel en l'avertissant que leur union durera tant qu'il respectera l'interdit. Il doit impérativement soit

---

1. Jean d'Arras, *Mélusine ou la Noble Histoire de Lusignan*, éd. bilingue par J.-J. Vincensini, Le Livre de Poche, « Lettres gothiques », 2003, p. 166.

garder le secret sur sa relation avec elle ou sur son identité, soit ne jamais s'étonner devant son comportement,
aussi étrange soit-il. Dans le cas de Mélusine, exiger de
Raymondin qu'il ne cherche pas à la voir le samedi est
le meilleur moyen de cacher sa métamorphose animale
et sa queue de serpente, par conséquent de dissimuler son
appartenance à l'autre monde. En présence de toute la
cour de Poitiers, Raymondin épouse Mélusine. Le
mariage célèbre l'intégration de la fée dans la communauté chrétienne et l'univers humain. Le couple connaît
la prospérité. Mélusine engage une foule d'artisans ; elle
fait construire cités et châteaux, et avant tout la prodigieuse forteresse de Lusignan. Elle donne aussi la vie à
dix garçons dont les huit premiers sont pourvus d'une
anomalie physique due à la nature fantastique de leur
mère. Durant de longues années les deux époux
connaissent un immense bonheur jusqu'au jour où,
poussé par son frère qui soupçonne sa belle-sœur de se
livrer chaque samedi à la débauche, Raymondin trans-
gresse le tabou et découvre sa femme avec une queue de
serpent[1]. Cette violation du pacte lui révèle l'animalité
et la féerie de son épouse, mais elle n'entraîne pas sa
disparition. Si le seigneur ne fait part de sa découverte à
personne, Mélusine, quant à elle, feint d'ignorer la trahison de son mari. Toutefois, informé peu après que leur
fils Geoffroy a brûlé l'abbaye de Maillezais, incendie dans
lequel ont péri les moines et son propre frère, Raymondin
impute publiquement ce crime à la « serpente pleine de
perfidie ». Il a beau ensuite regretter ses propos, Mélusine, contrainte de disparaître, s'envole sous forme d'un
serpent ailé[2].

---

1. *Ibid.*, p. 660.
2. *Ibid.*, p. 704.

Par conséquent, Mélusine offre l'image d'une fée amoureuse et maternelle, protectrice et civilisatrice, féconde et fondatrice d'une célèbre lignée. L'amour généreux qu'elle éprouve pour son mari ne se dément jamais, puisqu'elle prie Dieu de bien vouloir pardonner à Raymondin sa faute. Quoiqu'elle n'ignore pas que le forfait de son époux la force à endurer son tourment de serpente jusqu'au jour du Jugement dernier, elle ne cesse de l'aimer et ses derniers gestes et mots à son endroit sont empreints de tendresse [1]. C'est par manque de confiance envers son conjoint que le mortel a rompu l'enchantement de l'amour féerique et obligé la fée à quitter le monde humain où elle avait choisi d'aimer, de vivre et de mourir, et à rejoindre son monde fantastique originel.

À l'inverse des récits « mélusiniens » où la fée vient ici-bas, dans les contes dits « morganiens », c'est le mortel qui est entraîné dans le royaume féerique. C'est le cas de Guingamor, le héros d'un lai anonyme. À la poursuite d'un sanglier blanc, il découvre une source où se baigne une beauté nue [2]. L'abondance d'or et d'argent et la présence de l'eau sont des indices caractéristiques de la frontière entre les univers terrestre et surnaturel. Le chevalier est entraîné vers l'autre monde par un animal guide : cerf, biche, braque ou, comme ici, un porc sauvage, une bête de couleur blanche, avatar de la fée. Celle-ci offre à Guingamor l'hospitalité et lui promet de lui livrer d'ici trois jours le sanglier et le chien dont il a perdu la trace. Séduit par cette créature de rêve, le chevalier la requiert d'amour et elle le lui accorde volontiers. Il convient de noter que l'amour féerique ne connaît pas les longues tergiversations ni les subtilités de la *fine amor*. C'est un

---

1. *Ibid.*, p. 700.
2. *Lais féeriques des XIIᵉ et XIIIᵉ siècles, Guingamor*, éd. bilingue par A. Micha, GF-Flammarion, 1992, p. 88, v. 422-433.

amour vrai, simple, instinctif et instantané, sans artifice ni faux semblant ; c'est aussi un amour durable. En effet, Guingamor demeure très longtemps dans le domaine de sa bien-aimée ; même s'il n'envisageait d'y rester que deux jours et de partir le troisième, il séjourne trois siècles chez son amie [1]. Par conséquent, dans l'autre monde, le temps n'a pas la même valeur qu'ici-bas ; il se fige, s'étire, se prolonge à l'infini. L'amour féerique se vit dans l'éternité.

Guingamor veut se rendre compte par lui-même de la fuite du temps. La fée y consent mais l'invite à ne rien boire et à ne rien manger dès qu'il sera revenu dans son pays. Après qu'un charbonnier rencontré sur la route lui a confirmé les dires de son amie, suite à une faim pressante, il dévore trois pommes, oubliant les recommandations de la dame. Cette transgression de l'interdit a de fâcheuses conséquences : il se métamorphose aussitôt en un vieillard décrépit et moribond. Le temps humain, loin de se ralentir comme dans l'autre monde, s'accélère au contraire et conduit inéluctablement à la mort. Mais la fée amoureuse est indulgente : elle envoie deux demoiselles au secours de son amant et, après lui avoir reproché sa désobéissance, elles lui font passer la rivière et le ramènent dans l'univers merveilleux de l'amour éternel et de l'immortalité.

Le Lai de Lanval de Marie de France offre lui aussi un épilogue favorable aux amoureux. La poétesse y combine avec art les deux schémas précités. Le récit commence comme un conte mélusinien : le chevalier Lanval rencontre au bord d'une rivière deux superbes demoiselles qui l'entraînent vers la tente de leur maîtresse. Celle-ci lui avoue d'emblée son amour. Encore une, fois l'amour

---

1. *Ibid.*, v. 540-558.

féerique est prompt et direct : il ne se tait pas ; il ne se cache pas sous de longues circonlocutions ou des propos pudibonds, mais il se dévoile avec franchise, sans indécence. Si la fée prend l'initiative de la déclaration, le chevalier ne tarde pas à exprimer à son tour sa flamme, ébloui par le charme de son interlocutrice. Et l'union des corps succède sans délai à celle des cœurs. Loin d'être chaste, l'amour féerique est sensuel, physique dès le début de la relation. La fée promet à son ami de le rejoindre ici-bas chaque fois qu'il le souhaitera et de lui prodiguer toutes les richesses nécessaires à son rang. Elle impose cependant à Lanval le silence total sur leur liaison, sous peine de la perdre pour toujours (**texte 28, p. 178**). La fée rend effectivement visite à son ami à chacun de ses appels et, à l'instar de Mélusine, le comble de biens. Mais un jour l'épouse d'Arthur fait des avances au jeune chevalier. Comme ce dernier l'éconduit, elle soutient qu'il est homosexuel ; pour se défendre de cette accusation, Lanval lui révèle alors qu'il est l'ami d'une dame dont la plus humble des chambrières l'emporte en beauté sur la reine. Humiliée, celle-ci se plaint auprès de son mari d'avoir été outragée par Lanval. Abandonné un moment par son amie, Lanval serait sans doute condamné au bannissement quand, précédée par quatre demoiselles ravissantes, la plus belle dame du monde surgit à la cour du roi et clame l'innocence de Lanval. Ce lai se termine comme un conte morganien, puisque la fée vient chercher l'élu de son cœur dans le monde terrestre et l'invite à la suivre dans l'autre monde [1].

L'amour « féerique » s'avère donc plein de fraîcheur et de grâce, de bienveillance et d'indulgence, de générosité

---

1. *Lais de Marie de France, Lanval,* éd. bilingue par A. Micha, GF-Flammarion, 1994, v. 638-644.

et de dévouement. Sincère et constant, il unit naturellement la chair et l'esprit ; il conduit le mortel à la béati-
tude et à l'immortalité. C'est un amour idéal et onirique.

Les différentes formes de l'amour courtois que nous
avons étudiées offrent des traits communs. Qu'il soit
« chevaleresque », « idyllique », « conjugal » ou « féerique », cet amour, fidèle et sincère, fondé sur un attachement et une foi réciproques, s'inscrit dans la durée et
s'accroît avec le temps ; parfois plus fort que la mort, il
peut même devenir immortel. Bien qu'il se heurte à des
obstacles divers, externes et internes, il triomphe toujours. À l'exception des contes morganiens où il s'agit
d'une union libre, cet amour courtois est légitimé et
sacralisé par le mariage. C'est pourquoi à l'inverse de la
fine amor, marquée finalement par l'échec, la solitude,
la folie, les ruptures et les destructions, l'amour courtois
surmonte les crises, les doutes et les tourments pour
atteindre au bonheur, s'il est pratiqué avec art.

23. *Le Roman du châtelain de Coucy et de la dame de Fayel*

V. 1325-1375

1325 Li castellains fu plains de joie.
En l'escu joint, moult se cointoie ;
Le ceval des espourons broce,
Atant l'uns viers l'autre s'aproce.
Plain sambloient de hardement,
1330 Car il venoient fierement,
Sour les cevaus espouronnant,
Si que la tierre aloit bruiant.
Cescuns venoit si noblement
Qu'avis estoit a toute gent
1335 Q'ensi fussent en armes né.
De tous furent moult esgardé,
Des dames espescïalment,
Qui parees mignotement
Furent es hours• pour esgarder,
1340 Et en apriés maint baceler•.
Et cil qui furent el mestier
Se sont si alé aprocier
Qu'es barbieres se sont ataint,
Si que hëaumes ne remaint

23. *Le Roman du châtelain de Coucy et de la dame de Fayel*

1325 Le châtelain était au comble de la joie.
 Gracieux avec son écu serré contre lui, il se
   montrait très digne ;
 il piqua son cheval des éperons ;
 alors les deux adversaires s'approchèrent l'un de
   l'autre.
 Ils manifestaient une grande hardiesse,
1330 car ils avançaient avec vigueur,
 éperonnant les chevaux,
 de sorte que la terre en résonnait.
 Chacun chevauchait si majestueusement
 que tous les témoins croyaient
1335 qu'ils étaient nés ainsi, avec leurs armes.
 Tous les contemplaient,
 en particulier les dames,
 aux coquettes parures,
 installées sur les estrades pour le spectacle,
1340 ainsi que de nombreux jeunes nobles.
 Quant aux deux chevaliers en action,
 ils se sont tant approchés l'un de l'autre
 qu'ils se sont heurtés à la mentonnière
 et ont perdu tous deux leur heaume,

1345 Në a Gautier në a Regnaut.
      Li tronçon volerent en haut
      Des lances qui furent brisies.
      Ces glioires sont deslacies
      Et cil bouriel sont defroissiet,
1350 Car radement orent froiiet.
      Nonpourquant ne sont pas clinné,
      Ainsçois sont joint outre passé.
      Cescuns revint moult biellement
      A son renc et honniestement.
1355 Dont prisent hiraut a moustrer :
      « Dames, or poés esgarder !
      Donner leur doit on par solas
      Mances et aguilliers et las,
      Les savereus baisiers prumettre,
1360 Par finne amour lius et jours mettre. »
      La dame de Faiiel ooit
      Ces parolles dont joie avoit,
      Car le castellain em present
      Veoit et dedens son coer sent
1365 Que plus ne s'em poet deporter
      Quë il ne li couviengne amer.
      Cil prendent leur lances errant*,
      Puis vont des espourons brocant.
      Li rices coens Gautiers falli
1370 Et li castellains le feri
      Si grant cop que tout revierser
      Le fist et son heaume voler
      Hors de sa tieste roidement,
      Mais a lui revint erranment,
1375 Ne gaires ne s'en esmaia.

1345 tant Gautier que Renaut.
Les morceaux des lances brisées
volèrent dans le ciel,
les croupières se détachèrent
et les bourrelets éclatèrent,
1350 sous l'effet de violents chocs.
Toutefois ils ne sont pas tombés,
mais sont passés outre avec vivacité.
Chacun regagna son rang
avec élégance et dignité.
1355 Les hérauts commencèrent alors leur discours :
« Dames, à présent regardez-les bien !
On doit leur donner par plaisir
des manches, des étuis à aiguilles et des lacets,
promettre des baisers savoureux
1360 et des rendez-vous pour un amour courtois. »
La dame de Fayel se réjouissait
d'entendre ces paroles,
car au même moment elle voyait le châtelain
et sentait dans son cœur
1365 qu'elle ne pouvait pas s'abstenir plus longtemps
de l'aimer.
Les chevaliers prirent aussitôt de nouvelles lances,
puis ils piquèrent des éperons.
Le puissant comte Gautier manqua son attaque,
1370 tandis que le châtelain lui assena
un tel coup qu'il le retourna complètement sur son
    cheval
et lui fit voler son heaume
violemment hors de la tête,
mais il reprit vite ses esprits
1375 sans guère s'inquiéter de cet incident.

24. *Floire et Blanchefleur*

ROBERT D'ORBIGNY

V. 215-264

215 Es les vos andeus a l'escole.
     Molt delivre• orent la parole.
     Cascuns d'aus deus tant aprendoit
     Pour l'autre que merveille estoit.
     Li doi enfant molt s'entramoient
220 Et de biauté s'entresambloient.
     Nus d'aus deus conseil ne savoit
     De soi quant l'autre ne veoit.
     Au plus tost que souffri Nature
     Ont en amer mise lor cure.
225 En aprendre avoient boin sens,
     Du retenir millor porpens.
     Livres lisoient paienors
     U ooient parler d'amors.
     En çou forment se delitoient
230 Es engiens d'amor qu'il trovoient.
     Cius lires les fist molt haster
     En autre sens d'aus entramer
     Que de l'amor de noureture•
     Qui lor avoit esté a cure.
235 Ensamle lisent et aprendent,
     A la joie d'amor entendent.
     Quant il repairent de l'escole,
     Li uns baise l'autre et acole.
     Ensamble vont, ensamble vienent,
240 Et lor joie d'amor maintienent.
     Un vergier a li peres Floire
     U plantee est li mandegloire,
     Toutes les herbes et les flours

24. *Floire et Blanchefleur*

« LE VERT PARADIS DES AMOURS ENFANTINES »

215 Les voilà tous deux à l'école.
Ils pouvaient parler en toute liberté.
Chacun des deux apprenait si bien
grâce à l'autre que c'en était étonnant.
Les deux enfants s'aimaient beaucoup
220 et leur beauté les faisait se ressembler.
Aucun des deux ne savait que faire
en l'absence de l'autre.
Dès que Nature le permit,
ils mirent toute leur ardeur à s'aimer.
225 Ils apprenaient avec intelligence
et s'appliquaient de leur mieux à retenir.
Ils lisaient des livres païens
où ils entendaient parler d'amour.
Ce qui leur plaisait particulièrement,
230 c'étaient les ruses d'amour qu'ils y trouvaient.
Grâce à ces lectures, ils en arrivèrent très vite
à s'aimer d'un amour d'une autre nature
que l'attachement fraternel
qui les avait animés jusque-là.
235 Ils lisent et étudient ensemble,
n'aspirant qu'à la joie d'amour.
Quand ils rentrent de l'école,
ils échangent des baisers et se tiennent par le cou.
Ils vont et viennent ensemble
240 et s'adonnent au plaisir d'aimer.
Le père de Floire a un verger
où est plantée la mandragore
ainsi que toutes les herbes et les fleurs

Qui sont de diverses coulours.
245 Flouri i sont li arbrissel,
D'amors i cantent li oisel.
La vont li enfant deporter
Cascun matin et por disner.
Quant il mangeoient et bevoient,
250 Li oisel deseure aus cantoient.
Des oiselés oënt les cans,
Çou est la vie as deus enfans.
Quant ont mangié, si s'en revont,
Molt grant joie par voie font.
255 Et quant a l'escole venoient,
Lor tables d'yvoire prenoient.
Adont lor veïssiés escrire
Letres• et vers d'amours en cire !
Lor graffes sont d'or et d'argent
260 Dont il escrisent soutiument.
Letres et salus font d'amours
Du cant des oisiaus et des flours,
D'autre cose n'ont il envie,
Molt par ont glorïeuse vie.

25. *Érec et Énide*

CHRÉTIEN DE TROYES

V. 2430-2463

2430 Mais tant l'ama Erec d'amors
Que d'armes mais ne li chaloit,
N'a tornoiement mais n'aloit.
N'avoit mais soing de tornoier :
A sa fame aloit dosnoier,
2435 De li fist s'amie et sa drue ;

de diverses couleurs.
245 Les arbrisseaux y sont fleuris
et les oiseaux y chantent amoureusement.
C'est là que les enfants vont jouer
chaque matin et à l'heure du déjeuner.
Pendant qu'ils mangeaient et buvaient,
250 les oiseaux, au-dessus d'eux, chantaient.
Écouter le chant des oiselets,
telle est la vie des deux enfants.
Après avoir mangé, ils s'en retournaient
en gambadant joyeusement.
255 Arrivés à l'école,
ils prenaient leurs tablettes d'ivoire.
Ah ! si vous les aviez vus alors graver
dans la cire lettres et poèmes d'amour !
Leurs stylets, avec lesquels ils écrivaient joliment,
260 étaient d'or et d'argent.
Ils composaient des lettres et des saluts d'amour,
inspirés par le chant des oiseaux et les fleurs.
Ils n'ont envie de rien d'autre
et mènent une existence particulièrement radieuse.

25. *Érec et Énide*

LA RÉCRÉANTISE D'ÉREC

2430 Mais Érec l'aimait d'un si grand amour
qu'il ne se souciait plus des armes
et ne participait plus aux tournois.
Il n'avait plus envie de tournoyer :
il préférait honorer sa femme
2435 dont il fit son amie et son amante ;

Tot met son cuer et s'entendue
En li acoler et baisier,
Ne se queroit d'el aaisier.
Si compaignon duel en menoient ;
2440 Entr'ax sovent se dementoient
De ce que trop l'amoit assez.
Sovant estoit midi[s] passez
Ainçois que de lez li levast ;
Lui estoit bel, cui qu'il pesast.
2445 Mout petit de li s'esloignoit,
Mais onques por ce ne donoit
De riens moins a ses chevaliers
Armes et robes et deniers.
Nul leu n'avoit tornoiement,
2450 Nes i envoiast richement
[Apareilliez et atornez.
Destriers• lor donoit sejornez]
Por tornoier et por joster•,
Que qu'il li deüssent coster.
2455 Ce disoit trestoz li bernages
Que granz duelx est et granz domages,
Quant armes porter ne voloit
Tex bers con il estre soloit.
Tant fu blasmez de totes genz,
2460 De chevaliers et de sergenz,
Que Enide oï entredire
Que recreanz• estoit ses sire
D'armes et de chevalerie :
Mout avoit changie sa vie.

il mettait tout son cœur et son ardeur
à l'embrasser et à la couvrir de baisers ;
il ne cherchait pas d'autre plaisir.
Ses compagnons en étaient peinés ;
2440 ils se lamentaient souvent entre eux
de ce qu'il l'aimait beaucoup trop.
Il était souvent midi passé
qu'il ne s'était encore levé d'auprès d'elle :
s'en affligeait qui voulait, cette vie lui plaisait.
2445 Il ne s'éloignait guère de sa femme,
mais il ne s'en montrait pas moins
généreux avec ses chevaliers
à qui il donnait armes, vêtements et argent.
À tous les tournois qui avaient lieu,
2450 il les envoyait richement
équipés et vêtus.
[Il leur donnait des destriers bien dispos
pour participer aux mêlées et aux joutes,]
sans regarder à la dépense.
2455 Tous les barons disaient
qu'il était bien triste et fâcheux
qu'un chevalier d'habitude si vaillant
refusât désormais de porter les armes.
Il fut tant blâmé par tous,
2460 chevaliers et hommes d'armes,
qu'Énide les entendit dire entre eux
que son époux renonçait
aux armes et à la chevalerie :
il avait profondément changé son mode de vie.

26. *Le Chevalier au lion*

CHRÉTIEN DE TROYES

V. 2484-2534

« Comment ? Seroiz vos or de chix,
2485 Che disoit mesire• Gavains,
Qui pour lor femmes valent mains ?
Honnis soit de Sainte Marie
Qui pour empirier se marie !
Amender doit de bele dame
2490 Qui l'a a amie ou a femme,
Ne n'est puis drois que ele l'aint
Que ses pris et ses los remaint.
Chertes, encor serois iriés
De s'amor, se vous empiriés,
2495 Que femme a tost s'amor reprise ;
Ne n'a pas tort s'ele desprise
Chelui qui devient de l'empire
Sire, qui pour s'amour empire.
Primes en doit vostre pris croistre.
2500 Rompés le frain et le chavestre,
S'irons tournoier avec vous,
Que on ne vous apiaut jalous.
Or ne devés vous pas songier•,
Mais les tournoiemenz ongier
2505 Et emprendrë a fort jouster,
Quoi que il vous doie couster.
Assés songe qui ne se muet.
Chertes, venir vous en estuet
Sans vous envoier autre ensengne.
2510 Gardés que en vous ne remaigne,
Biaus compains•, nostre compagnie•,
Qu'en moi ne faurra ele mie.

26. *Le Chevalier au lion*

LA MISE EN GARDE DE GAUVAIN

« Comment ? Serez-vous désormais de ceux,
2485 disait monseigneur Gauvain,
qui valent moins à cause de leurs femmes ?
Par sainte Marie, honni soit celui
qui se marie pour déchoir !
Celui qui a pour amie ou pour épouse
2490 une belle dame doit s'améliorer,
et il n'est pas juste qu'elle aime un homme
dont la valeur et la réputation s'achèvent.
Assurément, vous regretterez un jour
de l'avoir aimée, si vous déclinez,
2495 car une femme a vite repris son amour ;
et elle n'a pas tort de mépriser
celui qui, devenant maître de l'empire,
déchoit à cause de son amour.
Avant tout votre valeur doit croître.
2500 Rompez le frein et le licol,
et nous irons dans les tournois avec vous,
pour qu'on ne vous traite pas de jaloux.
À présent vous ne devez pas rêvasser,
mais fréquenter les tournois
2505 et vous engager à jouter vigoureusement,
quoi qu'il doive vous en coûter.
C'est un songe-creux, celui qui ne bouge pas.
Assurément, vous devez partir,
sans que je vous adresse un autre signal.
2510 Veillez, cher compagnon,
à ne pas mettre un terme à notre amitié,
car moi, je ne lui ferai pas défaut.

Merveille est comment en n'a cure
De l'aisse qui tous jors li dure.
2515 Biens adoucist par delaier,
Et plus est dolz a ensaier
Unz petis biens, quant il delaie,
C'uns grans, qui tout adés l'ensaie.
Joie d'amor qui vient a tart
2520 Sanle la vert busche qui art,
Et dedens rent plus grant calor,
Et plus se tient en sa valour,
Com plus se tient dë alumer.
On puet tel chose acoustumer
2525 Qui mout est grievë a retraire ;
Quant on le veut, nel puet on faire ;
Et pour che ne le di je mie,
Se j'avoie si bele amie
Com vos avés, sire compains,
2530 Foy que je doi Dieu et ses sains,
Mout a envis le laisseroie !
A enscïent fax en seroie !
Mais tel conseille bien autrui,
Qu'il ne saroit conseillier lui. »

27. *Floriant et Florette*

V. 6668-6697

« Amis, fet ele, Florïant,
Voulez me vous donques laissier ?
6670 J'ai veü vous m'aviez chier,
Mes or n'avez mes de moi soing
Quant aler en voulez si loing.
Mes voir, ja sens moi n'i irez !

Il est étonnant de voir comment on ne se soucie pas
du bien-être qui dure toujours.
2515 Un bonheur différé devient plus agréable,
et il est plus plaisant de goûter
un petit bonheur, remis à plus tard,
qu'un grand, savouré en permanence.
Une joie d'amour qui tarde à venir
2520 ressemble à la bûche verte qui brûle,
et qui donne une chaleur d'autant plus grande
et dure d'autant plus longtemps
qu'elle résiste à s'embraser.
On peut s'habituer à une chose
2525 dont il est très difficile ensuite de se passer ;
quand on veut le faire, on ne le peut pas ;
mais je ne dis pas,
si j'avais une aussi belle amie
que vous, cher compagnon,
2530 par la foi que je dois à Dieu et à ses saints,
je la quitterais vraiment à contrecœur !
Je pense que j'en serais fou !
Mais tel conseille bien autrui,
qui ne saurait se conseiller lui-même. »

27. *Floriant et Florette*

UN AMOUR CONJUGAL ABSOLU

« Floriant, mon ami, dit-elle,
vous voulez donc m'abandonner ?
6670 J'ai constaté que vous me chérissiez,
mais désormais vous ne vous souciez plus de moi,
puisque vous voulez partir si loin.
Mais assurément, vous ne partirez pas sans moi !

S'il vous plaist o vous me menrez
6675 Ou jamés jor joie n'avrai,
Ains vous di que je m'ocirrai,
Quar sans vous ne porroie vivre !
S'estre voulez de moi delivre,
Dont me laissiez, si en alez,
6680 Mes jamés ne me reverrez. »
Quant Florïant Florete entent,
Lors li respondi maintenant :
« Florete, suer, tresdouce amie,
Se tu viens en ma compaingnie,
6685 Molt t'estouvra painne endurer,
La nuit veillier, le jour juner :
Tu ne le pourroies sousfrir.
– Sire, laissiez m'en couvenir•,
Fait Florete, si ferai bien.
6690 Je ne m'en tenroie por rien
Qu'aveques vous ne m'en alasse.
Je sai bien se je demorasse,
Que je ne pourroie pas vivre.
La vostre grant amor m'enyvre,
6695 Sachiés, por riens ne demorroie ! »
Florïant l'aler li otroie•
Quant voit que ne velt demorer•.

S'il vous plaît, emmenez-moi avec vous
6675 ou jamais plus je n'éprouverai de joie,
au contraire je vous affirme que je me tuerai,
car je ne pourrais pas vivre sans vous !
Si vous voulez vous débarrasser de moi
alors laissez-moi et partez,
6680 mais vous ne me reverrez jamais. »
Quand Floriant entend les propos de Florette,
il lui répond aussitôt :
« Ma tendre Florette, ma douce amie,
si tu m'accompagnes,
6685 il te faudra endurer de nombreuses souffrances,
veiller la nuit, jeûner le jour :
tu ne pourrais le supporter.
– Seigneur, laissez-moi en décider,
rétorque Florette, je le supporterai facilement.
6690 Rien ne pourrait m'empêcher
de partir avec vous.
Je sais bien que, si je restais ici,
je ne pourrais pas vivre.
Le grand amour que vous avez pour moi me grise,
6695 sachez-le, je ne resterais ici pour rien au monde. »
Floriant lui accorde de partir avec lui,
en constatant qu'elle ne veut pas rester.

28. *Le Lai de Lanval*

MARIE DE FRANCE

V. 107-150

Le chevalier avant ala,
E la pucele• l'apela ;
Il s'est devant le lit assis.
110 « Lanval, fet ele, beus amis,
Pur vus vinc jeo fors de ma tere :
De luinz vus sui venue quere !
Se vus estes pruz e curteis,
Emperere ne quens ne reis
115 N'ot unkes tant joie ne bien,
Kar jo vus aim sur tute rien. »
Il l'esgarda, si la vit bele.
Amurs le puint de l'estencele
Ki sun quor alume e esprent.
120 Il li respunt avenantment :
« Bele, fet il, si vus pleisoit
E cele joie me aveneit
Que vus me vousissez amer,
Ja n'osiriez comander
125 Que jeo ne face a mun poeir,
Turt a folie u a saveir.
Jeo ferai voz comandemenz ;
Pur vus guerpirai tutes genz.
Jamés ne quier de vus partir,
130 Ceo est la rien que plus desir ! »
Quant la meschine oï parler
Celui ki tant la peot amer,
S'amur e sun cors li otreie.
Ore est Lanval en dreite veie !
135 Un dun li ad duné aprés :

28. *Le Lai de Lanval*

LA RENCONTRE AVEC LA FÉE

Le chevalier s'avança,
et la jeune fille l'appela ;
il s'assit devant le lit.
110 « Lanval, dit-elle, cher ami,
c'est pour vous que je suis sortie de mon pays :
de loin je suis venue vous chercher.
Si vous êtes preux et courtois,
jamais empereur, comte ni roi
115 n'eurent autant de bonheur et de richesse que vous,
car je vous aime plus que tout. »
Il la contempla et la vit dans toute sa beauté.
Amour le pique de son étincelle
qui enflamme et embrase son cœur.
120 Il lui répond avec grâce :
« Belle, dit-il, s'il vous plaisait
et si par bonheur il m'arrivait
que vous vouliez m'aimer,
vous ne pourriez rien demander
125 que je n'accomplisse de mon mieux,
que cela soit folie ou sagesse.
J'exécuterai vos ordres ;
pour vous j'abandonnerai tout le monde ;
je ne veux jamais me séparer de vous,
130 c'est mon plus cher désir ! »
Quand la jeune fille a entendu les paroles
de celui qui l'aime tant,
elle lui accorde son amour et sa personne.
À présent Lanval est en bonne voie !
135 Elle lui fait ensuite un don :

Ja cele rien ne vudra mes
Que il nen ait a sun talent ;
Doinst e despende largement,
Ele li troverat asez.
140 Mut est Lanval bien assenez :
Cum plus despendra richement,
E plus avra or et argent !
« Ami, fet ele, or vus chasti•,
Si vus comant e si vus pri :
145 Ne vus descovrez a nul humme.
De ceo vus dirai ja la summe :
A tuz jurs m'avrïez perdue,
Si ceste amur esteit seüe ;
Jamés nem purrïez veeir
150 Ne de mun cors seisine aveir. »

désormais tout ce qu'il voudra,
il l'obtiendra selon ses vœux ;
qu'il donne et dépense généreusement,
elle lui procurera tout en abondance.
140 Laval est très bien pourvu :
plus il fera de dépenses fastueuses
et plus il aura d'or et d'argent !
« Ami, dit-elle, à présent je vous avertis,
c'est un ordre et une prière que je vous adresse :
145 ne vous confiez à personne.
Je vais vous expliquer pourquoi :
vous m'auriez perdue pour toujours,
si notre amour était connu ;
vous ne pourriez plus jamais me voir
150 ni posséder mon corps. »

IV

UN ART D'AIMER

Pour les troubadours, les trouvères ou les romanciers du Moyen Âge, aimer est un art, au double sens moderne et ancien du terme : c'est à la fois un idéal esthétique, une haute expression de la beauté et un savoir-faire talentueux, une habile pratique acquise par l'expérience ou l'étude.

Comment s'opère ce parcours initiatique et érotique, depuis la première rencontre et le coup de foudre jusqu'à l'union charnelle et le plaisir sexuel ? Deux arts d'aimer majeurs illustreront ce code courtois, une œuvre didactique, le *De Amore* d'André Le Chapelain, et le récit allégorique d'une quête, *Le Roman de la rose* de Guillaume de Lorris.

LA « CARTE DE TENDRE »

On se souvient que sur cette carte du pays imaginaire de Tendre, insérée dans le roman de Madeleine de Scudéry, *Clélie, histoire romaine*, sont tracées les différentes phases de la vie amoureuse selon les Précieuses du XVIIᵉ siècle. Au Moyen Âge, on distingue traditionnellement cinq degrés : « la vue, la conversation, l'attouchement, le baiser et l'accouplement ». De même que l'on dénombre cinq sens, on compte donc cinq étapes de l'amour.

Le regard

La vue est la première phase du processus amoureux. La beauté, la distinction et l'élégance éveillent aussitôt l'attention et suscitent un émoi certain. Gace Brulé nous confie qu'il s'est épris de sa belle dès qu'il l'a aperçue :

> *Quant primes l'oi esgardee,*
> *Tant la vi bele et plaisant*
> *Que je l'ai des lors amee*
> *Et amerai mon vivant.*

> Quand, pour la première fois, je l'eus regardée,
> je la vis si belle et gracieuse
> que depuis lors je l'ai aimée
> et l'aimerai toute ma vie [1].

Chrétien de Troyes fait preuve d'originalité en montrant plusieurs fois comment le désir peut naître au sein du malheur. Tandis qu'Érec est ébloui par la beauté d'Énide vêtue pourtant d'une vieille tunique, percée aux coudes – signe de sa pauvreté [2] –, Yvain, qu'un anneau magique a rendu invisible, contemple à loisir Laudine, la veuve éplorée dont il vient de tuer l'époux. Elle se lamente, hurle sa douleur, s'arrache les cheveux, déchire ses vêtements, délire et s'évanouit. Depuis une petite fenêtre, Yvain, épiant le moindre de ses gestes, s'éprend

---

1. « Pour mal temps ne por gelee », in *Anthologie de la poésie lyrique française des XIIe et XIIIe siècles*, éd. bilingue par J. Dufournet, NRF, « Poésie/ Gallimard », 1989, Gace Brulé, p. 132, v. 10-13.

2. Chrétien de Troyes, *Érec et Énide*, éd. bilingue par J.-M. Fritz, Le Livre de Poche, « Lettres gothiques », 1992, v. 402-449.

de cette femme désespérée qui a besoin d'être réconfortée et secourue [1]. Et le chevalier, bien qu'il soit responsable de sa détresse, ne songe qu'à la consoler, à l'aider et à la conquérir. Le meurtrier rêve de devenir le soutien, l'ami, le protecteur de la veuve désemparée, mais il faudra toute l'astuce et la persuasion de Lunete pour que le rêve se réalise. De même, dans *Le Conte du graal*, Blanchefleur, dont le château est assiégé depuis longtemps par les troupes d'Anguingueron, est désemparée car elle se trouve en grand danger ; et c'est une demoiselle en larmes qui charme Perceval en lui contant son infortune [2].

La déclaration

L'émerveillement de la beauté engendre d'habitude chez celui qui la découvre fascination, timidité et mutisme. Au début, il n'ose aborder la dame qui vient d'enflammer tout son être. En brûlant les étapes par une déclaration fougueuse, il craint de manquer de mesure et de délicatesse, de braver les convenances, et surtout d'être éconduit, voire humilié, et de perdre ainsi tout espoir de connaître le bonheur d'un amour partagé. Yvain a beau être l'un des plus vaillants chevaliers de la Table ronde, il éprouve une grande frayeur avant d'être mis en présence de Laudine dont il a, il est vrai, tué le mari, en légitime défense. Il demeure interdit et silencieux sur le seuil de la chambre. Et il faut que Lunete le tire par le poignet, le réconforte et lui souffle quelques paroles à prononcer pour qu'il consente à s'approcher et à parler (**texte 29, p. 206**). La déclaration est souvent une prière

---

1. Chrétien de Troyes, *Le Chevalier au lion*, v. 1415-1428.

2. Chrétien de Troyes, *Perceval ou le Conte du graal*, éd. bilingue par J. Dufournet, GF-Flammarion, 1997, v. 1964-1979.

par laquelle le soupirant supplie l'élue de son cœur de lui accorder sa pitié. On constate que la plupart des amoureux attribuent à leurs dames le rôle qu'avaient les Parques de donner la vie ou la mort. Jaufré avoue avec ferveur à Brunissen que non seulement elle détient cet immense pouvoir, mais qu'elle est aussi la source de ses pensées, de son bonheur, de son réconfort, de sa valeur ou de sa déchéance [1].

Les déclarations sont parfois moins directes, plus voilées, notamment lorsque l'amant use de métaphores. Il recourt par exemple à l'image traditionnelle de la prison où est enfermé son cœur qu'il a laissé en gage à la dame au moment de prendre congé (**texte 30, p. 208**).

L'attouchement

Un frôlement plus ou moins fortuit, une légère caresse constituent le troisième degré dans cette progression érotique. L'ami profite d'une circonstance favorable pour effleurer la robe, les cheveux ou la main de la dame. Ce contact sensuel le jette aussitôt dans un trouble mêlé de désirs et de plaisirs. C'est le cas de Guillaume de Machaut lorsque Toute Belle le prend par la main. Ému au point de ne pouvoir retenir ses larmes, il est consolé par sa jeune admiratrice qui lui promet de le guérir de son mal. En signe de gratitude, le poète, incapable de prononcer un mot, lui prend alors la main [2].

Le sens du toucher est à nouveau sollicité lors de la rencontre suivante, au moment où la jeune femme vient poser une couronne de fleurs sur la tête de Guillaume

---

1. *Le Roman de Jaufré*, v. 7821-7846.
2. Guillaume de Machaut, *Le Livre du voir dit*, v. 1924-1935 et 1997-1999.

avant de ceindre son cou de ses deux bras [1]. La couronne de fleurs et la ceinture des bras évoquent toutes deux un cercle, symbole féminin, en même temps qu'elles peuvent représenter une menace d'encerclement. Couronné et accolé, le poète n'est-il pas pris au piège, prisonnier dans les lacs de l'amour et dans les bras de sa belle geôlière ? On se souvient en effet de la manière dont Niniane réussit à « enserrer » Merlin, qui lui avait enseigné tous ses enchantements et sortilèges, notamment l'artifice permettant d'enclore un être pour toujours : « Ils se trouvaient un jour, devisant main dans la main dans la forêt de Brocéliande. Ils croisèrent un beau et grand buisson d'aubépine tout chargé de fleurs. Ils s'assirent à son ombre et Merlin posa sa tête dans le giron de la demoiselle. Elle se mit à le caresser au point qu'il s'endormit. Quand la demoiselle sentit qu'il dormait, elle se leva doucement et fit un cercle avec sa guimpe tout autour du buisson et de Merlin. Elle commença les enchantements tels que Merlin les lui avait appris. Elle fit par neuf fois son cercle et par neuf fois ses enchantements puis elle alla s'asseoir à côté de lui et posa sa tête dans son giron. Elle le tint là jusqu'à ce qu'il se réveillât. Il regarda autour de lui et il lui sembla qu'il se tenait dans la plus belle tour du monde, qu'il se trouvait couché dans le plus beau lit où il s'était jamais couché [2]. » En fait, les divers attouchements (la main dans la main, la tête dans le giron et les caresses) sont suivis du tracé du cercle magique emprisonnant Merlin à tout jamais.

Il arrive que le contact physique soit moins dangereux et plus joyeux. Lors de la fête de la Saint-Jean, à

---

1. *Ibid.*, v. 2516-2529.
2. *Le Livre du Graal.* I, *Les Premiers Faits du roi Arthur*, éd. bilingue par I. Freire-Nunes, A. Berthelot et Ph. Walter, NRF, Gallimard, 2001, § 810, p. 1632.

Bourbon-l'Archambault, les participants de la noble assemblée se mettent à danser à l'invitation du roi. Ce bal est l'occasion de nouer des relations tactiles, galantes, voire amoureuses [1].

Le baiser

Il s'agit du quatrième degré de cette initiation courtoise de l'amour. Rite essentiel de l'hommage vassalique, le baiser engage les deux partenaires, la dame qui accepte d'être la suzeraine de son « homme lige » et ce dernier qui promet de la servir loyalement et de l'aimer fidèlement. Le plus célèbre de tous les baisers de la littérature médiévale est sans doute le premier échangé par Guenièvre et Lancelot, à l'instigation de Galehaut, jouant en l'occurrence le rôle d'entremetteur pour son ami (**texte 31, p. 212**).

Dans *Le Roman de la rose* de Guillaume de Lorris, le jeune homme, épris d'un bouton de rose à la beauté exceptionnelle, éprouve une furieuse envie d'obtenir un baiser. À cet effet, il sollicite Bel Accueil, figure incarnant les dispositions favorables de la bien-aimée, mais celui-ci refuse par peur de se fâcher avec Chasteté. C'est l'intervention de Vénus, personnifiant l'éveil du désir sensuel, qui s'avère décisive pour procurer au héros la joie du premier baiser (**texte 32, p. 216**). Le trouvère Gace Brulé se rappelle lui aussi l'unique baiser de sa dame, profitant de cet instant pour lui dérober son cœur (**texte 33, p. 220**).

Dans *Le Livre du voir dit*, l'acte du baiser est dédoublé. À l'invitation de son admiratrice, Guillaume de Machaut se rend chez elle en compagnie de son secrétaire. Cette

---

1. *Flamenca*, v. 722-726 et 738-740.

deuxième rencontre se déroule dans le verger où les deux
amis échangent diverses pièces lyriques (chanson, rondeaux et ballade). Mais dès qu'il regarde la riante petite
bouche, plus vermeille qu'une cerise, de la demoiselle, le
poète est tiraillé entre Désir d'un côté, Inquiétude et
Honte de l'autre. Assis sur l'herbe verte, à l'ombre d'un
cerisier, ils conversent jusqu'au moment où la demoiselle
s'assoupit, légèrement inclinée sur Guillaume. C'est à cet
instant que, par un habile stratagème, le secrétaire
s'entremet pour permettre au narrateur d'effleurer les
lèvres de sa dame. Il place une petite feuille verte sur la
bouche de la jeune femme et invite le poète à baiser la
feuille qu'il ôte prestement au dernier instant, de sorte
que les lèvres de l'un frôlent celles de l'autre :

> *Non pourquant a sa douce bouche*
> *Fis lors une amoureuse touche,*
> *Quar je y touchai un petiot.*

Néanmoins il y eut de ma part
un contact amoureux avec sa douce bouche,
et de fait je l'ai touchée un tout petit peu [1].

Toute Belle s'étonne de la témérité inhabituelle de
Guillaume, mais elle sourit, ce qui laisse supposer au
poète que son geste ne lui a pas déplu. Cependant il
s'excuse de son audace, dont il rejette la responsabilité
sur son secrétaire et sur Désir. Le premier baiser de
Guillaume est renouvelé peu après à l'église, mais cette
fois c'est Toute Belle qui en prend l'initiative sans le
secours d'aucun entremetteur. Après qu'on eut dit
l'« Agnus Dei », « elle me donna tendrement le baiser de

---

1. Guillaume de Machaut, *Le Livre du voir dit*, v. 2433-2435.

paix entre deux piliers de l'église [1] ». Il s'agit d'un détournement érotique d'un rite liturgique, confirmant que l'art d'aimer propre au *fin amant* mêle sensualité et mysticisme. Guillaume de Nevers l'illustre aussi par son comportement. Comme Flamenca, dont il est épris, ne peut sortir de sa maison que le dimanche sous la conduite de son mari jaloux pour assister à l'office religieux, le chevalier se rend à l'église et observe à la dérobée tous les faits et gestes de la dame. Après avoir appris du clerc la page du psautier où Flamenca a déposé le baiser de paix, il s'empare du livre et baise plus de mille fois le feuillet, au comble de la joie [2].

Dans *L'Escoufle*, Jean Renart se montre plus concret lorsqu'il décrit la manière dont les deux héros s'embrassent. Aélis ouvre la bouche et sa langue entre en contact avec celle de Guillaume ; tous deux ont auparavant desserré leurs dents pour éviter d'être mordus [3].

Parce que le baiser, prélude à l'union sexuelle, est une marque tangible de tendresse et de plaisir mutuels, il constitue un excellent remède pour soigner les maladies d'amour. Jehan, l'écuyer tranchant au service de Blonde, se désespère d'être durement éconduit par la jeune fille. Très affecté, ne pouvant plus manger ni parler, il est à l'agonie. Lorsque la demoiselle inquiète se rend à son chevet, elle le ressuscite en lui accordant un doux baiser [4].

Le baiser est donc l'avant-goût de la communion charnelle, ainsi que le reconnaît, dans une formule sentencieuse, l'Orgueilleux de la Lande, l'ami jaloux de la Demoiselle de la Tente que Perceval a embrassée malgré elle :

---

1. *Ibid.*, v. 2848-2849.
2. *Flamenca*, v. 2559-2597.
3. Jean Renart, *L'Escoufle*, v. 4336-4343.
4. Philippe de Rémy, *Jehan et Blonde*, v. 1278-1288.

> « *Fame qui sa boche abandone*
> *Le soreplus de legier done.* »

« Femme qui abandonne sa bouche
donne facilement le reste [1]. »

L'accouplement

Sur cette « carte de Tendre » médiévale, l'ultime étape
est l'acte sexuel. En effet, ni la *fine amor* ni les différentes
formes de l'amour courtois ne sont platoniques ou désin-
carnées. Si le coït, longtemps retardé pour favoriser la
création littéraire, n'est pas primordial, il constitue pourtant l'ardent souhait du poète. Pour désigner l'accouplement, les auteurs disposent d'un champ lexical vaste et
varié, formé d'euphémismes ou de vocables imagés [2].
Dans *Partonopeu de Blois*, le romancier précise la façon
dont le héros éponyme déflore Mélior : « Il lui a ouvert
les cuisses et quand il y a mis les siennes, il a cueilli la
fleur de sa virginité [3]. » D'autres, plus discrets, s'attardent
volontiers sur les baisers et les étreintes mais se refusent
à évoquer l'union charnelle. C'est le cas de Chrétien de
Troyes qui, dans *Érec et Énide*, préfère garder le silence
sur l'acte le plus intime du chevalier et de sa dame :

> *Li un[s] encontre l'autre tance*
> *Coment li puisse mieuz plaisir ;*
> *Dou soreplus me doi taisir.*

Ils rivalisent d'ardeur
pour se faire plaisir ;
pour le reste, je dois me taire [4].

---

1. Chrétien de Troyes, *Perceval ou le Conte du graal*, v. 3863-3864.
2. Voir le champ lexical de l'amour courtois, *infra*, p. 415-432.
3. *Partonopeu de Blois*, éd. bilingue par O. Collet et P.-M. Joris, Le
Livre de Poche, « Lettres gothiques », v. 1298-1300.
4. Chrétien de Troyes, *Érec et Énide*, v. 5246-5248.

Dans *Le Bel Inconnu*, le narrateur ne manque pas d'humour pour suggérer l'accouplement de Guinglain et de la Pucelle aux Blanches Mains tout en l'éludant : « Je ne sais pas s'il fit d'elle sa maîtresse, car je n'y étais pas et je n'en ai rien vu, mais la dame perdit son appellation de pucelle auprès de son amant [1]. » Certains écrivains, plus moralisateurs, précisent que leurs héros doivent se tenir chastes jusqu'au mariage. Claris exhorte ainsi son compagnon Laris à se garder avant l'hyménée de tout rapport charnel avec Marine dont il est épris [2]. Philippe de Rémy, très pragmatique, insiste quant à lui sur la nécessité de la continence des jeunes gens tant qu'ils ne sont pas unis légitimement ; en effet, s'ils se donnent l'un à l'autre avant la cérémonie nuptiale, ils risquent de procréer et cet enfantement pourrait se révéler nuisible à leur amour [3].

Cette retenue semble être une réminiscence de l'*asag*, un terme appartenant au vocabulaire des troubadours [4] et dont l'équivalent en langue d'oïl est *assai* ou *essai*. Il s'agit d'une épreuve amoureuse que la dame impose à son soupirant. Couchée nue dans le même lit que celui-ci, elle lui accorde quelques privautés charnelles, telles que baisers et caresses, mais exige qu'il maîtrise ses instincts, observe une chasteté temporaire et ne succombe pas à la tentation. S'il est réussi, ce rite probatoire précède l'acte sexuel auquel consent la bien-aimée

1. Renaud de Beaujeu, *Le Bel Inconnu*, éd. bilingue par M. Perret et I. Weill, Honoré Champion, « Classiques du Moyen Âge », 2003, v. 4812-4818.

2. *Claris et Laris*, v. 19463-19468.

3. Philippe de Rémy, *Jehan et Blonde*, v. 1519-1532.

4. Voir à ce sujet René Nelli, *L'Érotique des troubadours*, Toulouse, Privat, 1963, p. 91-92, 181, 190-191, 196, 199-209 et 324, et Jean-Charles Huchet, *L'Amour discourtois*, Toulouse, Privat, 1987, p. 190-194.

récompensant, par le don physique de sa personne, la délicatesse et la *mezura* de son *fin amant*. En dépit de son grand âge et de son expérience, Guillaume de Machaut fait preuve de pusillanimité lors de la fête du Lendit à Saint-Denis. Après avoir traversé la foire et s'être acquittés avec dévotion d'un vœu de pèlerinage, le poète, Toute Belle, sa sœur et une certaine Guillemette déjeunent à La Chapelle. Comme son amie souhaite faire la sieste, ils se rendent dans la maison d'un bourgeois où ils occupent une chambre à deux lits. La sœur de l'admiratrice de Guillaume s'étend sur l'un des deux, Toute Belle et Guillemette s'allongent sur l'autre et exhortent le poète à les rejoindre (**texte 34, p. 224**). Celui-ci maîtrise parfaitement son désir puisqu'il reste immobile et muet durant le sommeil de Toute Belle qui s'est assoupie ; il n'ose ni lui parler ni la toucher. À son réveil, elle lui demande de l'enlacer, ce qu'il fait, mais timidement et à tâtons. Cette étreinte où l'honneur est sauf suffit d'ailleurs à lui procurer un bonheur intense. Il peut désormais prétendre à l'acte ultime. Quelques jours plus tard, son amie le convie à venir lui dire adieu au petit matin dans sa chambre. Obéissant à son injonction, le poète découvre la demoiselle couchée nue dans son lit et, à genoux, il implore aussitôt Vénus, la déesse de l'amour sensuel, de lui donner la hardiesse nécessaire (**texte 35, p. 228**).

Du premier regard à l'accouplement, ce code des cinq degrés atteste que, pour les troubadours et les trouvères, il s'agit d'une authentique initiation amoureuse au cours de laquelle les *fins amants* doivent faire preuve de constance, de délicatesse et surtout de mesure.

LE *DE AMORE* D'ANDRÉ LE CHAPELAIN : L'AMOUR COURTOIS CODIFIÉ

Appartenant au clergé mais évoluant dans un milieu aristocratique, André Le Chapelain a composé vers 1185-1187 un traité en prose latine intitulé *De Amore* ou *De Arte honeste amandi* (« De l'art d'aimer comme il convient »), peut-être à l'instigation de Marie de Champagne à laquelle l'auteur attribue sept jugements de casuistique amoureuse. Il destine son ouvrage à son ami Gautier, blessé par l'une des flèches que Vénus a fichées dans son cœur. Le *De Amore* comprend trois livres : tandis que les deux premiers, inspirés par *L'Art d'aimer* d'Ovide, enseignent l'art de la séduction, le troisième, plus proche de l'esprit des *Remèdes à l'amour* du poète latin, « est, à l'inverse, une mise en garde contre les dangers de l'amour et une invitation à s'en abstenir [1] ».

André Le Chapelain définit d'abord l'amour en ces termes : « Amour vient du verbe aimer qui signifie « prendre » ou « être pris ». Car celui qui aime est pris dans les chaînes du désir et il souhaite prendre l'autre à son hameçon [2]. » En fait, il use d'un jeu de mots traditionnel au Moyen Âge, qui rapproche par le sens deux verbes homonymes à l'origine : *amare* (« aimer ») et *hamare* (« prendre à l'hameçon ») [3]. Après quelques réflexions sur la nature et les effets de l'amour, le premier livre, le plus long des trois, propose une série de conversations entre deux personnes qualifiées par leur statut social : dialogues entre un roturier et une roturière, entre un roturier et une femme de petite noblesse, entre un

---

1. Michel Zink, « Un nouvel art d'aimer », in *L'Art d'aimer au Moyen Âge*, p. 22.
2. Claude Buridant, *Traité de l'amour courtois*, p. 49.
3. *Ibid.*, p. 208-210.

roturier et une femme de haute noblesse, entre un noble et une roturière, entre deux nobles, entre un grand seigneur et une roturière, entre un grand seigneur et une dame de petite noblesse, entre un grand seigneur et une dame de haute noblesse. Ces entretiens sont l'occasion d'exposer les techniques de la conquête et les règles de l'amour.

André Le Chapelain oppose aussi deux formes d'amour : *amor mixtus* (« l'amour physique ») et *amor purus* (« l'amour pur »), sorte de compromis clérical qui, par la continence, prolonge le désir amoureux et préserve en partie l'amant du péché (**texte 36, p. 233**). L'écrivain précise ensuite les catégories qui sont exclues de l'amour humain et de ses plaisirs : les clercs, les religieuses, les courtisanes et les paysans. De surcroît sont incapables d'aimer les aveugles, les adolescents (moins de douze ans pour une fille et moins de quatorze ans pour un garçon) et les gens âgés (plus de cinquante ans pour une femme et plus de soixante ans pour un homme).

Si le premier livre est consacré à la façon d'acquérir l'amour, le deuxième explique comment le conserver. Dans le chapitre VII, André Le Chapelain cite vingt et un jugements d'amour prononcés par de grandes dames, comme la comtesse Marie de Champagne, et sa mère, la reine Aliénor. Ces arrêts concernent le plus souvent des manquements à l'éthique amoureuse. À l'instar des récits arthuriens, le chapitre VIII relate les aventures merveilleuses et périlleuses d'un vaillant chevalier breton qui finit par se saisir d'un épervier et d'une charte où sont consignées les règles que le roi d'Amour lui-même a dictées (**texte 37, p. 235**).

Le *De Amore* est un ouvrage paradoxal par sa facture antithétique. En effet, le troisième livre s'oppose totalement aux deux premiers. Après avoir exposé à son ami Gautier comment conquérir et maintenir l'amour, l'auteur explique la manière de s'en préserver et exhorte son destinataire à la continence : l'amour adultère est considéré comme un péché qui offense Dieu et outrage notre prochain ; il pousse un mari à se détourner de sa légitime épouse, à connaître parfois la honte de procréer les enfants de la fornication ; il engendre des colères, des haines, des jalousies, des mensonges, des parjures, des vols, des incestes, des homicides, des guerres ; il suscite la paresse et l'indolence, la perte de la sagesse et de la mesure, le renoncement aux honneurs, la dépossession de soi-même ; il ruine la santé et provoque un vieillissement prématuré ; souillant l'âme et le corps, il rend de surcroît chaque amant esclave par la soumission au moindre désir de la dame, pauvre par excès de prodigalité, malhonnête, tourmenté, déshonoré et condamné par la luxure d'origine diabolique. En outre, l'objet de cet amour est dénigré, vilipendé. Selon une tradition misogyne particulièrement développée dans le milieu des clercs, André Le Chapelain se lance alors dans une diatribe contre les femmes dont il relève systématiquement tous les défauts : cupidité, rapacité, envie, gloutonnerie, infidélité, hypocrisie, ivrognerie, crédulité [1].

Par conséquent, le traité d'André Le Chapelain, véritable recueil des prescriptions, des conventions et des pratiques du *fin amant*, codifie la doctrine de l'amour courtois et mondain. Il ressortit à la fois aux chansons des troubadours et des trouvères, à la scolastique avec les procédés de la *lectio* (exégèse textuelle) et de la *disputatio* (« dispute » ou « discussion » entre un « opposant » et un « répondant »), enfin à la morale cléricale, prônant la chasteté et défiante à l'égard des femmes. Entre *amor mixtus* et *amor purus*, l'auteur choisit le moins imparfait, de même qu'entre l'amour humain et l'amour divin, il

---

1. *Ibid.*, p. 196.

préfère renoncer au premier afin d'affirmer sa foi chrétienne et son espérance du salut éternel. Si le *De Amore* est un art d'aimer didactique, *Le Roman de la rose* de Guillaume de Lorris est, quant à lui, un art d'aimer allégorique et poétique.

LE ROMAN DE LA ROSE DE GUILLAUME DE LORRIS : UNE QUÊTE ALLÉGORIQUE

Composé par Guillaume de Lorris vers 1225-1230 et continué par Jean de Meun une quarantaine d'années plus tard, *Le Roman de la rose* a connu un vif succès au Moyen Âge, comme l'attestent les quelque trois cents manuscrits qui nous ont transmis cette œuvre. Dans le cadre d'un songe prophétique, le narrateur relate une aventure amoureuse, merveilleuse et métaphorique : la quête par un jeune homme de vingt ans d'un bouton de rose dont il s'éprend éperdument. Ce récit est l'occasion pour l'auteur de proposer une initiation à l'amour, un authentique art d'aimer, comme il l'annonce dans le prologue :

> *Que c'est li Romans de la Rose,*
> *Ou l'art d'Amors est toute enclose.*

> C'est Le Roman de la rose
> où l'art d'aimer est tout entier inclus [1].

Le canevas de cette histoire rêvée est simple : un matin du mois de mai, le héros se lève, s'habille, s'éloigne de la ville et se promène le long d'une rivière ; après un moment, il aperçoit un verger, entièrement clos d'un haut

---

1. Guillaume de Lorris, *Le Roman de la rose*, v. 37-38.

mur ; à l'extérieur de celui-ci sont peintes dix figures repoussantes qui représentent les opposants à l'amour courtois : Haine, Félonie (à la fois méchanceté et déloyauté), Vilenie, Convoitise, Avarice, Envie, Tristesse, Vieillesse, Papelardie (« Tartuferie ») et Pauvreté.

Désireux d'entrer dans le jardin, le protagoniste découvre une petite porte, fermée à double tour ; après qu'il eut frappé plusieurs fois au guichet, une séduisante demoiselle, Oiseuse (qui allie loisir et coquetterie), lui ouvre la porte et l'introduit à l'intérieur du verger. C'est un endroit splendide, quasi paradisiaque. Le jeune homme y remarque de belles personnes en train de participer à une carole ; il s'agit des adjuvants à l'amour courtois : Liesse, Déduit (à la fois Divertissement et Plaisir), le propriétaire des lieux, Courtoisie qui invite le héros à entrer dans la ronde, le dieu d'Amour et son écuyer Doux Regard, Beauté, Richesse, Largesse, Franchise (« Noblesse d'âme »), Oiseuse et Jeunesse. Décidé à explorer le jardin, le protagoniste quitte les danseurs, suivi aussitôt par Amour et Doux Regard qui, à la demande du dieu, lui tend son arc et cinq flèches. Arrivé à la fontaine où périt jadis Narcisse, il contemple dans le reflet de l'eau un rosier chargé de fleurs avant de distinguer un bouton de rose si magnifique qu'il en oublie tous les autres. C'est alors que le dieu d'Amour lui décoche tour à tour cinq flèches, belles et positives, nommées Beauté, Simplicité, Courtoisie, Compagnie et Beau Semblant qui toutes représentent les qualités de la dame, notamment son charme, sa sociabilité et son amabilité [1].

---

1. Il convient de noter que les cinq autres flèches, négatives, laides et opposées à l'amour, à savoir Orgueil, Vilenie, Honte, Désespérance et Nouveau Penser (« Inconstante Pensée »), ne sont pas décochées par le dieu d'Amour.

L'Amant s'adonne entièrement à l'amour en rendant hommage au dieu dont il devient le vassal soumis :

> *Atant devins ses hons mains jointes,*
> *Et sachiez que mout me fis cointes*
> *Dont sa bouche baissa la moie.*

> Alors je devins son vassal, mains jointes,
> et sachez que je fus très fier
> que sa bouche baisât la mienne [1].

Pour être sûr de la fidélité de son nouveau serviteur, contraint à renoncer à toute autre passion, Amour ferme son cœur avec une clé en or, avant de lui dicter ses dix commandements. Le *fin amant* doit fuir la bassesse, se garder de médire, se montrer aimable et poli envers chacun, s'abstenir de prononcer des grossièretés et des obscénités, servir, honorer et défendre toutes les femmes, éviter l'orgueil qui est une folie et un péché, se montrer élégant et soigner sa toilette, cultiver la gaieté, mettre en valeur ses aptitudes physiques, chevaleresques ou artistiques, se détourner de l'avarice et pratiquer la largesse. Par conséquent, ce véritable décalogue évoque d'une part plusieurs défauts qu'il convient d'écarter, d'autre part quelques règles de savoir-vivre au quotidien, des qualités et des comportements favorables au développement de l'amour courtois (**texte 38, p. 238**). L'art d'aimer est aussi l'art d'attendre patiemment et d'endurer les souffrances et les tourments dus à l'absence et à la frustration. Longtemps le *fin amant* n'est qu'un martyr d'amour. Toutefois il reçoit un peu de réconfort d'Espérance, de Doux Penser (« Douce Pensée » qui s'attache aux souvenirs de la dame chérie), de Doux Parler (« Douce Parole » qui représente les propos agréables entendus sur l'amie) et de

---

1. *Ibid.*, v. 1955-1957.

Doux Regard (personnification de la contemplation de la bien-aimée). Lorsqu'on se souvient de la belle, lorsqu'on écoute parler d'elle ou lorsqu'on a la chance de la voir, les douleurs s'apaisent et l'espoir renaît.

Après avoir donné toutes ces recommandations, Amour disparaît. Le héros, attiré par le parfum du bouton de rose, hésite à franchir la haie le séparant du rosier quand il est rejoint par le fils de Courtoisie, Bel Accueil, qui incarne les bonnes dispositions et les encouragements de la dame envers son soupirant. Ce personnage permet à l'Amant de passer la haie et de s'approcher du bouton de rose. Le désir qu'exprime l'Amant de le cueillir effraye et contrarie Bel Accueil. C'est alors que surgit le gardien de la roseraie, un rustre grand et noir, au visage hideux et aux cheveux hirsutes, Danger, qui personnifie la résistance à l'amour, le refus et la pudeur de la jeune fille. Il est accompagné de Malebouche (qui propage les calomnies et les médisances des *losengiers*), de Honte et de Peur.

Abandonné par Bel Accueil, le protagoniste est d'autant plus désemparé que Raison prêche devant lui le renoncement à l'amour, incompatible avec la sagesse. Mais ses sermons ne parviennent pas à détourner le jeune homme de sa passion. Il reçoit d'ailleurs le secours d'un compagnon, Ami, le parfait conseiller et confident ; à l'instigation de ce dernier, il réussit par des flatteries à amadouer quelque peu Danger, auprès duquel Franchise et Pitié (lesquelles personnifient les dispositions innées de la jeune femme) plaident la cause de l'Amant. Sous la conduite de Bel Accueil, revenu en grâce, le héros peut alors se rendre dans la roseraie. Vénus, symbole du désir physique et ennemie de Chasteté, vante si bien les qualités courtoises du héros auprès de Bel Accueil qu'elle suscite l'amour de la dame. Celle-ci accorde à l'Amant le baiser ardemment souhaité. Mais Malebouche à la langue mordante provoque la violente réaction de Jalousie (qui désigne les propos et les sentiments de l'entourage de la bien-aimée). Jalousie fustige Bel Accueil que Honte reconnaît par ailleurs avoir mal surveillé. Chasteté n'étant plus en sécurité à cause de Débauche et de Luxure, Jalousie décide d'enfermer les rosiers dans un château fort qu'elle fait édifier aussitôt, et d'emprisonner Bel Accueil dans le donjon. La forteresse est gardée par Danger, Honte, Peur et Malebouche, chacun se tenant à l'une des quatre portes et commandant une troupe importante d'hommes d'armes.

Le roman s'arrête sur les plaintes du héros. On attendrait encore la relation de la conquête du château et de la cueillette de la rose, ou au moins la fin du songe avec le réveil du rêveur. Cet inachèvement est-il involontaire, dû à la mort de l'écrivain comme on l'a suggéré, ou à l'inverse voulu par l'auteur ? À l'instar de Chrétien de Troyes terminant sa narration du *Chevalier de la charrette* au moment où Lancelot est enfermé dans une tour par Méléagant [1], Guillaume de Lorris présente l'ultime image de l'Amant se lamentant au pied du donjon où est détenu Bel Accueil, comme s'il voulait montrer que la quête comptait plus que la prise, que le désir devait rester inassouvi et que seules l'attente et l'insatisfaction étaient sources de création. Ce récit incomplet de Guillaume de Lorris a suscité deux suites : l'une, anonyme, brève, de quatre-vingt-six vers, relate la libération de Bel Accueil profitant du sommeil de Jalousie, le don du bouton de rose que Beauté offre à l'Amant, la nuit heureuse qu'ils connaissent tous deux et leur séparation au matin [2],

---

1. Rappelons que c'est Godefroi de Leigni qui a mené le récit du *Chevalier de la charrette* à son terme, avec l'assentiment de Chrétien (v. 7112-7122).

2. Voir *Le Roman de la rose*, éd. bilingue par A. Strubel, Le Livre de Poche, « Lettres gothiques », 1992, p. 262-267.

l'autre, très longue (plus de dix-sept mille sept cents vers), est composée vers 1270-1275 par Jean de Meun.

Dans son roman, Guillaume de Lorris précise les conditions extérieures et intérieures, nécessaires à la naissance de l'amour : le retour de la belle saison, le renouveau de la nature, au mois de mai. Pour profiter de ce décor printanier, il faut s'éloigner de la ville, fuir le quotidien, changer ses habitudes, renoncer aux activités commerciales, militaires ou intellectuelles, être dans un état de totale disponibilité, à la manière d'Oiseuse, afin de s'adonner pleinement aux loisirs, au rêve et à l'amour. Pour exprimer le jeu subtil et complexe non seulement des sentiments de l'Amant écartelé entre son désir et sa raison, entre la joie et la souffrance, mais aussi des élans et des réticences de la demoiselle, le poète recourt au procédé de l'allégorie que Jean Dufournet définit en ces termes : « c'est l'association de quelques *métaphores* de base (la guerre, le siège, le voyage, le mariage…) qu'elle prolonge, et de *personnifications* de notions abstraites qu'elle dramatise. La métaphore est comme le verbe de la phrase allégorique dont la personnification est le sujet [1] ». Les personnifications s'avèrent de nature différente : certaines sont des personnages mythologiques, tels Amour et Vénus, d'autres des sentiments personnels (Bel Accueil, Pitié, Franchise, Danger), d'autres encore des états physiques (Jeunesse, Vieillesse), des situations sociales (Richesse, Pauvreté) ou des interventions extérieures (Malebouche et Jalousie, par exemple). Si les unes sont immobiles et muettes (Haine, Félonie, Avarice ou Pauvreté), d'autres ne cessent de bouger et de parler (Oiseuse, Bel Accueil, Amour, Danger, Raison, Jalousie). Enfin,

---

1. *Le Roman de la rose*, éd. bilingue par J. Dufournet, GF-Flammarion, 1999, p. 14-15.

tandis que les unes s'opposent à l'amour (Danger, Malebouche, Raison, Honte, Peur et Jalousie), les autres s'efforcent de le favoriser, comme Bel Accueil, Ami, Pitié,
Franchise ou Vénus. Le conflit tourne à la psychomachie où
s'affrontent les alliés et les ennemis de l'Amant.

Mais, au-delà d'une conquête amoureuse et d'un art
d'aimer, Guillaume de Lorris propose un itinéraire spirituel vers la Rose qui représente certes la jeune femme et
sa beauté mais qui est aussi un symbole divin, christique
et marial. Georgette Kamenetz a déterminé cinq phases
dans ce voyage intérieur d'un émule des mystiques :
l'éveil (évoqué par « le lever du jour et la renaissance de
la nature » ouvrant le héros à une autre vie), *la purification* (l'Amant se détourne des vices et des imperfections
puis franchit la porte étroite du verger paradisiaque),
l'illumination (à la fontaine de Narcisse, il convient de
s'oublier soi-même pour connaître la Rose et l'amour),
l'identification (l'Amant se soumet totalement à l'amour
divin) ; enfin, la dernière étape, *l'union divine* ou *le
mariage spirituel*, est simplement indiquée [1].

Par conséquent *Le Roman de la rose* est une œuvre
métaphorique riche dont on peut dégager, à partir des
méthodes d'exégèse des textes bibliques, quatre niveaux
de signification : « Au sens *littéral*, un jeune homme, dans
un verger, découvre un bouton de rose et veut le cueillir.
Au sens *allégorique* ou *typologique*, c'est une histoire
d'amour, le rêve préfigurant ce qui s'est depuis lors avéré.
Mais cette aventure contient un art d'aimer (sens *tropolo-
gique* ou *moral*) et la rose annonce la Rose mystique
promise au sein de la joie d'amour : tel est le sens *mystique* ou *anagogique* [2]. »

---

1. Georgette Kamenetz, « La promenade d'Amant comme expérience mystique », *Études sur Le Roman de la rose*, textes recueillis par
J. Dufournet, Honoré Champion, « Unichamp », 1984, p. 83-104.

2. *Le Roman de la rose*, éd. bilingue par J. Dufournet, *op. cit.*, p. 34.

La conquête amoureuse est graduelle, difficile et périlleuse. C'est pourquoi quelques écrivains déterminent des degrés, depuis le premier regard jusqu'à l'union charnelle. Le *fin amant* doit respecter ce parcours initiatique sans chercher dans sa progression à brûler les étapes. D'autres auteurs fixent des règles à observer scrupuleusement, un code de civilité, d'élégance et de raffinement propre à une élite aristocratique ; ils multiplient les conseils, les recommandations, les jugements, les préceptes, indiquent les vices à bannir, les qualités courtoises à cultiver, les comportements à proscrire, les attitudes à adopter, les conditions, extérieures et intérieures, favorables à la naissance et à l'épanouissement de l'amour ; ils préviennent aussi les amoureux des obstacles à franchir, des épreuves à surmonter, des souffrances à endurer. À l'aide d'allégories, certains poètes rendent compte des sentiments complexes et parfois contradictoires, des conflits qui éclatent au cœur des individus partagés entre espoir et désespoir, sensualité et mysticisme.

29. *Le Chevalier au lion*

CHRÉTIEN DE TROYES

V. 2010-2039

2010 « Ice mout volentiers sauroie
Dont celle force puet venir
Qui vous comande a consentir
Touz mes vouloirs, sanz contredit•.
Touz torz et touz meffaiz vous cuit,
2015 Mes seez vous, si me contez
Comment vous estes si dontez.
– Dame, fet il, la force vient
De mon cuer, qui a vous se tient ;
En cest voloir m'a mon cuer mis.
2020 – Et qui le cuer, biaus dous amis ?
– Dame, mi oil. – Et les oilz, qui ?
– La grant biautés que en vous vi.
– Et la biautez, qu'i a forfayt ?
– Dame, tant que amer me fait.
2025 – Amer ? Et qui ? – Vous, dame chiere.
– Moy ? – Voire voir. – En quel maniere ?
– En tel que graindre estre ne puet ;
En tel que de vos ne se muet
Mon cuer n'onques alleurs nel truiz ;
2030 En tel qu'ailleurs pensser ne puis ;
En tel que tout a vous m'otroy ;
En tel que plus vos aim que moy ;
En tel que pour vous a delivre,

29. *Le Chevalier au lion*

LA DÉCLARATION D'AMOUR

2010 « Il y a une chose que je voudrais bien savoir,
c'est d'où peut venir cette force
qui vous contraint de consentir
à toutes mes volontés, sans réserve.
Je vous tiens quitte de tous vos torts et méfaits,
2015 mais asseyez-vous et racontez-moi
comment vous êtes à ce point dompté.
– Dame, dit-il, la force vient
de mon cœur qui s'attache à vous ;
c'est mon cœur qui m'a mis en ce désir.
2020 – Et qui y a mis le cœur, cher et tendre ami ?
– Dame, mes yeux. – Et les yeux, qui ?
– La grande beauté que je vis en vous.
– Et la beauté, quel crime a-t-elle commis ?
– Dame, celui de me faire aimer.
2025 – Aimer ? Et qui ? – Vous, ma chère dame.
– Moi ? – Oui, vraiment. – De quelle manière ?
– D'une manière telle qu'il ne peut exister de plus
grand amour, telle que mon cœur ne vous quitte pas
et que je ne le trouve jamais ailleurs ;
2030 telle que je ne peux pas penser à autre chose ;
telle que je me donne à vous entièrement ;
telle que je vous aime plus que moi ;
telle que pour vous, sans restriction,

Veil, c'il vous plaist, mourir ou vivre.
2035 — Et oserïez vous emprendre
Pour moy ma fontaine• a deffendre ?
— Oïl voir, dame, vers touz homes,
— Sachiez donc bien, acordez sommes. »
Ainssinc s'acorderent briement.

30. *Chanson*

THIBAUT DE CHAMPAGNE

I

Ausi conme unicorne• sui
Qui s'esbahist en regardant,
Quant la pucele va mirant.
Tant est liee de son ennui,
5 Pasmee chiet en son giron ;
Lors l'ocit on en traïson.
Et moi ont mort d'autel senblant
Amors et ma dame, por voir :
Mon cuer ont, n'en puis point ravoir.

II

10 Dame, quant je devant vous fui
Et je vous vi premierement,
Mes cuers aloit si tressaillant
Qu'il vous remest, quant je m'en mui.
Lors fu menez sanz raençon
15 En la douce chartre• en prison•
Dont li piler sont de talent
Et li huis sont de biau veoir
Et li anel de bon espoir.

je veux, à votre gré, mourir ou vivre.

2035 – Et oseriez-vous entreprendre
de défendre ma fontaine pour moi ?
– Oui, assurément, ma dame, contre n'importe qui.
– Soyez donc certain, nous sommes réconciliés. »
C'est ainsi qu'ils se sont promptement réconciliés.

30. *Chanson*

LE CŒUR PRISONNIER

I

Je suis comme la licorne
fascinée en sa contemplation
lorsqu'elle regarde la jeune fille.
Elle est si joyeuse de son supplice
5 qu'elle tombe pâmée en son giron ;
alors on la tue par trahison.
Moi aussi, m'ont tué, de la même façon,
Amour et ma dame, c'est la vérité :
ils ont mon cœur que je ne puis reprendre.

II

10 Madame, quand je me trouvai devant vous
et vous vis pour la première fois,
mon cœur battait si fort
qu'il resta avec vous, quand je partis.
Il fut alors emmené sans rançon,
15 prisonnier de la douce geôle
dont les piliers sont de désir,
les portes d'agréable vision
et les chaînes de tendre espoir.

III

De la chartre a la clef Amors
20 Et si i a mis trois portiers :
Biau Senblant a non li premiers,
Et Biautez ceus en fet seignors ;
Dangier a mis a l'uis devant,
Un ort felon vilain puant,
25 Qui mult est maus et pautoniers.
Cil troi sont et viste et hardi :
Mult ont tost un honme saisi.

IV

Qui porroit sousfrir les tristors
Et les assauz de ces huissiers ?
30 Onques Rollanz ne Oliviers
Ne vainquirent si granz estors ;
Il vainquirent en conbatant,
Més ceus vaint on humilïant.
Sousfrirs en est gonfanoniers :
35 En cest estor• dont je vous di
N'a nul secors fors de merci.

V

Dame, je ne dout més rien plus
Que tant que faille a vous amer.
Tant ai apris a endurer
40 Que je sui vostres tout par us ;
Et se il vous en pesoit bien,
Ne m'en puis je partir pour rien
Que je n'aie le remenbrer
Et que mes cuers ne soit adés
45 En la prison et de moi prés.

III

De la geôle Amour a la clef
20 et il y a placé trois gardiens :
Beau Semblant est le nom du premier
Beauté en est le maître ;
il a mis Refus à l'entrée,
traître répugnant, vil et puant,
25 malfaisant et scélérat.
Ces trois-là, vifs et hardis,
ont tôt fait d'attraper un homme.

IV

Qui pourrait souffrir les affronts
et les assauts de ces portiers ?
30 Jamais Roland ni Olivier
ne vainquirent en si rudes mêlées ;
ils vainquirent en combattant
mais ceux-là, on les vainc en s'humiliant.
Souffrance est leur porte-étendard.
35 En ce combat dont je vous parle
il n'est de salut qu'en la pitié.

V

Dame, je ne redoute rien tant
que de faillir à votre amour.
J'ai tant appris à souffrir
40 que je suis vôtre par habitude.
Et même si cela vous fâchait,
je ne puis m'en séparer pour rien au monde
sans en garder le souvenir,
sans que mon cœur soit toujours
45 en prison, en étant près de moi.

VI

Dame, quant je ne sai guiler,
Merciz seroit de seson més
De soustenir si greveus fés.

31. *Lancelot en prose*

§ 596-598

« Dame, fait Galehols•, vous savés bien qu'il vous
aimme sor toute rien et a fait plus pour vous que onques
chevaliers ne fist ; et veés le ci, que ja la pais de mon
signour le roi et de moi ne fust ja faite, se li siens cors ne
5 l'eüst faite.

– Certes, fait ele, je sai bien qu'il a fait plus pour moi
que je ne porroie deservir, s'il n'avoit plus fait que la pais
porchacie ; ne il ne me porroit nule chose requerre dont
je le peüsse escondire belement. Mais il ne me requiert
10 nule riens, ains est dolans et mas, et ne fina onques puis
de plourer qu'il conmencha a regarder vers ces dames.
Et nonpourquant, je ne le mescroi pas d'amour que il ait
vers nule d'eles, mais il doute par aventure que aucune
ne le connoisse.

15 – Dame, dist Galehols, de ce ne couvient il tenir
parole, mais aiiés merci de celui qui plus vous aimme que
soi meïsme, pour ce, si m'aït Diex, que je ne savoie de
son couvine quant il vint ci, fors de tant qu'il se doutoit
d'estre conneüs, ne onques plus ne m'en descouvri.

20 – Je en avrai, fait ele, tele merci com vous voldrés ;
car vous m'avés fait ce que je vous requis, si doi

VI

Dame, puisque je ne sais feindre,
pitié serait mieux de saison
que de soutenir si lourd fardeau.

31. *Lancelot en prose*

LE PREMIER BAISER
DE LANCELOT ET GUENIÈVRE

« Dame, dit Galehaut, vous savez bien qu'il vous aime
plus que tout et qu'il a plus fait pour vous que jamais
aucun autre chevalier ; tel que vous le voyez ici, il n'y
aurait jamais eu de paix entre mon seigneur le roi et moi,
5 s'il ne l'avait pas faite en personne.

– Assurément, répondit-elle, je sais bien qu'il a fait
pour moi plus que je ne pourrais lui rendre, même s'il
n'avait fait qu'obtenir la paix ; et il ne pourrait rien me
demander que je puisse lui refuser honorablement. Mais
10 il ne me demande rien, il est triste et abattu, et il n'a pas
cessé de pleurer depuis qu'il s'est mis à regarder du côté
de ces dames. Cependant je ne le soupçonne pas d'éprouver de l'amour pour aucune, mais il craint peut-être que
l'une d'elles ne le reconnaisse.

15 – Dame, reprit Galehaut, cela ne vaut pas la peine
d'en parler, mais ayez pitié de celui qui vous aime plus
que lui-même ; pourtant – Dieu m'en soit témoin ! – je
ne savais rien de lui quand il est venu ici, excepté qu'il
redoutait d'être reconnu, et jamais il ne m'en a révélé
20 davantage.

– J'en aurai la pitié que vous voudrez, car vous avez
fait pour moi ce que je vous ai demandé ; aussi dois-je

bien faire ce que vous voldrés, mais il ne me proie de
rien.

— Dame, fait Galehols, certes il n'en a pooir, car on ne
25 puet nule rien amer que on ne doute ; mais je vous en
proi pour lui, et se je ne vous em proioie, si le devriés
vous pourchacier, car plus riche tresor ne porriés vous
mie conquerre.

— Certes, fait ele, je le sai bien, et je en ferai quanques
30 vous me conmanderés.

— Dame, fait Galehols, grans mercis. Et je vous proi
que vous li donnés vostre amour, et que vous le prendés
a vostre chevalier a tous jors, et devenés sa loial dame a
tous les jours de votre vie : et puis si l'avrés fait plus riche
35 que se vous li aviés donné tout le monde.

— Ensi, fait ele, l'otroi je, que il soit tous miens et je
toute soie, et que par vous soient amendé tout li mesfait
et li trespas des couvenans.

— Dame, fait Galehols, grans mercis. Mais ore cou-
40 vient conmencement de seürté.

— Vous n'en deviserés ja chose, fait la roïne, que je n'en
face.

— Dame, dont le baisiés devant moi par conmence-
ment d'amour vraie.

45 — Del baisier, fait ele, ne voi je ne lieu ne tans. Et ne
doutés pas que je le fesisse autresi volentiers com il. Mais
ces dames sont illoc qui moult s'esmerveillent que nous
avons ci tant fait, si ne porroit estre qu'eles ne le veïssent.
Et nonpourquant, je le baiserai volentiers s'il velt. »

50 Et il en est si liés et si esbahis qu'il ne puet respondre,
fors que tant qu'il dist : « Dame, grans mercis !

— Ha ! Dame ! fait Galehols, ne doutés pas de son
voloir, que il i est tous. Et saciés que nus ne s'en apercevra, car nous nous trairons tout .III. ensamble, ausi com
55 se nous conseillissons.

bien faire ce que vous voudrez, mais il ne me demande
rien.

25   — Dame, dit Galehaut, assurément, il n'en a pas le
pouvoir, car on ne peut aimer ce qu'on ne craint pas ;
mais je vous en prie pour lui, et si je ne le faisais pas,
vous devriez y veiller de vous-même, car vous ne pourriez
pas conquérir un plus riche trésor.

30   — En vérité, dit-elle, je le sais bien et je ferai tout ce
que vous me commanderez.

— Grand merci, dame, dit Galehaut. Je vous prie de lui
donner votre amour, de le prendre pour votre chevalier
à tout jamais et de devenir sa loyale dame, pour tous les
35 jours de votre vie. Vous l'aurez ainsi rendu plus riche que
si vous lui aviez donné le monde entier.

— J'accepte donc, dit-elle, qu'il soit tout à moi et moi
toute à lui, et que les méfaits et les manquements à cet
accord soient amendés par vos soins.

40   — Dame, grand merci, reprend Galehaut. Mais il faut
maintenant un premier gage.

— Vous ne proposerez rien, réplique la reine, que je ne
fasse.

— Alors, dame, donnez-lui un baiser devant moi, pré-
45 lude à un amour sincère.

— Je ne vois ici ni le lieu ni le moment d'un baiser. Ne
doutez pas pourtant que je le donnerais aussi volontiers
que lui. Mais sont présentes ces dames qui s'étonnent
fort que nous soyons restés ici aussi longtemps et ne
50 manqueraient pas de le voir. Cependant je lui accorderai
volontiers ce baiser, s'il le désire. »

Et le chevalier en est si heureux et stupéfait qu'il ne
peut répondre que ces mots : « Dame, grand merci !

— Ah ! dame, dit Galehaut, ne doutez pas de son désir,
55 car il ne veut que cela. Et sachez que personne ne s'en
apercevra, car nous nous retirerons tous les trois
ensemble, comme si nous devisions discrètement.

    – De coi me feroie je proier ? fait ele. Plus volentiers
le voldroie je que vous ne il. »

    Lors se traient tout .III. ensamble et font semblant de
conseillier. Et la roïne voit bien que li chevaliers n'en ose
60 plus faire ; si le prent ele meïsme par le menton, si le
baise devant Galeholt assés longement, si que la dame
de Malohalt* l'aperchut bien. Lors conmencha la roïne
a parler, qui moult estoit sage et vaillans dame. « Biaus
dous amis, fait ele au chevalier, je sui vostre, tant avés
65 vous fait. Et moult en ai grant joie. Ore si gardés que la
chose soit si chelee com il est mestiers ; car je sui une des
dames del monde dont on a plus de biens oïs, et se mes
los empiroit pour vous, chi aroit laide amour et
vilainne. »

32. *Le Roman de la rose*

GUILLAUME DE LORRIS

V. 3440-3490

3440 Venus se trait vers Bel Acueil,
    Si li a comencié a dire :
    « Por quoi vous fetes vous, biau sire,
    Vers cel amant si dangerous*
    D'avoir un baisier precïous ?
3445 Ne li deüst estre veés,
    Car vous savés bien et veés
    Qu'il sert et aime en loiauté,
    Si a en lui assés biauté,
    Par quoi est dignes d'estre amés.
3450 Veés cum il est acesmés,
    Cum il est biaus, cum il est gens,

— Pourquoi me ferais-je prier ? dit la reine. Je le souhaite plus que vous et lui. »

Alors ils s'éloignèrent tous les trois ensemble et firent
semblant de converser. La reine vit bien que le chevalier
n'osait pas en faire plus ; elle le prit elle-même par le
menton et lui donna un très long baiser devant Galehaut,
en sorte que la dame de Malehaut s'en rendit compte.
Puis la reine se mit à parler, en dame sage et valeureuse :
« Cher et tendre ami, dit-elle au chevalier, vous avez tant
fait que je suis vôtre, et j'en éprouve une immense joie.
Maintenant prenez garde que la chose reste secrète,
comme il le faut ; car je suis une des dames du monde
dont on entend dire le plus de bien, et si ma réputation
se dégradait à cause de vous, ce serait un amour laid et
vulgaire. »

32. *Le Roman de la rose*

LE BAISER À LA ROSE

3440 Vénus se dirigea vers Bel Accueil,
      et commença à lui dire :
      « Pourquoi, cher seigneur, manifestez-vous
      envers cet amant tant de réticence
      à lui accorder un baiser précieux ?
3445 On ne devrait pas le lui refuser,
      car vous savez bien et vous voyez
      qu'il sert et aime en toute loyauté,
      et il y a en lui assez de beauté
      pour être digne d'être aimé.
3450 Voyez comme il est élégant,
      comme il est beau, comme il est gracieux,

Et dous et frans a toutes gens ;
Et avec ce il n'est pas viaus,
Ains est enfés•, dont il vaut miaus.
3455 Il n'est dame ne chastelainne
Que je ne tenisse a vilainne•
S'ele faisoit de lui dangier.
Son cors ne fait pas a changier :
Se le baisier li otroiés
3460 Il iere en lui bien emploiés,
Qu'il a, ce croi, mout douce alainne,
Et sa bouche n'est pas vilainne,
Ains semble estre a estuire
Por solacier et por deduire,
3465 Car les levres sont vermeilletes
Et les dens sont blanches et netes,
Qu'il n'i a taigne ne ordure.
Bien est, ce m'est avis, mesure
Que uns baisiers li soit creés ;
3470 Donnés li, se vous m'en creés,
Car tant com plus vous en tendrois,
Tant, ce sachiés, du temps perdrois. »
Bel Acuel si senti l'aer
Du brandon, sans plus delaer,
3475 M'otroia un baisier en dons.
Tant fist Venus et ses brandons
Onques n'i ot demoré :
Un baisier dous et savoré
Pris de la rose erramment.
3480 Se j'oi joie, nus nel demant,
Car une odor m'entra ou cors
Qui en gita la dolor fors
Et adouci les maus d'amer•
Qui me soloient estre amer.
3485 Onques mes ne fui si aaise.
Mout est garis qui tel flor baise,
Car ele est sade et bien olent.

doux et généreux envers tout le monde ;
en outre il n'est pas vieux,
mais il est jeune, ce qui accroît sa valeur.
3455 Il n'est dame ni châtelaine
que je ne tiendrais pour méprisable
si elle faisait la difficile avec lui.
Il n'y a rien à changer à son physique :
si vous lui accordez ce baiser,
3460 il sera bien placé en lui,
car il a, je crois, une très douce haleine,
et sa bouche n'est pas vilaine,
mais semble être faite exprès
pour donner joie et plaisir,
3465 car ses lèvres sont vermeilles
et ses dents blanches et propres,
sans tartre ni saleté.
À mon avis, il est raisonnable
de lui accorder un baiser ;
3470 donnez-le-lui, si vous m'en croyez,
car plus vous vous retiendrez,
plus, sachez-le, vous perdrez de temps. »
Bel Accueil ressentit si bien le souffle chaud
du brandon que, sans plus de délai,
3475 il m'accorda le présent d'un baiser.
Vénus avec son brandon fit tant que,
sans aucun retard,
je pris aussitôt de la rose
un baiser doux et savoureux.
3480 Si j'éprouvai de la joie, inutile de le demander,
car un parfum pénétra dans mon corps,
en chassa la souffrance
et adoucit les maux de l'amour
qui d'ordinaire m'étaient douloureux.
3485 Jamais de la vie je ne fus si heureux.
Il est bien guéri, celui qui baise une telle fleur,
car elle est douce et très parfumée.

Ja ne seré ja si dolent,
S'il m'en sovient, que je ne soie
3490 Tous plains de solas et de joie.

33. *Chanson*

GACE BRULÉ

LES OISELEZ DE MON PAÏS

I

Les oiselez de mon païs
Ai oïs en Bretaigne.
A lor chant m'est il bien avis
Q'en la douce Champaigne
5 Les oï jadis,
Se n'i ai mespris.
Il m'ont en si dolz panser mis
K'a chançon faire me sui pris
Si que je parataigne
10 Ceu q'Amors m'a toz jors promis.

II

En longe atente me languis
Senz ce que trop me plaigne.
Ce me tout mon jeu et mon ris
Que nuns q'Amors destraingne
15 N'est d'el ententis*.
Mon cors et mon vis
Truis si par eures entrepris
Que fol samblant en ai empris.
Ki q'en Amors mespraigne,
20 Je sui cil c'ainz rien n'i forfis.

Je ne serai jamais si affligé
que je ne sois, par le souvenir,
3490 rempli de plaisir et de joie.

33. *Chanson*

UN BAISER INOUBLIABLE

I

Les oiselets de mon pays,
je les ai entendus en Bretagne.
À écouter leur chant, je crois bien
que dans ma douce Champagne
5 jadis je les entendis,
si je ne me trompe pas.
Ils m'ont plongé dans une si douce rêverie
que j'ai entrepris une chanson
dans l'espoir d'obtenir
10 ce qu'Amour m'a toujours promis.

II

En une longue attente, je languis
sans trop me plaindre.
J'y perds le goût du jeu et du rire
car celui qu'Amour torture
15 n'est attentif à rien d'autre.
De corps et de visage,
je me trouve si souvent bouleversé
que j'ai l'air d'un fou.
Si d'autres trahissent Amour,
20 moi, je ne lui ai jamais fait de tort.

III

En baisant, mon cuer me toli•
Ma dolce dame gente ;
Trop fu fols quant il me guerpi
Por li qui me tormente.
25 Las ! ainz nel senti,
Quant de moi parti ;
Tant dolcement lo me toli
K'en sospirant lo traist a li ;
Mon fol cuer atalente,
30 Mais ja n'avra de moi merci.

IV

D'un baisier, dont me membre si,
M'est avis, en m'entente•,
Il n'est hore, ce m'a trahi,
Q'a mes levres nel sente.
35 Quant ele soffri,
Deus ! ce que je di,
De ma mort que ne me garni !
Ele seit bien que je m'oci
En ceste longe atente
40 Dont j'ai lo vis taint et pali.

V

Por coi me tout rire et juer
Et fait morir d'envie ;
Trop souvent me fait comparer•
Amors sa compaignie.
45 Las ! n'i os aler,
Que par fol sambler
Me font cil fals proiant damer.
Morz sui quant jes i voi parler,

III

Par un baiser, elle m'a volé mon cœur,
ma douce et noble dame ;
il fut bien fou de m'abandonner
pour celle qui me tourmente.
25 Hélas ! je n'ai rien senti,
quand il m'a quitté ;
elle me l'a volé si doucement
qu'elle l'attira vers elle dans un soupir ;
elle suscite le désir de mon cœur fou,
30 mais jamais elle n'aura pitié de moi.

IV

Ce seul baiser, dont je me souviens tant,
il me semble, en ma pensée,
qu'il n'est pas un instant, ô trahison !
où je ne le sente sur mes lèvres.
35 Quand elle permit,
Dieu ! ce dont je parle,
que ne m'a-t-elle protégé de la mort !
Elle sait bien que je me tue
dans cette longue attente
40 qui rend mon visage blême et pâle.

V

J'en perds ainsi le goût du rire et du jeu,
et je meurs de désir ;
Amour me fait très souvent
payer cher sa compagnie.
45 Hélas ! je n'ose pas aller près d'elle,
car mon air insensé
me fait condamner par les hypocrites soupirants.
Je meurs quand je les vois lui parler,

Que point de trecherie
50 Ne puet nus d'eus en li trover.

34. *Le Livre du voir dit*

GUILLAUME DE MACHAUT

V. 3656-3713

Lors sa sereur n'attendi point,
Ains se coucha en un des lis
Acouve(r)té de fleurs de lis.
Ma dame en l'autre se coucha
3660 Et .II. fois ou .III. me hucha,
Aussi faisoit sa compaignette
Qui avoit a non Guillemette :
« Venés couchier entre nous deulz,
Et ne faites pas le honteus :
3665 Vesci tout a point vostre place. »
Je respondi : « Ja Dieu ne place
Que je y vois(s)e ; la hors serai,
Et la je vous attenderai
Et vous esveillerai a nonne
3670 Si tost com je orrai qu'on la sonne. »
Adonc ma dame jura fort
Que je iroie, et, quant vint au fort,
De li m'aprochai en rusant•
Et tousdis en moy escusant
3675 Que ce a moi pas n'appartenoit.
Mais par la main si me tenoit
Qu'elles m'i tirerent a force,
Et lors je criai : « On m'efforce ! »
Mais Dieus scet que de la gesir
3680 C'estoit mon plus tresgrant desir,

car aucun d'eux ne peut trouver
50 en elle une ombre de perfidie.

34. *Le Livre du voir dit*

L'ASAG

Alors la sœur de ma dame, sans plus attendre,
se coucha dans un des lits
couvert d'une couette à fleurs de lis.
Ma dame se coucha dans l'autre lit
3660 et tandis que sa jeune compagne,
nommée Guillemette, faisait de même,
elle m'interpella d'une voix forte deux ou trois fois :
« Venez vous coucher entre nous deux
et ne faites pas le honteux :
3665 voici votre place toute prête. »
Je répondis : « À Dieu ne plaise
que j'y aille ; je resterai là dehors
et je vous y attendrai ;
et je vous réveillerai vers quinze heures
3670 dès que j'entendrai sonner la cloche. »
Alors ma dame jura d'une voix ferme
que j'irais ; au bout du compte,
je m'approchai d'elle à reculons
et en ne cessant de dire pour me disculper
3675 que cela n'était pas convenable pour moi.
Cependant elle me tenait si fort par la main
que sa compagne et elle me tirèrent par force vers le lit.
Et moi de m'écrier alors : « On me fait violence ! »
Mais Dieu sait que coucher là
3680 était mon plus vif désir,

N'autres pastés ne desiroie,
D'autre avaine ne hanissoie•.
Li sergens• qui l'uis nous ouvri
De .II. mantellés nous couvri
3685 Et la fenestre cloÿ toute
Et puis l'uis, si qu'on n'i vit goute.
Et la ma dame s'endormi,
Tousdis l'un de ses bras sur mi.
La fui longuement delés elle
3690 Plus simplement c'unne pucelle,
Car je n'osoie mot sonner,
Li touchier në araisonner
Pour ce qu'elle estoit endormie.
La vi je d'Amour la maistrie•,
3695 Car j'estoie comme une souche
Delez ma dame en ceste couche,
Ne ne m'osoie remuer
Nient plus c'om me volsist tuer.
Et toute voie a la parfin
3700 Ma dame qui j'aim de cuer fin,
Qui la dormi et sommilla,
Moul doucettement s'esvilla
Et moult bassettement toussi
Et dist : « Amis, estes vous cy ?
3705 Acolés moi seürement. »
Et je le fis couardement,
Mais moult le me dist a bas ton.
Pour ce l'acolai a taston,
Car nulle goute n'i veoie ;
3710 Mais certainement bien savoie
Que ce n'estoit pas sa compaigne !
S'estoie com cilz qui se baigne
En flun de paradis terrestre.

je ne désirais pas d'autres pâtures
ni ne hennissais pour une autre avoine.
L'homme d'armes qui nous avait ouvert la porte
nous couvrit de deux petits manteaux
3685 et ferma complètement la fenêtre
puis la porte, si bien qu'on n'y voyait rien.
Alors ma dame s'endormit,
gardant toujours l'un de ses bras sur moi.
Je restai là longtemps à côté d'elle,
3690 plus ingénument qu'une pucelle,
car je n'osais prononcer un mot,
la toucher ni lui adresser la parole,
parce qu'elle était endormie.
Là je vis la puissance d'Amour ;
3695 en effet j'étais comme une souche
près de ma dame, sur cette couche,
et je n'osais pas plus bouger
que si on avait voulu me tuer.
Cependant à la fin
3700 ma dame que j'aime d'un cœur pur,
qui dormait là et sommeillait,
s'éveilla très doucement,
toussota tout bas
puis dit : « Ami, êtes-vous ici ?
3705 Embrassez-moi avec assurance. »
J'obéis timidement,
mais elle me l'avait demandé à voix basse.
Je l'embrassai à tâtons,
car je n'y voyais goutte ;
3710 mais je savais en toute certitude
que ce n'était pas sa compagne !
J'étais alors comme un homme qui se baigne
dans un fleuve du paradis terrestre.

35. *Le Livre du voir dit*

GUILLAUME DE MACHAUT

V. 3988-4027

Quant je os ma priere finee,
Venus ne s'est pas oubliee,
3990 N'elle aussi pas ne s'oublia,
Car moult bien souvenu li a
De mon fait et de la requeste.
Si fu tost la deesse preste,
Car tout en l'eure est descendue
3995 Couverte d'une obscure nue,
Plainne de manne et de fin bausme
Qui la chambre encense et enbausme.
Et la fist miracles• ouvertes
Si clerement et si appertes•
4000 Que de joie fui raemplis ;
Et mes desirs fu acomplis
– Si bien que plus ne demandoie
Ne riens plus je ne desiroie,
Car a la deesse plaisoit –
4005 Par miracles qu'elle faisoit.
Et quant cilz miracles fu fais,
Je li dix : « Deesse, tu fais
Miracles si appertement
Qu'on le puet veoir clerement,
4010 Dont je te rend grace et loenge
Sans flaterie et sans losenge. »

Toute voie tant vous en di :
Quant la deesse descendi,
Li cuers me fremy et trembla ;
4015 Et de ma dame il me sembla

35. *Le Livre du voir dit*

LE MIRACLE DE VÉNUS

Quand j'eus terminé ma prière,
Vénus ne resta pas inactive
3990 et ma dame ne fut pas non plus inattentive,
car elle s'est fort bien souvenue
de mon geste et de ma requête.
Ainsi la déesse fut vite prête,
car sur l'heure elle est descendue,
3995 couverte par une sombre nue,
remplie d'arôme et de fin baume
qui encensa et parfuma la chambre.
Alors elle accomplit des miracles manifestes,
d'une manière si claire et si évidente
4000 que je fus rempli de joie ;
et mon désir fut satisfait
par les miracles qu'elle faisait,
si bien que je n'en demandais pas plus
ni ne désirais rien d'autre,
4005 car tel était le bon plaisir de la déesse.
Et quand ce miracle fut accompli,
je lui dis : « Déesse, tu fais
des miracles d'une manière si évidente
qu'on peut les voir en toute clarté,
4010 je t'en rends grâce et t'en loue,
sans flatterie ni fausseté. »

Toutefois, je me borne à vous dire ceci :
quand la déesse descendit,
mon cœur frémit et trembla ;
4015 et il me sembla que ma dame

Que un petitet fu esmeüe
Et troublee de sa venue,
Car son doulz vis en embelist,
Qui moult durement m'abelist ;
4020 Et ce n'est pas moult grant merveille
D'un miracle s'on s'en merveille,
Si que ainsi de la nue obscure
Eüsmes ciel et couverture,
Et tous deulz en fumes couvert
4025 Si qu'il n'i ot rien descouvert,
Et ce durement me seoit
Que adonc riens goute n'i veoit.

était un petit peu émue
et troublée par sa venue,
car son doux visage en embellit,
ce qui me plut beaucoup ;
4020 et il n'est pas très étonnant
qu'un miracle suscite l'admiration,
de sorte que la sombre nue
fut pour nous ciel de lit et couverture,
et tous deux en fûmes couverts
4025 sans rien montrer à découvert,
et il me convenait tout à fait
que nul alors n'y voyait goutte.

36. *Traité de l'amour courtois (livre I)*

ANDRÉ LE CHAPELAIN

DEUX ESPÈCES D'AMOUR

« Je veux aussi vous révéler* une autre chose que j'ai
à l'esprit et que beaucoup d'entre nous, je le sais, cachent
au fond de leur cœur ; je ne crois pas cependant que vous
l'ignoriez : une certaine espèce d'amour est pure et une
5 autre espèce s'appelle amour physique. C'est l'amour pur
qui unit les cœurs de deux amants avec toute la force de
la passion. Il consiste dans la contemplation de l'esprit
et dans les sentiments du cœur, il va jusqu'au baiser sur
la bouche, à l'étreinte et au contact physique, mais
10 pudique, avec l'amante nue ; le plaisir ultime en est exclu,
ce dernier étant interdit à ceux qui veulent aimer dans la
pureté. C'est cette espèce d'amour auquel doivent s'attacher de toutes leurs forces ceux qui prétendent aimer, car
il ne cesse de fortifier et nous ne savons pas que quel-
15 qu'un ait jamais regretté de s'y être adonné, et, plus il
nous comble, et plus l'on désire ses dons. Cet amour, à
ce que l'on reconnaît, a un tel pouvoir que c'est de lui
que naissent toutes les vertus, il ne cause aucun préjudice
à ceux qui le pratiquent et Dieu n'y voit que peu

20 d'offense à son égard. Un amour de cette nature ne peut
ainsi jamais souiller nulle jeune fille, et une veuve ou une
femme mariée ne saurait en souffrir quelque dommage,
ou en être éprouvée dans sa réputation. C'est donc à lui
que je m'attache, c'est lui qui est mon maître, lui que
25 j'adorerai toujours, et jamais je ne cesserai de vous sup-
plier de me l'accorder. Mais on appelle amour physique*
celui qui se réalise dans tous les plaisirs de la chair et qui
a son point d'aboutissement dans l'acte ultime, œuvre de
Vénus*. Quelle est la nature de cet amour ? D'après ce
30 qui a été dit plus haut, vous pouvez le découvrir clairement : il cesse rapidement, dure peu, et on regrette souvent de s'y être donné, car, ce faisant, on offense son
prochain, on fait injure au Roi des Cieux, et il nous fait
courir de graves dangers. En disant cela, je ne prétends
35 point condamner cet amour physique, je veux simplement vous montrer lequel des deux amours est préférable
à l'autre. Mais il s'agit aussi dans ce cas d'un amour
véritable, digne d'éloges, et malgré les terribles dangers
auxquels il nous expose, on dit qu'il est à l'origine de
40 tous les bienfaits que l'on peut accomplir. J'approuve
donc autant l'amour physique que l'amour pur, mais je
préfère pratiquer ce dernier. Bannissez ainsi radicalement
la crainte d'être abusée et choisissez d'aimer d'une façon
ou d'une autre. »

37. *Traité de l'amour courtois (livre II)*

ANDRÉ LE CHAPELAIN

LES RÈGLES DU ROI D'AMOUR

Puis il [le Chevalier] prit connaissance des règles qui se trouvaient consignées dans la Charte•, et suivant les instructions de la réponse qu'on lui avait faite, il les divulgua à tous les amants. Voici ces règles :

5   I. Le mariage n'est pas une excuse valable pour ne pas aimer.

II. Qui n'est pas jaloux ne peut aimer.

III. Personne ne peut être lié par deux amours à la fois.

10   IV. Il est certain que toujours l'amour augmente ou diminue.

V. Ce que l'amant obtient sans le gré de son amante n'a aucune saveur.

VI. L'homme ne peut aimer qu'après la puberté.

15   VII. À la mort de son amant, le survivant doit attendre deux ans.

VIII. Personne ne doit être privé de l'objet de son amour sans la meilleure des raisons.

IX. Personne ne peut aimer vraiment sans y être

20   incité par l'amour.

X. L'amour déserte toujours le domicile de l'avarice.

XI. Il ne convient pas d'aimer une femme qu'on aurait honte d'épouser.

XII. Le véritable amant ne désire d'autres étreintes que celles de son amante.

XIII. Quand l'amour est divulgué, il dure rarement.

XIV. Une conquête facile rend l'amour sans valeur ; une conquête difficile lui donne du prix.

XV. Tout amant doit pâlir en présence de son amante.

XVI. Quand un amant aperçoit brusquement celle qu'il aime, son cœur doit commencer à tressaillir.

XVII. Amour nouveau chasse l'ancien.

XVIII. Seule la vertu rend quelqu'un digne d'être aimé.

XIX. Si l'amour diminue, il disparaît rapidement, et il est bien rare qu'il reprenne vigueur.

XX. L'amoureux est toujours craintif.

XXI. La vraie jalousie fait toujours croître l'amour.

XXII. Soupçonne-t-on son amante, la jalousie et la passion augmentent.

XXIII. Celui que tourmente le souci d'amour mange moins et dort peu.

XXIV. Tout acte de l'amant a sa fin dans la pensée de celle qu'il aime.

XXV. Le véritable amant ne trouve rien de bien en dehors de ce qu'il pense plaire à son amante.

XXVI. L'amant ne saurait rien refuser à son amante.

XXVII. L'amant ne peut se rassasier des plaisirs qu'il trouve auprès de celle qu'il aime.

XXVIII. Le plus petit soupçon pousse l'amant à suspecter le pire chez sa bien-aimée.

XXIX. Celui que tourmente trop la luxure n'aime pas vraiment.

XXX. Le véritable amant est obsédé sans relâche par l'image de celle qu'il aime.

XXXI. Rien n'empêche une femme d'être aimée par deux hommes et un homme d'être aimé par deux femmes*.

Voilà, comme je l'ai dit, les règles que le Breton rapporta avec lui et il les offrit, en lui remettant le faucon*, à la dame pour laquelle il avait couru de si grands dangers*. Celle-ci, ayant reconnu la parfaite fidélité du chevalier, et mieux jugé son courageux dévouement, le récompensa en lui accordant son amour ; elle convoqua ensuite une nombreuse assemblée de dames et de chevaliers, et leur fit connaître les règles susdites, en enjoignant à tous les amants de les respecter scrupuleusement, selon les avertissements du roi d'Amour. Toute l'assemblée accepta pleinement ces règles et promit de les observer toujours, pour éviter les châtiments d'Amour. Certains de ceux qui, répondant à la convocation, s'étaient rendus à cette assemblée, rapportèrent chez eux une copie écrite de ces règles et ils les exposèrent à tous les amants de par le monde.

38. *Le Roman de la rose*

GUILLAUME DE LORRIS

V. 2211-2250

« Ne te fai tenir por aver,
Car ce te porroit molt grever.
Il avient bien que li amant
Doignent du lor plus largement
2215 Que cil vilain entulle et sot.
Onques hons riens d'amer ne sot
Cui il n'abelist a donner.
Se nus se viaut d'amors pener,
D'avarice tres bien se gart,
2220 Car cis qui a pour un regart
Ou pour un ris dous et serin
Donné son cuer tout enterin
Doit bien, aprés si riche don,
Donner son amour a bandon•.

2225   Or te vuel briement recorder•
Ce que t'ai dit por remembrer,
Car la parole mains est grieve
A retenir, quant el est brieve.
Qui d'Amors vuet fere son mestre•
2230 Cortois et sans orguel doit estre,
Cointes se tiengne et envoisiés
Et de largece soit prisiés.
    Aprés te doins en penitance
Que nuit et jor sans repentance
2235 En amor metes ton penser.
Tous jors i pense sans cesser,
Et te membre de la douce ore
Dont la joie tant te demore.

38. *Le Roman de la rose*

LES DEVOIRS DE L'AMANT COURTOIS

« Ne te fais pas passer pour avare,
car cela pourrait te nuire fortement.
Il sied bien que les amants
donnent de leurs biens plus largement
2215 que les rustres niais et sots.
On n'a jamais rien connu à l'amour
si l'on n'a pas de plaisir à donner.
Si quelqu'un veut se consacrer à l'amour,
qu'il se garde avec soin de l'avarice,
2220 car celui qui a, pour un regard
ou pour un sourire doux et charmant,
donné son cœur tout entier
doit bien, après un si riche don,
prodiguer son amour.
2225   Je veux maintenant te rappeler brièvement
ce que je t'ai dit pour que tu t'en souviennes,
car la parole est moins pénible
à retenir quand elle est brève.
Celui qui veut faire d'Amour son maître
2230 doit être courtois et sans orgueil ;
qu'il soit toujours élégant et gai,
et réputé pour sa largesse.
    Ensuite je t'ordonne, en pénitence,
que nuit et jour, sans regret,
2235 tu consacres tes pensées à l'amour.
Penses-y toujours et sans cesse,
et souviens-toi du doux moment
dont la joie te tarde tant.

Et por ce que fins amans soies,
2240 Vueil je et commans que tu aies
En un seul leu tout ton cuer mis,
Si qu'il n'i soit mie demis,
Mes tous entiers sans tricherie,
Car je n'aim pas moiteierie.
2245 Qui en mains leus son cuer depart
Par tout en a petite part ;
Mes de celi point ne me dout
Qui en un leu met son cuer tout.
Por ce vueil qu'en un leu le metes,
2250 Mes garde bien que tu nel pretes. »

Et pour que tu sois un parfait amant,
2240 je veux et commande que tu aies
mis tout ton cœur en un seul lieu,
de sorte qu'il n'y soit pas à moitié,
mais entièrement, sans tricherie,
car je n'aime pas le partage.
2245 Celui qui disperse son cœur en maints endroits
en a partout une petite part ;
mais je ne redoute rien de celui
qui met tout son cœur en un seul lieu.
C'est pourquoi je veux que tu le mettes en un seul
    lieu,
2250 mais garde-toi bien de le prêter. »

V

LE DÉCOR
DE L'AMOUR COURTOIS

Dans *Le Jeu de la feuillée*, Adam explique à ses amis comment il s'est épris de Maroie, désormais son épouse, influencé par le cadre dans lequel elle lui est apparue :

> *Esté faisoit bel et seri,*
> *Douc et vert et cler et joli,*
> *Delitavle en chans d'oiseillons.*
> *En haut bos, pres de fontenele,*
> *Courans seur maillie gravele,*
> *Adont me vint avisïons*
> *De cheli que j'ai a feme ore…*

> C'était un bel été serein,
> doux, verdoyant, lumineux et gai,
> délicieux avec les chants des oisillons.
> Au fond d'un bois, près d'une source
> qui coulait sur du gravier scintillant,
> j'eus alors la vision
> de celle qui est maintenant ma femme [1]…

Tout y est fait pour favoriser le désir : la saison, la verdure, la luminosité, les trilles des oiseaux, la fontaine.

---

1. Adam de la Halle, *Le Jeu de la feuillée*, éd. bilingue par J. Dufournet, GF-Flammarion, 1989, v. 63-69.

C'est comme si la nature tout entière l'avait poussé à
aimer. Il est alors légitime de se demander quelles
périodes de l'année, quels lieux, quels objets et quels animaux sont privilégiés par les poètes décrivant l'éclosion
et la plénitude de l'amour.

LES SAISONS

La saison des amours par excellence est le printemps.
Traditionnellement, troubadours et trouvères célèbrent la
« reverdie », le retour du beau temps, la renaissance de
la nature aux mois d'avril et de mai, ou au moment de
Pâques ; à l'aide de notations visuelles, auditives et olfac-
tives, ils soulignent l'agrément de cette période douce et
ensoleillée qui succède à la rigueur du froid hivernal. Ici
et là des formules analogues se répètent : les jours
s'allongent, les arbres se couvrent de feuilles, les bois, les
prés et les vergers verdissent, les fleurs au parfum suave
s'épanouissent, les cours d'eau retrouvent leur lit, les
sources murmurent et partout retentissent les vocalises
des oiseaux. Ce décor plein de charme incite les poètes à
chanter l'amour, tel Jacques de Cambrai profitant de ce
joyeux renouveau printanier pour solliciter avec
confiance la grâce de sa bien-aimée :

> *Or m'est bel dou tens d'avri*
> *Et de sa saixon,*
> *Ke preit sont vert et flori,*
> *Brullet et bouxon,*
> *Et chantent li oxillons*
> *Envoixiement.*
> *Lors veul amerousement*
> *Proier de cuer fin joli :*
> Ma dame et Amors merci.

> J'aime le mois d'avril
> et sa saison,
> car les prés sont verts et fleuris,
> comme les bosquets et les buissons,
> et les oisillons chantent
> avec allégresse.
> Je veux donc avec amour
> prier de tout mon cœur :
> *ma dame et Amour, pitié* [1] *!*

L'atmosphère devenue agréable et gaie invite chaque être à sortir de sa torpeur, à changer de comportement, à goûter les plaisirs sensuels offerts par la nature verdoyante et fleurie, et à ouvrir son cœur à l'appel de l'amour. Dans *Le Roman de la rose*, Guillaume de Lorris reprend ce topique du grand chant courtois en le développant (**texte 39, p. 264**). Toutefois, certains trouvères opposent la joie régnant dans la nature printanière à la tristesse qui envahit leur âme. C'est le cas de Gace Brulé, qui, loin de se réjouir du retour de la belle saison, ressent avec plus d'acuité encore les souffrances d'un amour non partagé :

> *Quant je voi le douz tens venir,*
> *Que faut nois et gelee,*
> *Et j'oi ces oisellons tentir*
> *El bois soz la ramee,*
> *Lors me fet ma dame sentir*
> *Un mal dont ja ne qier garir…*

> Quand je vois venir le printemps,
> que fondent neige et gelée,
> et que j'entends chanter les oisillons

---

1. *Anthologie de la poésie lyrique française des XIIe et XIIIe siècles*, éd. bilingue par Jean Dufournet, p. 310-311, v. 1-9. Le vers en italique constitue le refrain.

> dans le bois sous la ramure,
> alors ma dame me fait ressentir
> un mal dont je ne cherche pas à guérir [1]...

La saison initiale du *Livre du voir dit* n'est pas le printemps mais la fin de l'été. Ne correspond-elle pas à l'âge de Guillaume de Machaut ? Il n'a plus la jeunesse pour s'exposer aux ardents rayons du soleil ; c'est pourquoi il reste couché à l'ombre pour protéger son corps et ses yeux de la chaleur et de l'intense lumière. Cherchant à s'abriter du soleil, est-il encore en mesure d'endurer les « feux de l'amour » ? Cette ouverture du récit métaphorise en quelque sorte un amour de vieillesse. Au demeurant, en cette période pré-automnale, les oiseaux ne chantent plus, ils ne sont même plus évoqués. Leur absence symbolise sans doute le manque d'inspiration du poète, incapable de composer, privé de matière et de sentiment amoureux jusqu'à ce que Toute Belle, sa jeune admiratrice, fasse reverdir son cœur.

Gace Brulé se détourne lui aussi de la tradition lyrique en choisissant un exorde hivernal pour les premiers vers de plusieurs chansons. Lui qui rompait déjà l'adéquation entre le printemps et la gaieté de l'âme préfère ici encore inverser le lieu commun : son envie de chanter ne dépend pas de la belle saison et son amour n'attend pas le retour du printemps pour renaître ; il se s'éteint jamais :

> *Contre tanz que voi frimer*
> *Les arbres et blanchoier,*
> *M'est pris talenz de chanter.*
>
> *Pour mal temps ne por gelee*
> *Ne lairai que je ne chant,*

---

1. *Anthologie de la poésie lyrique française des XIIe et XIIIe siècles*, p. 134-135, v. 1-6.

Car ensi vois ma pensee
Et mon mal reconfortant.

Malgré ce temps où je vois les arbres
se couvrir de frimas et de givre,
l'envie m'a pris de chanter.

Le mauvais temps ni la gelée
ne m'empêcheront de chanter,
car j'apaise ainsi
ma pensée et mon mal [1].

LES LIEUX

Le verger est l'endroit préféré des *fins amants*. Ce *locus amoenus*, lieu agréable, discret, clos et à l'abri des regards d'autrui, s'avère propice à l'intimité du couple, au *donoi* et aux échanges amoureux. Ce jardin protégé, arrangé, réservé à une élite aristocratique, réunit tous les plaisirs ; les arbres, les espaces ombragés, les fleurs, les couleurs, les senteurs, les oiseaux, leurs chants, les sources, leur fraîcheur, tout y est enchantement : « Là, tout n'est qu'ordre et beauté,/ Luxe, calme et volupté [2]. » Fénice est ravie quand elle découvre ainsi le verger aménagé par Jean, l'ingénieux serviteur de Cligès (**texte 40, p. 266**). Dans *Le Roman de la rose* de Guillaume de Lorris, le jardin de Déduit où pénètre le jeune héros est un endroit magnifique d'abondance et de variété, où tout contribue au plaisir des sens. Carré comme les cloîtres des abbayes cisterciennes, il exalte la joie de vivre et d'aimer. C'est le jardin d'Éden des amants courtois :

---

1. *Anthologie de la poésie lyrique française des XIIe et XIIIe siècles*, p. 128, v. 1-3, et p. 132, v. 1-4.
2. Charles Baudelaire, « L'Invitation au voyage », in *Les Fleurs du mal*, GF-Flammarion, 2016, v. 13-14.

> *Si vi un vergier grant et lé,*
> *Tout clos d'un haut mur bataillié. [...]*
>
> *Et sachiés que je cuidai estre*
> *Por voir en paradis terrestre ;*
> *Tant estoit li leu delitables*
> *Qu'i sembloit estre esperitables.*
>
> Je vis un grand et vaste verger,
> entièrement clos d'un haut mur crénelé. [...]
>
> Et sachez que je crus être
> vraiment au paradis terrestre ;
> le lieu était si délicieux
> qu'il semblait surnaturel [1].

On y trouve en effet des arbres de multiples espèces ; les aromates et les épices n'y manquent pas non plus ; hiver comme été, des fleurs blanches, vermeilles et jaunes, des violettes, des pervenches et des roses y embaument ; on y remarque aussi des sources et des ruisseaux ; enfin on y croise des daims, des chevreuils, des écureuils et des lapins [2]. Ce paysage raffiné et coloré préfigure par son esthétique les tapisseries à mille fleurs du XVe siècle.

Le verger civilisé, où la végétation est cultivée, domestiquée et apprivoisée, s'oppose à la nature brute et sauvage de la campagne où s'affirment les instincts primitifs de violence et de sexualité. Ce décor champêtre est l'endroit habituel de la pastourelle, où la rencontre entre un chevalier (oisif et séducteur dont l'unique envie est d'obtenir, par tous les moyens, les faveurs de son interlocutrice) et une bergère (solitaire, libre, spontanée, naturelle, parfois cupide, ambitieuse ou sensuelle) se déroule en plein air, à la lisière de la forêt, dans un champ ou un

---

1. Guillaume de Lorris, *Le Roman de la rose*, v. 130-131 et 635-638.
2. *Ibid.*, v. 1326-1416.

pré ; il n'est plus question d'un lieu clos et préservé mais d'un espace ouvert, exposé aux paysans, aux promeneurs, aux regards et aux dangers. Tandis que la chanson courtoise exprime le désir du poète, longtemps réprimé par la dame, les convenances ou les circonstances, la pastourelle manifeste sa volonté de jouissance immédiate. À un amour raffiné, absolu et constant, succède une amourette éphémère, frivole et légère. Comme il s'estime socialement supérieur à la « pastoure », le chevalier n'éprouve aucun scrupule dans la manière hardie, insolente et parfois violente dont il se comporte avec la jeune femme.

Cependant, c'est à la cour des rois, des princes et des grands seigneurs que se font la plupart des rencontres et que se nouent maintes intrigues amoureuses, notamment lors des tournois qui sont souvent l'occasion de brillantes festivités au cours desquelles banquets, chants, danses, entretiens galants succèdent en soirée aux mêlées et aux joutes de la journée. Le succès d'une telle manifestation tient d'ailleurs autant au caractère spectaculaire des combats et à la vaillance des combattants qu'à la splendeur des réjouissances et au charme des spectatrices qui, après avoir admiré, du haut des remparts, des tours ou de tribunes aménagées, les exploits des chevaliers, illuminent, par leur beauté et la somptuosité de leurs atours, les conversations et les caroles.

Au demeurant on remarque plusieurs femmes parmi les promoteurs de ces nobles assemblées. C'est le cas de dames et de demoiselles qui, désireuses de se marier, organisent le tournoi de Noauz dans *Le Chevalier de la charrette*, de la fille aînée de Tiébaut de Tintagel – laquelle incite son ami Méliant de Lis, dont la réputation n'est pas assez élevée selon elle, à entreprendre, dans *Le Conte du graal*, une compétition chevaleresque contre les hommes de son père –, de Fière de Calabre, l'héroïne d'*Ipomédon*, qui offrira sa terre et sa main au vainqueur

des affrontements de Candre, de deux jeunes filles célibataires dans *Durmart le Gallois*, de la dame de
l'Orgueilleux Château qui est l'instigatrice d'un tournoi
à Carhaix dans le *Roman de Gliglois*, enfin de la comtesse
de Champagne, l'ordonnatrice, dans *Sone de Nansay*,
du tournoi de Châlons-sur-Marne et de la table ronde de
Machault[1]. Ces divertissements, merveilleusement
orchestrés par la classe aristocratique qui y voit une
façon de déployer sa magnificence et de paraître dans
toute sa splendeur, favorisent les émois, les liaisons et les
serments amoureux. Au demeurant, les chevaliers participent à ces assemblées par convoitise et surtout par désir
d'acquérir la gloire et les faveurs du public féminin,
comme le rappelle Jacques Bretel, l'auteur du *Tournoi de
Chauvency*, une sorte de reportage en vers retraçant les
festivités organisées par Louis de Looz, comte de Chiny,
du 30 septembre au 5 octobre 1285, à Chauvency-sur-
Chiers, dans la Meuse : « Dames et jeunes filles seront
présentes pour regarder ce que feront ceux qui
recherchent les joies de l'amour[2]. »

Le tournoi constitue donc « une sorte de noble foire
au mari », selon l'expression de Marie-Luce Chênerie[3].
En effet, tandis que des adolescentes, uniques héritières
du patrimoine, ou de riches veuves sont à l'affût d'un
preux chevalier capable de diriger leur domaine, de
pauvres *bachelers* et des cadets de famille cherchent, pour

---

1. Chrétien de Troyes, *Le Chevalier de la charrette*, v. 5371-5379 ;
Perceval ou le Conte du graal, v. 4856-4870 ; *Ipomédon*, v. 2492-2495 ;
Durmart le Gallois, v. 6387-6388 ; *Le Roman de Gliglois*, v. 796-797 ;
Sone de Nansay, v. 8876-8878 et 9631-9633 (la « table ronde » consiste
en une série de joutes individuelles).

2. Jacques Bretel, *Le Tournoi de Chauvency*, éd. M. Delbouille, Liège/
Paris, 1932, v. 83-85.

3. « Ces curieux chevaliers tournoyeurs, des fabliaux aux romans »,
Romania, t. XCVII, 1976, p. 327-368 (citation p. 349).

leur part, à conquérir le cœur, le fief et la fortune de dames ou de demoiselles solitaires. Ils sollicitent parfois de l'une d'entre elles le don d'une manche qu'ils arborent à leur lance, persuadés que la gloire dont ils se couvriront rejaillira sur leur donatrice. Cette manche constitue l'un des gages d'amour traditionnels.

LES OBJETS

Les cadeaux offerts à la femme courtisée font partie de la stratégie amoureuse de son soupirant, désireux de l'amadouer en montrant sa générosité. Il s'agit de bijoux (colliers, broches, bagues), d'objets luxueux, d'orfèvrerie, en or, en argent, en ivoire ou en cuir, destinés le plus souvent à la toilette (miroirs, peignes et bassins), à l'habillement et à ses accessoires (couronnes, manches, gants, ceintures, bourses et aumônières) [1].

Certains joyaux, tels que l'anneau, sont symboliques de l'hommage amoureux, comme on peut le constater dans Le Lai de l'Ombre de Jean Renart (**texte 41, p. 268**). Les cheveux sont aussi pour l'ami, contraint de se séparer de sa bien-aimée, un précieux cadeau. Lors de son départ pour la croisade, le châtelain de Coucy reçoit de la dame de Fayel ses tresses enveloppées dans une étoffe de soie parce qu'elle ne saurait lui donner son cœur sans expirer [2]. L'offrande des cheveux en lieu et place du cœur comble le châtelain, qui porte les tresses sur son heaume dans tous les combats qu'il mène outre-mer contre les Sarrasins pendant deux années. Blessé grièvement d'un

---

1. Voir par exemple Jean de Meun, Le Roman de la rose, v. 9783-9786 et 13782-13784.
2. Jakemés, Le Roman du châtelain de Coucy et de la dame de Fayel, v. 7312-7316.

carreau d'arbalète empoisonné, il décide de retourner
dans son pays mais, pendant la traversée, il agonise et
dicte ses dernières volontés à son écuyer Gobert qu'il
charge, après sa mort, de prélever son cœur, de l'embau-
mer, de le placer dans un coffret avec les tresses et une
lettre d'adieu, et de remettre le tout à sa dame. Malheureusement, Gobert rencontre le seigneur de Fayel qui
s'empare du coffret, apporte le cœur à son cuisinier et lui
ordonne d'en préparer un plat pour le prochain repas de
son épouse. La métaphore du don du cœur passe ainsi
de l'abstrait au concret : siège des sentiments amoureux,
le cœur est réduit à l'état d'un simple organe, d'un viscère
musculaire, d'un aliment comestible, comme le mari le
déclare à sa femme : « Je vous assure, en toute loyauté,
qu'avec ce plat vous avez mangé le cœur de celui que
vous avez le mieux aimé : c'est le cœur du châtelain de
Coucy que l'on vous a servi aujourd'hui [1]. » Par suite de
ces atroces révélations, elle s'évanouit plusieurs fois avant
de mourir. Elle succombe après avoir, en quelque sorte,
« communié ». Car la « scène » de cardiophagie se métamorphose en une « Cène » courtoise où le cœur s'élève
de l'ordre de la chair à l'ordre de la charité, devient une
nourriture spirituelle, une relique sacrée, un viatique
pour accéder à l'éternité de l'Amour.

Parmi les autres substituts de l'ami(e) figure aussi la
lettre, rendue nécessaire par la volonté des deux partenaires de maintenir le contact malgré la séparation et
l'éloignement. L'écrit compense quelque peu la frustration de ne pouvoir rencontrer l'autre en chair et en os.
Ainsi Tristan, entraîné dans la quête du Graal et dans
une série d'aventures chevaleresques, souffre-t-il de
l'absence de la reine Yseut qu'il salue en ces termes dans

---

1. *Ibid.*, v. 8062-8067.

l'épître qu'il lui envoie : « Je vous salue comme ma dame et vous envoie cette lettre en lieu et place de ma personne [1]. » Quand elle la reçoit, Yseut s'effondre en larmes, avant de la couvrir de baisers.

Dans *Le Livre du voir dit*, qui contient quarante-six lettres échangées entre Guillaume de Machaut et son admiratrice, chacun des deux correspondants observe tout un rituel dès la réception de la missive : il s'en saisit, l'ouvre, la lit d'une seule traite, en silence si des témoins sont présents, avant de la relire, seul, au besoin trois ou quatre fois, voire plus de vingt [2]. La prise de la lettre s'accompagne aussi de gestes tendres : tandis que le poète place l'épître reçue sur son cœur, Toute Belle la met contre elle, en son sein, ou la baise chaque jour deux ou trois fois [3]. Les deux amis soulignent l'un et l'autre le plaisir sensuel qu'ils éprouvent à tenir en main et à déchiffrer ces missives.

Une autre source de satisfaction pour le destinataire est de découvrir l'ampleur de la lettre qui lui est adressée. Autant une longue missive exprime l'attention et l'attachement que le destinateur lui porte, autant au contraire un simple billet semble manifester un désintérêt et une certaine froideur à son égard. La demoiselle assure même qu'il ne lui déplairait pas que les épîtres du poète aient l'étendue du *Roman de la rose* ou du *Roman de Lancelot* [4] ! Comme si l'abondance verbale était proportionnelle à l'ardeur de la passion. En somme, plus on aime,

1. *Le Roman de Tristan en prose*, t. VII (*De l'appel d'Yseut jusqu'au départ de Tristan de la Joyeuse Garde*), éd. D. Quéruel et M. Santucci, Genève, Droz, 1994, § 39.

2. Guillaume de Machaut, *Le Livre du voir dit*, v. 471, 780-783, 3366 ; lettre XXVII de l'amant, (a), p. 448 : *et se les ay leues plus de .XX. fois*.

3. *Ibid.*, v. 793-794, 1337, et lettre III de la dame, (b), p. 94.

4. *Ibid.*, lettre VII de la dame, (g), p. 162.

plus on écrit à l'aimé(e) pour lui confier ses sentiments ou lui narrer au quotidien l'existence morne et vaine sans lui ou sans elle ; et plus ces confidences sont nombreuses, plus le confident a l'agréable impression d'être estimé et aimé. La lettre est à la fois le miroir de l'âme du destinateur et le fétiche du destinataire.

Par conséquent, les missives gardées précieusement, baisées, honorées, vénérées telles des reliques, deviennent des représentations de l'autre, comme Héloïse l'avoue à Abélard : « Mon bien-aimé, je viens par hasard de recevoir ta lettre de consolation à un ami. J'ai remarqué tout de suite d'après l'en-tête qu'elle était de toi, et je me suis mise à la lire avec une passion égale à la tendresse dont je chéris son auteur : t'ayant perdu physiquement, je voulais du moins recréer par les mots comme une image de toi [1]. » Toutefois, le message écrit n'est qu'un pis-aller ; rien ne vaut un échange de vive voix, comme le confie Charles d'Orléans, captif en Angleterre (**texte 42, p. 272**).

Une autre « image » de l'ami(e) absent(e) physiquement consiste en sa représentation artistique (dessin, peinture, sculpture ou statue). Dans l'un des fragments du *Roman de Tristan* de Thomas, traditionnellement intitulé « La Salle aux images », le héros, désormais marié à Yseut aux Blanches Mains, a fait sculpter de merveilleuses statues d'Yseut la Blonde et de Brangien, qui semblent presque douées de vie. Elles lui permettent en tout cas d'exprimer ses états d'âme, ses plaisirs, ses souffrances, sa jalousie, sa haine, sa détresse [2]. De son côté, Lancelot, emprisonné par Morgane, peint avec talent, sur les murs de la chambre où il est retenu captif, plusieurs scènes évoquant notamment son arrivée à la cour

---

1. Héloïse et Abélard, *Lettres et vies*, trad. Y. Ferroul, GF-Flammarion, 1996, p. 95.
2. Thomas, *Le Roman de Tristan*, v. 1139-1144.

d'Arthur, sa première rencontre et son histoire avec Guenièvre et quelques-uns de ses hauts faits. Cette activité artistique présente deux avantages : non seulement elle l'occupe de Noël à Pâques, mais elle contribue aussi à rendre moins pénibles sa solitude et l'absence de la reine [1]. Privé de la présence de la demoiselle dont il s'est épris sans l'avoir jamais rencontrée, Guillaume de Machaut lui demande de lui adresser son portrait qui deviendra pour lui une véritable icône. La jeune femme exauce le souhait du poète, qui la contemple donc par l'intermédiaire de sa représentation artistique avant de la découvrir en chair et en os. Ce substitut de sa bien-aimée s'introduit dans les pièces lyriques de Guillaume, dans ses pensées et dans ses rêves. Lors du premier songe, l'auteur établit une équivalence entre le portrait et la dame : l'*ymage* dont le vêtement a changé de couleur (du bleu, symbolique de pureté et de loyauté, au vert, signe d'inconstance) détourne la tête, marque d'indifférence à son égard, parce qu'il soupçonne que son amie lui est infidèle. À son réveil, le poète se lève, allume une chandelle et, agenouillé devant la peinture, il ne constate aucune modification, preuve que son rêve était mensonger. Toutefois, quand plusieurs personnes dénoncent la légèreté de sa jeune admiratrice, ses vantardises, ses moqueries et son inconduite, il en châtie le substitut en l'enfermant dans un coffret [2]. Au cours d'un second rêve, Guillaume de Machaut voit le portrait de sa dame en pleurs (**texte 43, p. 274**).

Images, lettres, cheveux, anneaux, bijoux, « Objets inanimés, avez-vous donc une âme/ Qui s'attache à notre

---

1. *Le Livre du graal*. III, *Lancelot*, *La Seconde Partie de la quête de Lancelot*, éd. I. Freire-Nunes, trad. M.-G. Grossel, Gallimard, 2009, § 417, p. 462-463.

2. Guillaume de Machaut, *Le Livre du voir dit*, v. 5188-5195, 5742-5751 et 7571-7575.

âme et la force d'aimer [1] ? » Tous ces présents matériels
créent entre le destinateur et le destinataire des liens pas-
sionnels et spirituels que ni la séparation ni le temps ne
parviennent à altérer. Comme gages d'amour, les amants
offrent aussi à leurs partenaires des animaux.

LE BESTIAIRE DE L'AMOUR

On se souvient que les « bestiaires » médiévaux
désignent des ouvrages didactiques en vers ou en prose
qui interprètent les propriétés réelles ou légendaires de
certains animaux de manière symbolique en vue d'un
enseignement moral ; chaque bête mentionnée représente
le Christ ou le diable, le Bien ou le Mal, les vertus ou les
vices. Vers le milieu du XIIIe siècle, Richard de Fournival
se détourne de la tradition du genre dans un récit en
prose, intitulé *Le Bestiaire d'amour*, dans lequel il transpose sur le plan érotique les gloses religieuses. Amant
malheureux, l'écrivain utilise en effet les descriptions ani-
males conventionnelles afin d'expliquer à sa bien-aimée
pourquoi il n'a pas réussi à la conquérir et pourquoi elle
devrait désormais lui accorder son amour. À partir des
particularités d'une cinquantaine d'animaux, il tire des
exemples illustrant les différentes attitudes masculines et
féminines relatives à la stratégie amoureuse. Il se compare ainsi au grillon dont le chant peut lui être fatal [2]. Le
poète s'est donc résolu à ne plus chanter, par crainte de
connaître, s'il persévérait, son « chant du cygne ». Mais
peut-être la dame, cruelle et sans merci, consentira-t-elle

---

1. Alphonse de Lamartine, « Milly ou la terre natale », *Harmonies poétiques et religieuses*, v. 15-16.

2. Richard de Fournival, *Le Bestiaire d'amour*, éd. bilingue par G. Bianciotto, Champion Classiques, 2009, [5], l. 1-8, p. 165.

à ressusciter l'ami qu'elle a tué par son indifférence, à l'instar du pélican ramenant ses petits de la mort à la vie [1].

Dans *Le Bestiaire d'amour* comme dans *Le Roman de la rose* de Guillaume de Lorris, les oiseaux sont majoritaires. C'est le rossignol, chantre de l'amour courtois et symbole du poète musicien, qui est l'oiseau le plus renommé de la tradition lyrique [2]. Associé aux mois d'avril et de mai, il célèbre avec allégresse le retour de la belle saison et les splendeurs de la nature qui reverdit. Ses chants mélodieux et pleins d'entrain invitent chacun à l'amour et, par conséquent, les troubadours et les trouvères à composer des chansons pour leur bien-aimée. Ainsi, dans celles de Bernard de Ventadour, sur quatorze mentions d'oiseaux, le rossignol apparaît neuf fois. Dans le lai du *Laüstic* (terme breton désignant le rossignol), Marie de France raconte l'histoire d'une dame mariée et de son voisin, un preux chevalier, tous deux unis par un amour courtois et échangeant regards, paroles et cadeaux par la fenêtre. Lorsque le mari soupçonneux demande à sa femme pourquoi elle se lève chaque nuit, celle-ci, plutôt que d'avouer la vérité, à savoir qu'elle se plaît à entendre le doux bavardage de son ami, répond qu'elle se tient éveillée pour percevoir le chant voluptueux du rossignol. Furieux, l'époux ne comprend pas l'implicite ou plus exactement feint de ne pas le comprendre ; il tend des pièges, capture l'oiseau et lui tord le cou. Ce qui n'était qu'une image verbale s'est concrétisé. En tuant l'innocent chantre de l'amour, le mari détruit le prétexte

---

1. *Ibid.*, [20], l. 1-54, p. 217-221.
2. Voir Roger Dragonetti, *La Technique poétique des trouvères dans la chanson courtoise*, Bruges, 1960, Genève, Slatkine Reprints, 1979, p. 170-172.

invoqué et croit ainsi mettre fin à cette liaison sentimentale. Mais les deux amis, d'abord affligés par le massacre de l'oiselet qui empêche désormais leurs entrevues, transcendent ensuite leur douleur. La dame enveloppe le petit cadavre dans une somptueuse étoffe de soie sur laquelle, à l'instar de Philomèle [1], elle raconte la mésaventure en lettres d'or brodées ; puis elle envoie ce présent au chevalier qui s'applique aussitôt à faire confectionner un magnifique coffret d'or fin, orné de pierres précieuses, où il dépose le rossignol ; il gardera toujours avec lui cette châsse. Placé dans ce reliquaire, emblème de la permanence de leur attachement l'un pour l'autre, l'oiseau assassiné devient le symbole de leur amour, plus fort que la mort [2].

Thibaut de Champagne se compare aussi au rossignol, figure ambivalente de l'amour et de la mort, puisque, à l'instar de l'oiseau capable de succomber d'épuisement pour avoir chanté trop longtemps sans s'interrompre pour respirer, le trouvère risque de s'éteindre à force de chanter en vain pour une dame sans merci [3]. D'autres nobles oiseaux sont évoqués par les écrivains. Appréciés pour leur distinction, leur courage et leur rapidité, ils constituent souvent un gage d'amour, tel cet épervier que Guillaume d'Orange transmet à la princesse Orable dont il est épris [4]. D'autre part le faucon, rapace aristocratique, sert de comparant à plusieurs poètes épiques soulignant l'éclat et la vivacité des yeux de leurs héroïnes

---

1. *Philomena*, éd. bilingue par E. Baumgartner, Gallimard, « Folio classique », 2000, v. 1118-1237.

2. *Laüstic*, in *Lais* de Marie de France, v. 83-90, 105-119, 133-140 et 149-156.

3. « Li rosignous chante tant », in *Anthologie de la poésie lyrique française des XIIe et XIIIe siècles*, p. 168, v. 1-7.

4. Voir *Les Enfances Guillaume*, éd. P. Henry, SATF, 1935, v. 572-573.

sarrasines, comme Orable, Floripas ou Malatrie[1] : *Et vairs les eulz comme faucon müé* (« et les yeux vifs comme ceux d'un faucon mué »). L'épervier et l'exotique perroquet aux couleurs chatoyantes peuvent aussi être des prix offerts lors de concours de beauté, représentés par exemple dans *Érec et Énide*, *Le Bel Inconnu* et *Le Conte du papegau* : selon la tradition, le chevalier, certain que son amie est la plus belle, réclame l'épervier ou le perroquet à son ancien propriétaire et l'obtient au terme d'une joute victorieuse[2].

Toutefois, par sa capacité d'imiter la voix humaine, le perroquet est considéré par certains auteurs comme un beau parleur : tantôt le messager d'Amour, tantôt un sage conseiller, expert en casuistique amoureuse. Dans *Las Novas del papagay* (« La Nouvelle du perroquet ») d'Arnaut de Carcassès, le perroquet joue un rôle d'entremetteur : non seulement il réussit à convaincre une dame mariée de prendre Antiphanor pour ami, mais il incendie également le château de son époux afin de permettre les ébats sensuels des deux amants[3]. Enfin, dans un roman arthurien en prose, intitulé *Le Conte du papegau*, l'oiseau conquis par le jeune roi est à la fois son compagnon, « son ménestrel, son héraut d'armes et son historiographe », le « chantre officiel des exploits d'Arthur »[4].

---

1. *La Prise d'Orange*, v. 256 (vers cité) ; cf. *Fierabras*, éd. M. Le Person, Honoré Champion, 2003, v. 2115, et *Le Siège de Barbastre*, éd. B. Guidot, Honoré Champion, 2000, v. 1930.

2. Voir Chrétien de Troyes, *Érec et Énide*, v. 747-1082 ; Renaud de Beaujeu, *Le Bel Inconnu*, v. 1525-1869, et *Le Conte du papegau*, éd. bilingue par H. Charpentier et P. Victorin, Champion Classiques, 2004, § 5-8, p. 82-97.

3. Arnaut de Carcassès, *Las Novas del papagay. Nouvelles Courtoises occitanes et françaises*, p. 186-205.

4. « Introduction », *Le Conte du papegau*, p. 43 et 44.

Le cheval peut quant à lui contribuer au rapprochement de deux amoureux. Ainsi, dans *Le Vair Palefroi* de Huon le Roi, deux jeunes gens s'éprennent l'un de l'autre ; Guillaume, monté sur son *vair* palefroi (« son palefroi pommelé »), va souvent voir la demoiselle et converser avec elle à travers une palissade. Comme le père refuse d'accorder sa fille unique à un pauvre chevalier, celui-ci prie son oncle riche et âgé d'intercéder en sa faveur ; le parent accepte la mission mais demande la main de la jouvencelle pour lui-même. Le jour de l'hyménée, l'absence d'une monture pour conduire la future mariée de sa demeure jusqu'à la chapelle oblige Guillaume à prêter son palefroi. Durant le parcours, tandis que les vieillards accompagnant de nuit la promise somnolent et ne s'aperçoivent de rien, le cheval prend le sentier qui lui est familier et mène la demoiselle au manoir de Guillaume, où leur mariage est célébré par un chapelain dès le lendemain matin. En fait, le *vair* palefroi n'est que l'instrument de la Providence. En guidant le cheval vers la résidence de son maître, Dieu fait triompher la jeunesse, l'honnêteté et l'amour vrai[1].

Il arrive également que des poètes s'identifient à des animaux fabuleux. Par exemple, Thibaut de Champagne détourne à des fins personnelles le symbolisme christique du phénix et de la licorne décrits dans les bestiaires traditionnels. L'oiseau qui se jette dans un brasier, se consume et renaît de ses cendres deux jours plus tard devient pour Pierre de Beauvais ou Guillaume le Clerc de Normandie l'image du Sauveur, ressuscité au troisième jour[2]. Mais,

---

1. Huon le Roi, *Le Vair Palefroi*, éd. bilingue par J. Dufournet, Champion Classiques, 2010, v. 1235-1240.
2. *Bestiaires du Moyen Âge*, trad. G. Bianciotto, Stock, 1980, Pierre de Beauvais, *Bestiaire*, p. 30-31, et Guillaume le Clerc de Normandie, *Bestiaire divin*, p. 79-80.

selon le trouvère, le phénix est son double puisqu'il s'embrase d'amour pour une dame sans merci au point de succomber dans les flammes de sa passion, à moins qu'elle ne le ramène à la vie en lui accordant sa grâce [1].

De même, les auteurs de bestiaires relatent une seule manière de capturer la licorne : il convient de placer une pucelle près du repaire de l'animal et d'attendre sa venue ; dès que la bête aperçoit la jeune fille, elle s'approche, pose sa tête en son giron et s'y endort. Les chasseurs surgissent alors et s'en emparent. Selon Pierre de Beauvais et Guillaume le Clerc de Normandie, la licorne représente Jésus-Christ qui se logea dans le sein de la Vierge avant d'être pris [2]. De nouveau, Thibaut de Champagne transpose cette allégorie christique dans le domaine de l'amour courtois : subjugué par la beauté de la dame dont il ne peut soustraire son cœur, pris au piège d'un amour fatal, il se compare à la licorne, victime à son tour d'une trahison (**texte 30, p. 208**). La licorne, d'abord figure du *fin amant*, devient ensuite – surtout à partir du XIVe siècle – l'image de la femme chaste et dotée de toutes les vertus. *Le Roman de la Dame à la licorne et du Beau Chevalier au lion* réunit d'un côté le lion, emblème de la force virile et de la vaillance chevaleresque, de l'autre la licorne qui représente la pureté féminine idéale. Si le Chevalier Faé, délivré de son supplice par le héros, lui attribue le nom de « Beau Chevalier au lion » en souvenir de sa prouesse [3], c'est le dieu d'Amour en personne qui désigne l'héroïne, déjà considérée

1. *Poèmes d'amour des XIIe et XIIIe siècles*, « Chanter m'estuet car ne m'en puis tenir », p. 106, strophe IV.

2. Pierre de Beauvais, *Bestiaire*, p. 38-39, et Guillaume le Clerc de Normandie, *Bestiaire divin*, p. 92-94.

3. *Le Roman de la Dame à la licorne et du Beau Chevalier au lion*, éd. F. Gennrich, Dresde, 1908, v. 1976-1979.

comme *la fleur des dames souverainne*, par cette appellation honorifique : *la Dame blanche qui la licorne garde*[1].
La présence de ces deux animaux pour définir l'identité
des protagonistes ainsi que la compagnie et l'assistance
qu'ils leur offrent attestent la perfection courtoise des
deux amis.

Quoique certaines bêtes puissent aussi mettre en
lumière des défauts dits féminins[2], les animaux liés à
l'amour courtois sont en majorité des oiseaux : rapaces
(épervier, faucon), oiseau chanteur (rossignol) ou parleur
(perroquet), oiseaux réels ou fabuleux (comme le
phénix). S'ils constituent parfois des cadeaux ou des
auxiliaires des amants, ils sont aussi utilisés dans des
comparaisons (soulignant par exemple la beauté féminine) ou symbolisent tantôt la perfection de la dame,
tantôt la détresse du poète, désespéré par l'indifférence
d'une belle inhumaine.

---

1. *Ibid.*, v. 179 et 192-193.

2. Le crocodile est ainsi rapproché par Richard de Fournival de sa
bien-aimée qui l'a cruellement *tué de la mort d'amour* et devrait verser
sur sa victime, *avec les yeux de [son] cœur*, des larmes de repentir et
non de crocodile ! (*Le Bestiaire d'amour* [25], l. 3-10, p. 230). De son
côté le chien, modèle de fidélité absolue, est aussi à souligner l'inconstance féminine. Une illustration nous en est fournie par les deux versions de *La Folie Tristan*, où Husdent reconnaît spontanément Tristan,
déguisé en fou, avant Yseut (*La Folie Tristan de Berne*, v. 508-519, et
La Folie Tristan d'Oxford, éd. bilingue par E. Baumgartner et I. Short,
Champion Classiques, 2003, v. 904-932). Le discours misogyne se fait
plus virulent dans *La Vengeance Raguidel* de Raoul de Houdenc et dans
Le Chevalier à l'épée, où Gauvain délaissé par son amie pour un
inconnu voit les lévriers de celle-ci le choisir comme maître. Il conclut
son aventure par ces mots : « Ainsi puis-je bien prouver – et je n'en
serai jamais démenti en rien – que nature et attachement d'un chien
sont supérieurs à ceux d'une femme » (*Le Chevalier à l'épée*, éd. R.C. John-
ston et D.D.R. Owen, Édimbourg, 1972, v. 1106-1109).

Assurément, les auteurs du Moyen Âge ont privilégié un décor propice à la naissance et à l'expression de l'amour courtois : le rendez-vous galant se déroule plutôt au printemps, dans un verger paradisiaque, agrémenté de chants d'oiseaux – en particulier les trilles mélodieuses du rossignol, double du trouvère. Le tournoi avec ses joutes et ses fêtes convient parfaitement à l'éclosion et au développement de l'amour dit chevaleresque. Pour entretenir leur passion menacée par les épreuves et les séparations, les *fins amants* échangent des lettres, reflets de leur âme, ou offrent en présent un substitut d'eux-mêmes : anneau, cheveux ou portrait.

39. *Le Roman de la rose*

GUILLAUME DE LORRIS

V. 45-83

45 Avis m'estoit qu'il estoit maiz
Il a ja bien cinq ans ou maiz.
En may estïons, si songoie
Ou temps amorous plain de joie,
Ou temps ou toute riens s'esgaie,
50 Que l'en ne voit boisson ne haie
Qui en may parer ne se vueille
Et couvrir de novelle fueille.
Li bois recovrent lor verdure,
Qui sont sec tant cum yver dure ;
55 La terre meïsmes s'orgueille
Por la rosee qui la mueille,
Et oblie la povreté
Ou elle a tout l'yver esté.
Lors devient la terre si gobe
60 Que veut avoir novele robe ;
Si fait si cointe robe faire
Que de colors y a cent paire ;
D'erbes, de flors indes• et perses•
Et de maintes colors diverses,
65 C'est la robe que je devise
Por quoi la terre tant se prise.
Li oisiau, qui se sont teü
Tant cum il ont le froit eü

39. *Le Roman de la rose*

LA SAISON DE L'AMOUR

45 J'avais l'impression qu'on était en mai,
il y a bien cinq ans ou plus.
Nous étions en mai, et je rêvais
au temps de l'amour, plein de joie,
au temps où toute chose se réjouit,
50 car on ne voit buisson ni haie
qui ne veuille en mai se parer
et se couvrir de feuilles nouvelles.
Les bois recouvrent leur verdure,
eux qui sont secs tant que dure l'hiver ;
55 la terre elle-même s'enorgueillit
de la rosée qui la mouille,
et elle oublie la pauvreté
qu'elle a connue tout l'hiver.
La terre devient alors si fière
60 qu'elle veut avoir une nouvelle robe ;
elle s'en fait faire une si jolie
qu'il y a bien deux cents couleurs ;
des herbes, des fleurs bleues et violettes
et de maintes couleurs variées,
65 voilà la robe que je décris
et qui remplit la terre d'une telle fierté.
Les oiseaux qui se sont tus
aussi longtemps qu'ils ont souffert du froid

Et le fors temps d'iver frarin,
70 Sont en may por le temps serin
Si lié qu'il mostrent en chantant
Qu'en lor cuer a de joie tant
Qu'il lor estuet chanter par force.
Li rossignos lores s'esforce
75 De chanter et de faire noise• ;
Lors se resqueut, lors se renvoise
Li papegauz et la calandre• ;
Lors estuet jones gens entendre
A estre gais et amoreus
80 Por le temps bel et doucereus.
Mout a dur cuer qui en may n'aime
Quant il ot chanter sus la raime
As oisiaus les dous chans piteus•.

40. *Cligès*

CHRÉTIEN DE TROYES

V. 6382-6411

Puis est antree an un vergier
Qui molt li plest et atalante.
En mi le vergier ot une ante•
6385 De flors chargiee et bien foillue
Et par dedesoz estandue.
Ensi estoient li rain duit
Que par terre pandoient tuit
Et pres de la terre baissoient,
6390 Fors la cime dom il nessoient :
La cime aloit contre mont droite.
Fenice autre leu ne covoite.
Et desoz l'ante ert li praiax

et du mauvais temps d'un hiver rude,
70 sont en mai, à cause du temps serein,
si heureux qu'ils montrent par leurs chants
que leur cœur déborde de tant de joie
qu'il leur faut à toute force chanter.
Le rossignol s'évertue alors
75 à chanter et à mener grand bruit ;
alors s'éveillent, alors se réjouissent
le perroquet et l'alouette ;
alors les jeunes gens doivent se consacrer
à la gaieté et à l'amour,
80 à cause du temps beau et doux.
Il a le cœur bien dur celui qui n'aime pas en mai,
quand il entend dans la ramure
les oiseaux chanter leurs chants doux et émouvants.

40. *Cligès*

LE VERGER

Puis elle est entrée dans un verger
qui lui plut beaucoup et l'enchanta.
Au milieu du verger se trouvait un arbre,
6385 chargé de fleurs et très feuillu,
qui se déployait par-dessous.
Les branches étaient arrangées de telle façon
qu'elles pendaient toutes jusqu'à terre,
s'abaissant jusqu'au ras du sol,
6390 tandis que la cime, d'où elles naissaient,
s'élevait droit vers le ciel.
Fénice ne désire pas un autre endroit.
Et sous l'arbre se trouvait un pré

Molt delitables et molt biax,
6395 Ne ja n'iert tant li solauz chauz
En esté, quant il est plus hauz,
Que ja rais i puisse passer,
Si le sot Jehanz• conpasser•
Et les branches mener et duire.
6400 La se va Fenice deduire,
Si a fet soz l'ante son lit.
La sont a joie et a delit.
Et li vergiers est clos antor
De haut mur qui tient a la tor,
6405 Si que riens nule n'i [entrast],
Se par la tor sus n'i [montast].
Or est Fenice molt a eise :
N'est riens nule qui li despleise ;
[Ne li faut riens que ele vuelle
6410 Qant sor les flors ne sor la fuelle]
Son ami li loist anbracier.

41. *Le Lai de l'ombre*

JEAN RENART

V. 878-941

Il s'est acoutez sor le puis,
Qui n'estoit que toise• et demie
880 Parfonz, si ne meschoisi mie
En l'aigue• qui ert bele et clere,
L'ombre• de la dame qui ere
La riens el mont que miex amot.
« Sachiez, fet cil, tout a un mot,
885 Que je n'en reporterai mie,
Ainz l'avera ma douce amie,
La riens que j'aim plus aprés vous.

délicieux et magnifique ;
6395 même lorsqu'en été le soleil est le plus chaud
et le plus haut dans le ciel,
aucun de ses rayons ne peut traverser le feuillage,
grâce à Jean qui avait su aménager,
arranger et disposer les branches.
6400 C'est là que Fénice va s'ébattre
et faire son lit sous l'arbre,
là que les amants connaissent la joie et le plaisir.
Le verger est enclos
d'un haut mur attenant à la tour,
6405 de sorte que personne ne pourrait y pénétrer
sans monter par la tour.
Fénice est maintenant très heureuse :
rien ne vient gâcher son plaisir ;
rien ne manque à ses désirs
6410 puisque sur les fleurs ou les feuillages
elle peut à loisir embrasser son ami.

41. *Le Lai de l'ombre*

LE DON DE L'ANNEAU

Il s'est accoudé au bord du puits,
qui n'avait qu'une toise et demie
880 de profondeur, et a parfaitement remarqué
dans l'eau pure et claire,
l'ombre de la dame qui était
la créature qu'il aimait le mieux au monde.
« Sachez, dit il, en un mot,
885 que je ne le remporterai pas,
mais l'aura ma tendre amie,
celle que j'aime le plus après vous.

    – Diex ! fet ele, ci n'a que nous,
    Ou l'avrez vous si tost trovee ?
890 – Par mon chief, tost vous ert moustree
    La preus, la gentiz, qui l'avra.
    – Ou est ? – En non Dieu, vez le la,
    Vostre bele ombre, qui l'atent. »
    L'anelet prent et vers li tent.
895 « Tenez, fet il, ma douce amie ;
    Puis que ma dame n'en veut mie,
    Vous le prendrez bien sanz meslee. »
    L'aigue s'est un petit troublee
    Au cheoir que li aniaus fist,
900 Et quant li ombres se desfit :
    « Veez, fet il, dame, or l'a pris.
    Mout en est amendez mes pris,
    Quant ce qui de vous est l'en porte.
    Quar n'eüst il ore huis ne porte
905 La jus, si s'en vendroit par ci,
    Por dire la seue merci
    De l'onor que fete m'en a. »
    E ! Diex, si bien i assena
    A cele cortoisie fere !
910 Onques mes rien de son afere
    Ne fu a la dame plesanz ;
    Toz reverdiz et esprendanz
    Li a geté ses iex es suens.
    Mout vient a homme de grant sens
915 Qu'il fet cortoisie au besoing.
    « Orainz est de m'amor si loing
    Cis hom, et ore en est si pres !
    Onques mes, devant ne aprés,
    N'avint, puis qu'Adam mort la pomme,
920 Si bele cortoisie a homme ;
    Ne sai comment il l'en membra.
    Quant por m'amor a mon ombre a

– Dieu ! s'exclame-t-elle, il n'y a que nous ici,
où l'aurez-vous si vite trouvée ?
890 – Sur ma tête, elle vous sera vite montrée,
la vertueuse et noble dame qui l'aura.
– Où est-elle ? – Au nom de Dieu, la voilà,
votre belle ombre, qui l'attend. »
Il prend le gracieux anneau et le lui tend.
895 « Tenez, dit il, ma tendre amie ;
puisque ma dame n'en veut pas,
vous le prendrez bien sans querelle. »
L'eau s'est un peu troublée
lors de la chute de l'anneau,
900 et quand l'ombre s'ouvrit :
« Voyez, dame, dit il, elle vient de le prendre.
Ma valeur s'en trouve bien grandie,
quand ce qui émane de vous l'emporte.
En effet même s'il n'y avait ni passage ni porte
905 au fond, elle viendrait par ici,
pour que je la remercie
de l'honneur qu'elle m'a fait. »
Eh ! Dieu, il a su atteindre son but
avec ce geste courtois !
910 La dame ne trouva plus
aucun plaisir à son attitude ;
elle a plongé ses yeux brillant
d'une ardeur nouvelle dans les siens.
Un homme fait preuve de grande intelligence
915 en se montrant courtois en cas de nécessité.
« Tout à l'heure cet homme était si éloigné de mon
amour,
alors que maintenant il en est si proche !
Jamais, ni avant ni après,
depuis qu'Adam a mordu la pomme,
920 un homme n'inventa une si belle courtoisie ;
je ne sais comment elle lui est venue à l'esprit.
Puisque pour l'amour de moi il a jeté à mon
ombre

Geté son anel enz el puis,
Or ne li doi je ne ne puis
925 Plus veer le don de m'amor ;
Ne sai por qoi je li demor :
Onques hom si bien ne si bel
Ne conquist amor par anel
Ne miex ne dut avoir amie. »
930 Sachiez qu'ele n'en bleça mie
Quant ele dist : « Biaus dous amis,
Tout ont mon cuer el vostre mis
Cist douz mot et li plesant fet
Et li dons que vous avez fet
935 A mon ombre en l'onor de moi.
Or metez le mien en vo doi.
Tenez, jel vous doing comme amie ;
Je cuit vous ne l'amerez mie
Mains del vostre, encore soit il pire.
940 – De l'onor, fet il de l'Empire
Ne me feïst on pas si lié. »

42. *Ballade XIX*

CHARLES D'ORLÉANS

Jeune, gente, plaisant et debonnaire,
Par un prier, qui vault commandement,
Chargié m'avez d'une balade• faire.
Si l'ay faicte de cueur joyeusement ;
5 Or la vueilliez recevoir doulcement.
Vous y verrés, s'il vous plaist a la lire,
Le mal que j'ay, combien que vrayement
J'aymasse mieulx de bouche le vous dire.

son anneau dans le puits,
à présent je ne dois plus ni ne puis
925 lui refuser le don de mon amour ;
je ne sais pourquoi je tarde à le lui accorder :
jamais avec une telle perfection un homme
n'a conquis l'amour par un anneau
ni ne mérita davantage d'avoir une amie. »
930 Sachez qu'elle ne le blessa pas
en disant : « Cher et tendre ami,
ils ont logé mon cœur dans le vôtre,
vos mots tendres, votre joli geste
et le don que vous avez fait
935 à mon ombre en mon honneur.
À présent mettez mon anneau à votre doigt.
Tenez, je vous le donne en tant que votre amie ;
je crois que vous ne l'aimerez pas
moins que le vôtre, même s'il a moins de valeur.
940 — M'élever à la dignité impériale, réplique-t-il,
ne me rendrait pas aussi heureux. »

42. *Ballade XIX*

« JE PRÉFÉRERAIS
VOUS LE DIRE DE VIVE VOIX »

Jeune, gracieuse, plaisante et noble dame,
par une prière qui équivaut à un ordre,
vous m'avez chargé de composer une ballade.
Je l'ai composée joyeusement ;
5 veuilliez à présent la recevoir avec douceur.
Vous y découvrirez, s'il vous plaît de la lire,
le mal que j'endure, bien que, en vérité,
je préférerais vous le dire de vive voix.

Vostre doulceur m'a sceu si bien atraire
10 Que tout vostre je suis entierement,
Tresdesirant de vous servir et plaire.
Mais je seuffre maint doloreux tourment,
Quant a mon gré je ne vous voy souvent,
Et me desplaist quant me fault vous escrire :
15 Car se faire ce povoit autrement,
J'aymasse mieulx de bouche le vous dire.

C'est par Dangier•, mon cruel adversaire,
Qui m'a tenu en ses mains longuement ;
En tous mes fais je le treuve contraire,
20 Et plus se rit quant plus me voit dolent.
Se vouloye raconter plainnement
En cest escript mon ennuieux martire,
Trop long seroit ; pour ce certainnement
J'aymasse mieulx de bouche le vous dire.

43. *Le Livre du voir dit*

GUILLAUME DE MACHAUT

V. 7665-7716

7665 En mon songe m'estoit avis
Que je veoie vis a vis
L'ymage ma dame honoree
Qui estoit toute eschevelee
Et qui plouroit moult tendrement
7670 Et souspiroit parfondement,
Et qui essuoit de sa crine
Ses yeus, sa face et sa poitrine,
Et disoit : « Lasse, emprisonnee
Et en .II. coffres enfermee

Votre douceur a si bien su me séduire
10 que je vous appartiens totalement, corps et âme,
désirant ardemment vous servir et vous plaire.
Mais je souffre maint tourment douloureux
de ne pas vous voir souvent comme je le voudrais,
et cela me déplaît quand je dois vous écrire :
15 Car si cela pouvait se faire autrement,
je préférerais vous le dire de vive voix.

C'est à cause de Danger, mon cruel adversaire
qui m'a tenu longtemps entre ses mains ;
dans toutes mes affaires je le trouve hostile,
et plus il me voit affligé, plus il se moque.
20 Si je voulais raconter en détail
dans cet écrit mon terrible martyre,
ce serait trop long ; c'est pourquoi assurément
je préférerais vous le dire de vive voix.

43. *Le Livre du voir dit*

LE PLAIDOYER
DE L'IMAGE DE TOUTE BELLE

7665 En mon rêve il me semblait
voir face à face
le portrait de ma dame honorée
qui, tout échevelée,
pleurait à chaudes larmes
7670 et poussait de profonds soupirs ;
et avec sa chevelure elle s'essuyait
les yeux, le visage et la poitrine,
et elle disait : « Malheureuse que je suis,
vous m'avez, seigneur, emprisonnée et enfermée

7675 Sans departir, sire, m'avés ;
     Et nulle cause n'i savés.
     S'on vous a donné a entendre
     Qu'ailleurs vostre dame vuelt tendre,
     Ami, qu'en va, qu'en puis je mais ?
7680 Li fais je faire ? nenil ! Mais
     Vous creés trop legierement,
     Si vous en venra telement
     Que briément vous en mescherra,
     Et tous li mondes le verra,
7685 Car vous en perderés vo dame
     Qui vous aime de cuer et d'ame.
     Or supposons qu'elle soit fausse
     Envers vous et qu'elle vous fausse
     Le doi je (bien) pour ce comparer ?
7690 Hé ! Las ! vous me soliés parer
     De chansonnettes amoureuses,
     D'or et de pierres precïeuses
     Et de dras• d'or d'outre la mer ;
     Or volés delaissier l'amer,
7695 Si couvient que je le compere !
     Ce n'est pas raison, par saint Pere,
     Quar rien n'ai, s'il i a meffet,
     Mespris ne mesdit ne meffet.
     Et certes elle n'i ha courpe,
7700 Si fait grant pechié qui l'encourpe ;
     N'il n'est d'elle plus vrai amant,
     Ainsi le croi, se Dieu m'amant.
     Faites li savoir sans muser•,
     Et s'elle se puet excuser,
7705 Si soit hors de la villonnie !
     Et si doit en oÿr partie,
     Car bons juges ja ne sera
     Qui partie n'ascoutera !
     Et vous la voulés condempner
7710 Et de vostre grace planer

7675 dans deux coffres sans que je puisse en sortir ;
et vous n'en connaissez pas le moindre motif.
Si on vous a fait croire
que votre dame veut aller ailleurs,
ami, ce qui se passe, qu'y puis-je ?
7680 Est-ce moi qui l'y encourage ? Non ! Mais
vous croyez trop facilement les gens,
et il en résultera pour vous
que rapidement il vous arrivera malheur,
et tout le monde le verra,
7685 car vous en perdrez votre dame,
qui vous aime du plus profond de son âme.
Supposons à présent qu'elle soit perfide
à votre égard et qu'elle vous trompe,
dois-je pour autant l'expier ?
7690 Hé ! Malheureuse que je suis, vous aviez l'habitude
de m'honorer de petites chansons d'amour,
d'or, de pierres précieuses,
et de tissus d'or d'outre-mer ;
à présent vous voulez renoncer à l'amour,
7695 et c'est moi qui dois en faire les frais !
Ce n'est pas raisonnable, par saint Pierre.
En effet, si faute il y a, je n'en ai commis
aucune ni en parole ni en acte.
Assurément elle n'est pas coupable,
7700 et celui qui l'accuse commet un grave péché ;
il n'est plus son amant sincère,
comme je le crois, aussi vrai que Dieu m'aide.
Informez-la, sans perdre de temps,
et si elle peut se disculper
7705 qu'elle soit innocentée de cette infamie !
On doit entendre un inculpé,
car ne sera jamais un bon juge
celui qui n'écoutera pas l'inculpé !
Mais vous, vous voulez la condamner
7710 et la priver de votre grâce

Pour .III. ou pour .IIII. paroles
Qui sont mensongnes et fryvoles,
Plus que serpens envenimees
Et de mesdisans contrevees ?
7715 C'est grans pechiés de si tost croire•
Et plus grans du dire... »

pour trois ou quatre propos
mensongers et frivoles,
plus venimeux que des serpents
et inventés par des médisants ?
7715 C'est un grave péché d'y croire si vite
et pire encore d'en parler... »

VI

LA DÉMYSTIFICATION
DE L'AMOUR COURTOIS

Même au temps de sa splendeur, l'amour courtois est parfois assombri par des comportements démesurés. Ainsi, dans *Le Conte du graal*, Chrétien de Troyes présente des personnages qui, loin de chercher à s'améliorer pour conquérir le cœur de leur dame, deviennent mauvais précisément parce qu'ils aiment. Poussés par une jalousie maladive et un orgueil outrancier, ils n'engendrent que malheurs et souffrances. Tel est l'Orgueilleux de la Lande infligeant, à celle dont il est follement épris, un véritable martyre parce qu'il la soupçonne d'avoir cédé de gré ou de force à Perceval. Dès que la Demoiselle de la Tente lui a appris que le jeune Gallois l'avait embrassée à son corps défendant, le jaloux est persuadé de l'infidélité de son amie [1]. Furieux, il veut alors se venger de l'impudent et de la prétendue traîtresse. Il châtie celle-ci en l'obligeant à monter son palefroi, privé de soins, et à porter toujours les mêmes habits jusqu'à ce qu'il ait décapité son rival de passage [2]. Peu après, quand le héros croise de nouveau la route de cette jeune fille, la malheureuse, en haillons,

---

1. *Perceval ou le Conte du graal*, v. 813-819 et 3855-3877.
2. *Ibid.*, v. 820-832 et 3890-3898.

manifeste une terrible détresse physique et morale. Mal
en point, désespérée, humiliée d'exposer aux regards de
tous sa nudité et sa pauvreté, la demoiselle est la victime
pitoyable d'un jaloux ne tolérant pas qu'un autre homme
s'entretienne avec elle, à tel point qu'il massacre tous
ceux qui s'approchent d'elle, tel le compagnon de la cousine à qui il a récemment tranché la tête [1]. Aliment indispensable à l'amour courtois selon André Le Chapelain [2],
la jalousie tourne, sous la plume de Chrétien de Troyes,
à la folie criminelle. Et que dire de Guiromelant qui, pour
satisfaire sa passion envers la male pucelle, n'a pas hésité
à l'enlever après avoir tué le chevalier qu'elle aimait [3] ?

La dégradation de l'amour courtois s'accroît dans les
récits du XIIIe siècle. Étudiant « la destruction des
mythes courtois dans le roman arthurien » de cette
époque, Jean-Charles Payen souligne que, « inséré jusque
dans les épisodes courtois, affleure un pessimisme profond qui met en doute l'idéal amoureux et laisse entrevoir
la catin sous la dame et la brute sous le héros », avant de
conclure que « le roman en vers postérieur à Chrétien
rejette donc partiellement les idéologies courtoises » [4]. La
décadence s'accentue encore aux XIVe et XVe siècles avec
la montée de la bourgeoisie urbaine qui, en singeant les
manières de la noblesse, dénature la courtoisie, privée
d'âme et réduite à une simple étiquette. De surcroît, cette

---

1. *Ibid.*, v. 3453-3455, 3464-3465, 3827 et 3835-3840.

2. *Traité de l'amour courtois*, p. 153 : « L'amour augmente de même
quand une véritable jalousie s'empare de l'un des deux amants, car la
jalousie est mère de l'amour. ». Voir aussi le texte 37, p. 235-236, règles II,
XXI et XXII.

3. *Perceval ou le Conte du graal*, v. 8561-8572.

4. J.-Ch. Payen, « La destruction des mythes courtois dans le roman
arthurien : la femme dans le roman en vers après Chrétien de Troyes »,
Revue des langues romanes, t. LXXVIII, 1969, p. 213-228 (citations
p. 217 et 222).

période troublée et tourmentée par les ravages de la famine, de la Peste noire qui fit périr un tiers de la population européenne et de la guerre de Cent Ans n'invite plus guère à rêver d'un amour idéal. Les difficultés de vivre au quotidien, la permanence des périls, le climat d'insécurité, l'irruption du macabre entraînent à l'inverse un désir effréné de jouir au plus tôt de tous les plaisirs de la vie. Les auteurs prennent alors leurs distances avec cet « amour courtois » du passé dont ils constatent le déclin, voire la disparition. Soit ils l'évoquent avec nostalgie, soit ils le parodient et le ridiculisent. En tout cas ils n'y croient plus.

EXCÈS, LEURRES ET DANGERS

L'idéologie véhiculée par les troubadours et les trouvères est loin de garantir le bonheur. Qu'elle soit utilisée par des amants sincères ou des hypocrites, la rhétorique courtoise est une arme dangereuse. Ainsi, dans *Le Roman de la rose ou de Guillaume de Dole* de Jean Renart, l'empereur Conrad s'est épris de Liénor sans l'avoir jamais vue, sur le seul témoignage de sa beauté et de sa vertu vantées par Jouglet, son ménestrel. À l'instar de Jaufré Rudel et des poètes de la *fine amor*, il connaît les affres, les frustrations, les doutes, les craintes et les calomnies des *losengiers*. Le sénéchal de l'empereur, jaloux de la complicité existant entre son seigneur et Guillaume, le frère de Liénor, joue ce rôle ; il épie leurs faits et gestes et ne tarde pas à saisir l'amour secret de son maître pour la demoiselle de Dole en écoutant les deux couplets improvisés par le prince poète (**texte 44, p. 304**). Tant que les sentiments de Conrad trouvent un écho, voire une préfiguration dans la lyrique courtoise, ils restent douloureux.

Aussi longtemps que le souverain se conforme au comportement d'un *fin amant*, il souffre et se plaint. Mais quand à Mayence il découvre que la créature éblouissante qui surgit dans son palais n'est autre que Liénor, il abandonne les chansons des amants infortunés et exprime sa joie d'aimer en interprétant spontanément un chant simple, jailli du cœur et qui n'appartient plus au registre courtois [1]. C'est le passage d'un amour codifié, imaginaire et fictif à un amour naturel, fructueux et heureux.

Après avoir surpris le secret amoureux de son suzerain pour Liénor, le félon sénéchal décide d'empêcher le mariage. Il se rend à Dole où il ne peut voir la jeune fille en l'absence de son frère. Il tente alors de séduire leur mère par des propos et un cadeau que ne renierait pas un *fin amant* :

> « *Por vostre amor que ge desir*
> *A avoir tant com ge vivrai,*
> *Dame douce, si vos lerai*
> *Cest mien anel par drüerie.* »

> « En raison de votre amour que je désire
> conserver toute ma vie,
> ma chère dame, je vous laisserai
> mon anneau que voici en gage d'affection [2]. »

Le sénéchal se sert du lexique courtois (*amor, desir, Dame douce, drüerie*) pour abuser la vieille femme qui n'ose pas refuser le présent par peur de manquer aux règles de la courtoisie. Troublée, soucieuse de témoigner sa

---

1. Jean Renart, *Le Roman de la rose ou de Guillaume de Dole*, v. 5104-5111.
2. *Ibid.*, v. 3342-3345.

reconnaissance à son interlocuteur, elle lui fait une confidence en mentionnant la rose vermeille que sa fille porte sur la cuisse, persuadée que cette révélation créera une connivence entre sa famille et le sénéchal. Mais, de retour à Cologne, le traître laisse entendre à son seigneur qu'il a obtenu les faveurs de la demoiselle de Dole, et pour preuve lui dévoile le secret de la rose. L'inconduite prétendue de la jeune fille rend désormais impossible l'hyménée. Pour confondre son calomniateur, Liénor invente alors un stratagème fondé sur des pratiques d'amour courtois, à savoir l'octroi de cadeaux ; par l'intermédiaire d'un messager, elle lui fait remettre, prétendument de la part d'une amie, un anneau, une broche, une ceinture d'étoffe brodée à l'or fin et une aumônière qu'il devra porter sur lui, à la manière d'un *fin amant*. Le lendemain, 1er mai, la demoiselle de Dole se présente devant l'empereur pour demander justice, et accuse le sénéchal de l'avoir violée et de lui avoir volé des joyaux. Celui-ci dément ces accusations et affirme ne pas connaître cette jeune femme, mais comme on trouve les objets sur lui, il est pris au piège. Il réclame le jugement de Dieu qui lui est favorable et fait éclater son innocence, en même temps que sa perfidie et ses mensonges lorsque la plaignante dévoile sa véritable identité : elle est la belle Liénor, la pucelle à la rose. Par conséquent Jean Renart dénonce les artifices, les leurres et les mensonges d'une rhétorique courtoise qui, déracinée des cœurs nobles, n'est plus qu'un simple moyen d'expression, au demeurant dangereux puisqu'il peut servir les intérêts des traîtres et nuire autant aux amants loyaux qu'aux femmes honnêtes.

Celles-ci, que les troubadours et les trouvères élèvent au rang de dames, c'est-à-dire de suzeraines, auxquelles ils obéissent, se soumettent et se dévouent, sont placées sur un piédestal, figées dans une attitude hiératique, qu'elles le veuillent ou non. Elles qui sont censées avoir tous les pouvoirs, y compris celui de vie ou de mort sur leurs soupirants, sont réduites au silence ; elles n'ont pas droit à la parole. Les amants leur prêtent certes des sentiments d'orgueil, d'indifférence ou de cruauté, mais ces comportements féminins, au demeurant fort stéréotypés, ne nous sont révélés que par le truchement des poètes. Comme elles sont condamnées au mutisme, nous ne connaissons pas ce qu'elles éprouvent vraiment. Quels sont leurs émotions, leurs pensées, leurs désirs ?

La Belle Dame sans mercy d'Alain Chartier répond en partie à cette question. L'œuvre se présentant comme un dialogue entre l'amant et sa dame, cette dernière exprime elle-même son opinion à la première personne ; elle discute, conteste, contredit. Ainsi, à l'amant qui prétend que la Courtoisie exige la réciprocité amoureuse, selon l'enchaînement traditionnel du don et du *guerredon*, elle réplique que cet échange contraignant est incompatible avec la Courtoisie et l'Honneur :

> *Courtoisie est si aliëe*
> *D'Onneur qui l'ayme et la tient chiere,*
> *Qu'el ne veult estre en rien liëe,*
> *Ne pour avoir ne pour prïere,*
> *Maiz depart de sa bonne chiere*
> *Ou il luy plaist et bon luy semble.*
> *Guerredon, contrainte et renchiere,*
> *Et elles ne vont point ensemble.*

> Courtoisie est si bien alliée
> à Honneur qui l'aime et la chérit
> qu'elle ne veut nullement être contrainte,
> ni par un bien matériel ni par des prières,
> mais elle dispense son bon accueil
> là où il lui plaît, où bon lui semble.
> La récompense, la contrainte et la surenchère
> ne vont pas de pair avec Courtoisie et Honneur [1].

---

1. Alain Chartier, *La Belle Dame sans mercy*, éd. bilingue par D.F. Hult, Champion Classiques, 2003, v. 409-416.

Elle remet en cause le principe même de la relation courtoise, fondée sur le don du cœur que l'amant laisse en gage à sa dame :

> *Je ne tieng mie pour donné*
> *Ce que on offre s'on ne le prent.*
>
> Je ne considère pas qu'est donnée
> la chose offerte si on ne la prend pas [1].

Elle doute de la sincérité de l'amant, insiste avec lucidité sur le fait qu'il est le seul responsable de son martyre d'amour et proclame son désir de liberté (**texte 45, p. 306**). Au terme du débat, elle éconduit l'amant d'une manière définitive. La situation est sans espoir pour l'infortuné qui finit par mourir de chagrin.

Si l'on excepte les *trobairitz*, ces femmes troubadours qui, comme la comtesse de Die, rêvent de tenir leur ami nu entre leurs bras, l'amour courtois est donc « un jeu d'hommes » où la femme abstraite, objet inaccessible des désirs et des phantasmes masculins, n'est qu'« un leurre » [2], une chimère, propice à la création poétique mais dépourvue d'individualité. Lorsqu'elle sort de l'ombre et du silence, elle dénonce les clichés et les poncifs de cette tradition courtoise qui enferme l'amant dans un code contraignant et le déresponsabilise.

PARODIE ET BURLESQUE

Les auteurs de plusieurs branches du *Roman de Renart*, de nombreux fabliaux et de « sottes chansons »

---

1. *Ibid.*, v. 473-474.
2. Les expressions placées entre guillemets sont reprises à Georges Duby, *Mâle Moyen Âge*, p. 76.

prennent le contre-pied de la *fine amor* à des fins comiques. Cet amour délicat, spirituel, éthéré devient à l'inverse grossier, matériel, terre-à-terre. Au lieu de maîtriser sa sexualité, de modérer ses désirs et de différer patiemment leur accomplissement, l'amant se presse à libérer ses instincts et à goûter tous les plaisirs ; au lieu de garder la mesure et de respecter les bienséances, il se plaît à transgresser les règles et cherche à tout prix à assouvir sa *libido*. Comme l'écrit Jean Dufournet dans l'introduction de son édition bilingue du *Roman de Renart* : « Contre les excès de la courtoisie et du raffinement, de l'abstraction et de l'artifice, la sexualité reprend une place importante, comme l'attestent les scènes de viol et de mutilation, le vocabulaire abondant qui désigne l'acte sexuel ou les organes génitaux, le goût, du moins chez certains poètes, de l'obscénité et de la grossièreté. Les auteurs ont voulu restituer au monde son véritable visage, bestial, hypocrite, méchant : n'est-ce pas rabaisser et ridiculiser les hommes, et en particulier les nobles, que de choisir des animaux pour les représenter [1] ? » Ainsi Renart n'hésite-t-il pas à employer la force ou la ruse pour violer la louve Hersent et l'épouse du roi Noble (**texte 46, p. 314**). Celle-ci, « *Madame Fiere l'orgeillose/ Que mout estoit cortoise et bele* [2] », connaît les pratiques et les codes courtois : le souci de sa réputation, la discrétion, le don de l'anneau et du talisman remis au goupil. Toutefois la reine s'avère volage et luxurieuse puisqu'elle accorde un rendez-vous galant à Renart après avoir été abusée par lui. La « dame sans merci » est désormais sans scrupule !

---

1. *Le Roman de Renart*, éd. bilingue par J. Dufournet et A. Méline, GF-Flammarion, 1985, t. I, p. 17-18.
2. *Le Roman de Renart*, Branche I, éd. M. Roques, Honoré Champion, 1974, v. 1498-1499.

D'autre part, alors que la plupart des poètes courtois, plutôt raffinés et pudiques, évitent en général d'évoquer les choses relevant du sexe et de la scatologie et usent de litotes et d'euphémismes, les auteurs du *Roman de Renart*, de multiples fabliaux et de « sottes chansons » choisissent l'impertinence, l'impudeur, voire l'obscénité ; ils n'hésitent pas à employer des termes crus, des expressions grivoises et des images égrillardes pour désigner le sexe masculin (*andouille, baudoïn* au sens de membre viril, *couille(s)* et *pendanz* pour les testicules, *vit* [1]), le sexe féminin (*con, pertuis, trou, velous* [2]), ainsi que l'accouplement ; si le verbe *foutre*, banni des textes courtois, est le plus fréquent, on remarque d'autres vocables et locutions tels que : *batre la croupe* ou *le crepon* (« le croupion »), *besoingnier* (« accomplir l'acte sexuel »), *croissir/croi(s)tre* (« posséder charnellement »), *entrer entre les jambes, estordre ma büee* (« faire l'amour »), *estraindre* (« baiser »), *fouler la vendange, garsoner* (« tringler »), *metre el con le vit, monter es arçons* (« chevaucher »), *poindre* (« piquer ») [3].

---

1. Citons quelques exemples : *andouille* (*Le Roman de Renart*, br. I, v. 886 ; Ib, v. 2716) ; *baudoïn* (*Le Prêtre teint*, v. 417) ; *couille* (*Le Roman de Renart*, br. I, v. 893 ; Ib, v. 2619) ; *pendanz* (*Le Roman de Renart*, br. I, v. 896 ; *De Boivin de Provins*, v. 283) ; *vit* (*De Boivin de Provins*, v. 278).

2. Outre l'usuel *con* (*Le Roman de Renart*, Ib, v. 3161, et *De Boivin de Provins*, v. 279), *pertuis* (*La Demoiselle qui ne pouvait entendre parler de foutre*, v. 135) ; *trou* (*Sottes chansons contre amours*, 27, v. 24) ; *velous* (*Le Roman de Renart*, br. I, v. 102).

3. Cf. *batre la croupe* (*Le Roman de Renart*, br. I, v. 1054) ; *le crepon* (br. Ib, v. 3154) ; *besoingne* (*La Dame qui fit trois fois le tour de l'église*, v. 30) ; *croi(s)tre/croissir* (*Le Moine sacristain*, v. 321, et *Trubert*, v. 837) ; *entrer entre les jambes* (*Le Roman de Renart*, br. Ia, v. 1849) ; *estordre ma büee* (*Sottes chansons contre amours*, 3, v. 24) ; *estraindre* (*De Boivin de Provins*, v. 277) ; *fouler la vendange* (*Le Roman de Renart*, br. Ia, v. 1714) ; *garsoner* (*Le Roman de Renart*, br. VII, v. 486, et *Sottes chansons contre amours*, 3, v. 15) ; *metre el con le vit* (*La Demoiselle qui*

De surcroît, les nobles héros de la *fine amor* sont rabaissés, dénigrés, animalisés. Même si la situation adultérine perdure dans ces textes burlesques avec la reprise du schéma triangulaire comprenant le mari, la femme et son amant, la parodie consiste à modifier le statut des personnages traditionnels de l'amour courtois. L'aventure érotique ne se situe plus à la cour d'Arthur, mais dans une basse-cour ou dans une cour des miracles, peuplée de truands et de ribaudes. Tandis, que dans *Le Roman de Renart*, le goupil est l'amant d'une louve et d'une lionne, les protagonistes de la plupart des fabliaux sont d'une condition sociale modeste. Le mari n'est plus un puissant seigneur mais un *vilain* brutal ; l'amant n'est plus un vaillant chevalier mais un prêtre libidineux ; l'avenante suzeraine est par exemple transformée en une malmariée lascive, fille d'un simple vavasseur dans *Aloul* (**texte 47, p. 316**). Ailleurs il s'agit même d'une prostituée. Le fabliau *Du prêtre et d'Alison* de Guillaume le Normand en fournit un modèle pertinent : un religieux lubrique s'éprend d'une fillette de douze ans, nommée Marion. Il déclare sa flamme en termes fort courtois devant la mère de la jouvencelle avant de lui proposer d'acheter la vertu de sa fille. Celle-là accepte l'argent mais réussit à mettre dans le lit de l'ecclésiastique la prostituée Alison en lieu et place de la jeune Marion.

Dans la sotte chanson, le portrait physique et moral de la dame est souvent dévalorisant, avec un visage tout ridé, tantôt noir, tantôt plus rouge que « le dos d'une écrevisse cuite », une « petite bouche gercée » ou une grande gueule édentée, une peau aussi douce qu'un chardon, un corps poilu, « écailleux comme un rocher » ;

---

ne pouvait entendre parler de foutre, v. 204) ; *monter es arçons* (*Le Roman de Renart*, br. Ib, v. 3138) ; *poindre* (*De Boivin de Provins*, v. 278).

l'une est borgne, l'autre boiteuse, la troisième n'a qu'une oreille. La dame courtoise, resplendissante de beauté, s'est ainsi métamorphosée en une vieille mégère, laide, sale, insensée, acariâtre et lunatique. Cette caricature grotesque suscite d'une manière paradoxale et absurde la passion du poète (**texte 48, p. 318**). Un témoignage supplémentaire que l'amour rend aveugle et fou !

Les auteurs parodiant l'amour courtois ne s'attardent pas sur la naissance des tendres sentiments, ni sur les états d'âme des deux amants. Les attentes, les tergiversations, les réticences, les délais n'ont plus cours. Chez l'amoureux, la hardiesse, la violence et la ruse se sont substituées à la timidité, la douceur et la droiture. Animaux mâles et femelles, hommes et femmes, jeunes et vieux, laïcs et religieux, nobles et paysans, clercs, moines et prêtres, tous sont obsédés par le sexe. Ce qui importe avant tout à leurs yeux, c'est l'union charnelle, le plaisir corporel, la fête des sens. La dame sans merci se hâte désormais d'accorder ses faveurs tandis que l'orgueilleuse d'amour qui refusait *a priori* d'aimer par crainte de la mésalliance ou par peur d'être séduite puis abandonnée ne se montre plus dédaigneuse que par aversion pour des termes qu'elle juge trop grossiers. Tel est le cas de *La Demoiselle qui ne pouvait entendre parler de foutre* :

> *En iceste fable novele*
> *Nos conte d'une damoisele*
> *Qui mout par estoit orgoilleuse*
> *Et felonesse et desdaigneuse*
> *Que – par foi, je dirai tout outre –*
> *Ele n'oïst parler de foutre*
> *Ne de lecherie a nul fuer,*
> *Que ele n'aüst mal au cuer*
> *Et trop en faisoit male chiere.*

Dans ce nouveau récit
on nous parle d'une demoiselle

> particulièrement orgueilleuse,
> cruelle et dédaigneuse
> à tel point que – ma foi, j'irai jusqu'au bout –
> elle ne pouvait entendre parler de foutre
> ou de débauche, en aucune façon,
> sans avoir mal au cœur
> et montrer une mine très renfrognée [1].

Elle observe une stricte réserve non par vertu ni par respect de la moralité, mais par répulsion à l'égard des obscénités lexicales. C'est une simple question de vocabulaire qui empêche la prude demoiselle de s'adonner aux plaisirs érotiques. Il suffit que le jeune David, employant une métaphore filée, lui déclare que son poulain veut paître dans son pré à elle et s'abreuver à sa fontaine pour qu'elle cède à son désir.

Ainsi les personnages de la *fine amor*, caricaturés, dénigrés, ridiculisés, bestialisés, suscitent-ils le rire. Mais, au-delà du comique, la parodie dénonce les excès, les mensonges et les hypocrisies d'un code courtois derrière lequel se cachent les bas instincts des amants violeurs, pervers, débauchés et luxurieux, et des femmes infidèles, à la sexualité insatiable.

Le Roman de la rose de Jean de Meun : une somme sur l'amour et la vie

Jean de Meun continue l'œuvre inachevée de Guillaume de Lorris et mène la (con)quête de la rose jusqu'à son terme ; dans les derniers vers, l'amant rêve qu'il parvient enfin à la cueillir avant de se réveiller :

---

1. *La Damoisele qui ne pooit oïr parler de foutre*, in *Fabliaux érotiques*, éd. bilingue par L. Rossi et R. Straub, Le Livre de Poche, « Lettres gothiques », v. 1-9.

> *Par grant joliveté cueilli*
> *La fleur du biau rosier fueilli.*
> *Ainsint oi la rose vermeille.*
> *Atant fu jorz, et je m'esveille.*

> Je cueillis plein d'allégresse
> la fleur du beau rosier feuillu.
> C'est ainsi que j'eus la rose vermeille.
> Alors il fit jour et je me réveillai [1].

Toutefois son dessein est différent de celui de son prédécesseur, dont le premier *Roman de la rose* contenait tout l'art d'aimer selon le code courtois (v. 38) ; avec Jean de Meun, le récit allégorique se transforme en un « miroir des amoureux », une sorte d'encyclopédie, somme de savoirs sur l'amour, la vie et le monde :

> *Que trestuit cil qui ont a vivre*
> *Devroient apeler ce livre*
> Le miroer aus amoureus,
> *Tant i verront de biens pour eus.*

> Car toutes les générations futures
> devraient appeler ce livre
> *Le Miroir des amoureux,*
> tellement ils y verront de biens pour eux [2].

Ce livre érudit de près de 18 000 vers comporte de longs exposés, nourris de citations d'auteurs grecs (Aristote, Homère, Platon) et surtout latins (Cicéron, Horace, Juvénal, Lucain, Ovide, Sénèque, Tite-Live, Virgile),

---

1. *Le Roman de la rose*, éd. F. Lecoy, Honoré Champion, t. III, 1970, v. 21747-21750.
2. Jean de Meun, *Le Roman de la rose*, éd. bilingue par A. Strubel, Le Livre de Poche, « Lettres gothiques », v. 10653-10656.

d'exemples mythologiques (Adonis, Énée et Didon, Hercule, Jason et Médée, Jupiter, Mars, les Parques, Pygmalion, Samson et Dalila, Saturne, Thésée, Vénus et Vulcain), et historiques de personnages de l'Antiquité (Alexandre, Crésus, Lucrèce, Néron) ou d'une époque plus proche de l'écrivain (Abélard et Héloïse, Charles d'Anjou, Guillaume de Saint-Amour, Manfred), sur des sujets variés : l'âge d'or, la capricieuse déesse Fortune, le déterminisme et le libre arbitre, l'hypocrisie, la jalousie, les Ordres mendiants, la pauvreté, la vénalité, l'alchimie, l'astronomie, la météorologie, l'optique ; toutes ces thèses, parfois contradictoires, ces doctrines et ces digressions représentent en fait la culture scientifique et philosophique d'un clerc du XIIIᵉ siècle.

Les discours qui occupent presque les deux tiers du texte sont tenus par plusieurs personnifications, désireuses de dispenser des conseils et des mises en garde à l'Amant. C'est tout d'abord Raison qui l'invite à renoncer à l'amour, défini comme une « maladie de pensée » (v. 4374), une source de souffrances et de malheurs, un facteur d'instabilité exprimée par une série d'oxymores (**texte 49, p. 322**) ; elle lui expose aussi les différentes formes de l'amour : l'amitié, l'amour intéressé, l'amour de l'humanité ou la charité, l'amour naturel ; elle justifie l'acte sexuel qui permet la perpétuation de l'espèce, mais non le plaisir qui asservit. Lorsque l'Amant lui reproche d'avoir prononcé le mot grossier de « couilles », elle rétorque que les choses nommées sont nobles puisqu'il s'agit des organes de la procréation :

> « Car volentiers, non pas enviz,
> Mist Dieus en coilles et en viz
> Force de generacïon,
> Par merveilleuse entencïon,
> Pour l'espiece avoir touz jours vive
> Par renouvelance naÿve. »

« Car c'est de plein gré non pas à contrecœur,
que Dieu mit dans les couilles et les vits
la force de génération,
par une merveilleuse intention,
pour maintenir l'espèce toujours vivante
par un renouvellement naturel [1]. »

C'est ensuite Ami qui, avec pragmatisme, voire cynisme, décrit la stratégie amoureuse, l'art de séduire les femmes qu'il juge coquettes, volages et vénales ; pour les conquérir, il préconise ainsi le recours à la duplicité, au mensonge et à la corruption. Réconforté par ces recommandations, l'amoureux espère obtenir un succès rapide, mais, parce qu'il est désargenté, Richesse lui refuse l'accès du sentier convoité, menant au but recherché. Amour intervient alors : les barons qu'il a réunis afin d'assiéger le château de Jalousie le persuadent d'accepter l'aide de Faux Semblant. Ce dernier, après avoir lancé une violente diatribe contre les Ordres mendiants, se rend auprès de Malebouche et lui révèle sa culpabilité ; puis, profitant du moment où l'accusé se confesse, il l'étrangle et lui coupe la langue. L'ennemi d'Amour éliminé, la Vieille, geôlière de Bel Accueil, se laisse corrompre en acceptant les cadeaux offerts et devient la complice des assiégeants de la forteresse. Elle se charge alors de l'éducation sentimentale de son prisonnier et, en femme d'expérience, elle suggère aux jeunes filles plusieurs comportements à adopter pour séduire les hommes sans être dupées par eux. Il convient d'exploiter au mieux sa jeunesse et sa beauté, de s'adonner aux jeux de l'amour au plus tôt, de préserver sa liberté, d'user des artifices de la toilette et de mille ruses, de ne pas aimer un seul soupirant mais plusieurs en même temps, et de ne pas hésiter

---

1. *Ibid.*, v. 6961-6966.

à leur soutirer le plus d'argent possible. Condamnant le mariage contre nature, la Vieille prône l'amour libre et exalte le désir physique.

Cependant Amour et son armée pénètrent dans le château de Jalousie, où se déroule une âpre bataille. À l'instar des duels allégoriques opposant les vices et les vertus selon la tradition de la *Psychomachia*, le narrateur met l'accent sur plusieurs combats singuliers : Franchise contre Danger, Pitié contre Danger, Honte contre Pitié, Plaisir contre Honte, Bien Cacher contre Honte, Peur contre Bien Cacher, Courage contre Peur, Sûreté contre Peur. Comme les troupes d'Amour ont le dessous, le dieu sollicite le soutien de sa mère, Vénus, qui vole au secours des assaillants dans un char tiré par six colombes. Apparaît ensuite Nature, « la chambrière, le connétable et le vicaire de Dieu » (v. 16784-16786). En pleurs, elle se repent d'un acte qu'elle a commis et se confesse auprès de son prêtre Génius : elle expose le fonctionnement harmonieux de l'univers, mais regrette d'avoir créé l'homme, pervers et esclave de tous les vices. Génius absout Nature et lui enjoint de retourner dans sa forge et de continuer à y travailler comme auparavant. Puis il se dirige vers les barons d'Amour, auxquels il adresse la « définitive sentence » (v. 19508). Dénonçant les honteuses pratiques de la continence et de la sodomie, il les exhorte à aimer et à procréer :

> « *Arez, pour Dieu, baron, arez,*
> *Et vos lignages reparez !* »

> « Labourez, barons, au nom de Dieu, labourez,
> et restaurez vos lignages [1] ! »

Après avoir substitué au verger carré de Déduit, *locus amoenus* courtois, le parc rond de l'agneau, lieu paradisiaque à connotation chrétienne, il remplace le cristal de

---

1. *Ibid.*, v. 19705-19706.

la fontaine périlleuse de Narcisse par une escarboucle resplendissante dans une source d'eau claire qui guérit, et le pin, arbre funéraire, par un olivier, symbole d'éternité. Enfin il invite les barons à se conduire avec sagesse et loyauté, à honorer et servir Nature, et à goûter l'eau douce de la fontaine de ce jardin d'Éden.

Au terme de son sermon, Génius disparaît tandis que Vénus lance l'assaut final et incendie le château, provoquant la fuite et la déroute des assiégés. Tel un pèlerin s'approchant d'un reliquaire, l'Amant, muni d'une besace « de bonne facture » et d'« un bourdon raide et fort », emprunte l'étroit sentier qui le conduit à la Rose (**texte 50, p. 326**).

Le Roman de la rose de Jean de Meun est donc une œuvre protéiforme : didactique, morale, philosophique, théologique, scientifique et satirique (ainsi, alors que Faux Semblant se livre à une attaque virulente des Ordres mendiants, Ami, la Vieille et Génius brossent un portrait misogyne des perversions féminines). La continuation est aussi une remise en cause ironique de la vision idéalisée de l'amour courtois que proposait son devancier. En réalité, cet amour courtois était narcissique et illusoire. Comme l'écrit Armand Strubel, « l'amour n'est pas seulement une épreuve individuelle ou un rituel social, comme voudrait le faire croire le dieu chez Guillaume de Lorris, mais une force cosmique, le fondement de la permanence des êtres, l'instrument du triomphe de Nature sur la mort [1] ». Jean de Meun présente une apologie de l'acte sexuel et de la procréation, un hymne à l'amour libre, débarrassé des règles courtoises, de la morale conjugale et des préceptes religieux, uniquement préoccupé de régénérer l'espèce humaine.

---

1. *Ibid.*, Introduction, p. 25.

La guerre des sexes

On trouve déjà, dans plusieurs fabliaux, des récits de violentes disputes dans le couple. De surcroît, dans *Le Roman de la rose* de Jean de Meun, le mari jaloux, reprochant à sa femme sa vaine élégance, trop coûteuse à ses yeux, et sa fréquentation de ribauds séducteurs, menace de la frapper et parfois n'hésite pas à la rouer de coups[1]. Désormais, la guerre entre hommes et femmes s'intensifie ; elle peut même durer « pendant vingt ou trente ans, ou davantage[2] ». Cette hostilité réciproque des deux conjoints, source de conflits permanents, s'oppose pleinement à l'amour courtois, tendre et harmonieux, entre deux êtres qui s'estiment, se respectent et se comprennent à demi-mot, en totale connivence. Tandis que la *fin'amors* affirmait la toute-puissance et la supériorité de la dame, reconnues par son soupirant, alors que l'amour courtois soulignait l'égalité parfaite voulue par les deux amants, à présent chacun des partenaires veut commander à l'autre, et la question est de savoir qui va exercer le pouvoir. La guerre éclate parce qu'aucun des deux n'accepte de se soumettre à l'autorité de l'autre.

Mais, dans cette âpre bataille, la femme, lascive et perfide, finit toujours par remporter la victoire sur son benêt de mari. Bien que sa force physique lui confère au départ un certain ascendant sur son épouse, il se laisse abuser par les ruses de celle-ci. *Les Quinze Joies de mariage* illustre parfaitement la défaite progressive du mari. Accablé par les difficultés financières dues à la coquetterie de la dame, à ses caprices quand elle est enceinte, aux

---

1. *Ibid.*, v. 8459-8564 et 9365-9380.
2. « La neufviesme joye », in *Les Quinze Joies de mariage*, éd. J. Rychner, Genève, Droz, 1967, p. 72 ; trad. M. Santucci, Stock « Moyen Âge », 1986, p. 93.

dépenses nécessaires à la réception de ses amies après son accouchement, obligé, pour régler ses affaires, de s'absenter de la maison, soupçonneux et jaloux lorsqu'il y laisse sa femme, plus soucieux d'acquérir de l'argent que de s'adonner aux jeux érotiques, taillable et corvéable à merci, épuisé par les charges de son métier et les tâches domestiques, il devient impuissant, impotent, tombe sous la coupe de son épouse qui dirige tout et fait croire à l'entourage que son mari a perdu la raison. La guerre s'achève par l'anéantissement de celui-ci, placé sous tutelle et considéré comme gâteux. Bien que ses malheurs résultent aussi de l'indissolubilité du mariage et des contraintes sociales, il est en définitive aussi bien victime de sa bêtise et de son incapacité à réagir que de la fourberie et de l'infidélité de sa femme.

Le théâtre d'opérations privilégié par l'auteur de cette œuvre misogyne et surtout anti-matrimoniale est la chambre conjugale et le lit, dans la mesure où « chaque femme s'imagine (et elle le croit fermement) que son mari est le plus méchant de tous les hommes qui existent et qu'il est le moins expert dans le domaine secret des choses de l'amour [1] ». Tantôt la dame qui réserve ses charmes à son jeune galant se refuse à son époux **(texte 51, p. 328)** – elle feint devant lui la frigidité, ce qui rassure son conjoint trop niais pour deviner la sensualité et l'appétit sexuel de sa femme – ; tantôt, désireuse d'obtenir une nouvelle toilette, elle sait se montrer enjôleuse et profite du moment le plus opportun, celui du désir et du plaisir, pour réclamer une robe à son « doux seigneur ».

Dans cette guerre des sexes, la femme triomphe également parce qu'elle bénéficie de la solidarité de sa mère,

---

1. *Ibid.*, « La Septième Joie », p. 79.

de ses enfants, de ses domestiques, de ses amies, de ses voisines, voire de son confesseur ; l'homme, trop isolé et crédule, est vaincu, trompé, humilié, ridiculisé. Au demeurant, il ne peut rivaliser avec elle dans l'art de manier le langage, d'user, selon les circonstances, de flatteries, de mensonges, de faux serments ou du lexique des dévots. Ici elle feint la maladie pour ne pas préparer un dîner d'affaires important pour son conjoint ; là elle déclare que le mauvais état de santé du nouveau-né l'oblige à partir en pèlerinage, un long voyage au cours duquel elle retrouvera en fait son amant. Quand un ami du mari lui révèle l'inconduite de sa femme, elle retourne la situation en sa faveur en accusant le prétendu calomniateur de lui avoir fait des avances. Prise en flagrant délit d'adultère, elle favorise la fuite de son ami et se réfugie chez sa mère où elle clame son innocence et affirme que les accusations de son mari ne sont pas fondées. Soutenue par des amies complices qui jurent unanimement l'honnêteté de la dame, elle gagne encore la partie avant de se venger de son époux, responsable d'un pareil scandale [1].

Hors du mariage, la femme n'est pas moins dominatrice. Ainsi la dame des Belles Cousines, une jeune veuve de la maison de France, se charge-t-elle avec autorité de l'éducation chevaleresque, courtoise et sentimentale de l'un des pages du roi, Jehan de Saintré. Désireuse de faire de lui un chevalier parfait, un nouveau Lancelot, elle lui enseigne les bonnes manières, les péchés à fuir, les vertus à acquérir, la foi chrétienne. Toutes ses prescriptions commencent par cette formule impérieuse : *Encores vueil et vous commande que* (« En outre je veux et vous

---

1. Ce paragraphe reprend les exemples narrés dans la sixième, la septième, la huitième et la quinzième joies.

ordonne que [1]… ») C'est elle aussi qui l'incite à lancer et relever des défis, à participer à des pas d'armes, à des joutes, à la croisade de Prusse contre les Sarrasins pour s'y couvrir de gloire. Jehan de Saintré doit se contenter d'obéir et de suivre le parcours guerrier qu'elle a programmé pour lui. Si, à l'instar de Pygmalion amoureux de la statue qu'il a créée, elle s'éprend du jeune homme qu'elle a façonné patiemment, cette maîtresse tyrannique n'admet pas que son disciple s'émancipe et prenne l'initiative de se rendre, sans son accord, à la cour de l'empereur d'Allemagne pour y accomplir de nouveaux exploits. Elle rompt immédiatement avec le héros éponyme et se laisse séduire peu après par un abbé lubrique [2]. Lors d'un dîner, ce dernier se moque des vantardises des guerriers et, devant les protestations de Jehan, il lui propose de lutter contre lui. Sous les regards amusés de son ancienne protectrice, le chevalier subit l'affront d'être renversé deux fois (**texte 52, p. 332**), mais il se venge de cette humiliation en obligeant l'abbé à un combat en armes au cours duquel il lui tranche la langue avant de dévoiler publiquement la liaison de celui-ci avec la dame des Belles Cousines.

Jehan de Saintré « est bien le tombeau de l'amour courtois [3] ». Antoine de la Sale y brosse en effet un tableau souvent ironique d'une société aristocratique restant attaché à un idéal désuet, à une chevalerie dépassée et futile, à un rituel raffiné qui lui sert de masque pour

---

1. Antoine de la Sale, *Jehan de Saintré*, éd. M. Eusebi, Honoré Champion, 1993, t. I, p. 67-85.

2. L'amour de la dame et du religieux est, selon le protagoniste, démesuré : « *tant se entramerent que ce fust trop* » (*ibid.*, t. II, p. 446).

3. Antoine de la Sale, Introduction *Jehan de Saintré*, éd. J. Blanchard, trad. M. Quereuil, Le Livre de Poche, « Lettres gothiques », 1995, p. 11.

cacher sa vraie nature. L'élégante dame des Belles Cousines n'est en définitive qu'une femme manipulatrice d'un
pantin, aussi dévergondée que les « gourgandines »
décrites dans les fabliaux.

La femme l'emporte donc sur l'homme par sa rouerie,
son hypocrisie et son habileté à se jouer de la morale.
Ainsi la femme adultère de l'une des *Cent Nouvelles nouvelles* refuse-t-elle catégoriquement que son amant, à qui
elle accorde ses faveurs, l'embrasse, parce que c'est par
la bouche qu'elle a promis fidélité à son mari, comme si
elle privilégiait l'organe du message plutôt que son
contenu (**texte 53, p. 338**).

En somme, le bel amour courtois dépeint et vanté par
les premiers poètes et romanciers des XIIᵉ et XIIIᵉ siècles
est progressivement dévalorisé par des auteurs désen-
chantés, pessimistes, caustiques ou simplement lucides
qui confrontent, sur le mode humoristique, burlesque ou
didactique, cet idéal archaïque aux réalités du temps, du
monde et des êtres.

44. *Le Roman de la rose ou de Guillaume de Dole*

JEAN RENART

V. 3159-3199

    Cil qui portoit un escucel
3160 Des armes Keu le seneschal•
    En son escu bouclé d'archal
    En ot erroment grant envie.
    Il fu toz les jors de sa vie
    Assez plus fel que ne fu Keus.
3165 Il estoit adés ovoec eus
    Por engignier• et por deçoivre•,
    Savoir s'il peüst aperçoivre
    Por qu'il i a si grant amor.
    Tant les a escouté le jor
3170 Que cil parla de sa seror
    Et qu'il oï l'empereor
    Qui li ora• bone aventure
    Et si li chanja la ceinture
    A une qui soe ot esté.
3175 Que qu'il sont amdui acosté
    As fenestres vers un vergier
    Ou il oient aprés mengier
    Des oisillons les chans divers,
    L'emperere en fist lués cez vers :

44. *Le Roman de la rose ou de Guillaume de Dole*

LE SÉNÉCHAL PERCE LE SECRET DE L'AMOUR COURTOIS

Celui qui portait un écusson
3160 aux armes de Keu, le sénéchal,
sur son bouclier à bosse de laiton
devint rapidement fort jaloux de Guillaume.
Tout au long de sa vie, il fut
beaucoup plus fourbe que ne le fut Keu.
3165 Il était toujours avec eux
pour les tromper et les abuser,
cherchant à découvrir
la raison de leur profonde amitié.
Il les épia en cette journée tant et si bien
3170 que Guillaume parla de sa sœur
et qu'il entendit l'empereur
lui souhaiter bonne chance
avant d'échanger la ceinture de son compagnon
contre une qui lui avait appartenu.
3175 Tandis qu'appuyés tous deux
à une fenêtre ouvrant sur un verger,
ils écoutaient, après le repas,
les chants variés des oisillons,
l'empereur improvisa ces couplets :

3180 *Quant de la foelle espoissent li vergier,*
Que l'erbe est vert et la rose espanie,
Et au matin oi le chant conmencier
Dou roissignol qui par le bois s'escrie,
Lors ne me sai vers Amors conseillier,
3185 *Car onques n'oi d'autre richece envie,*
Fors que d'amors,
Ne riens [fors li] ne m'en puet fere aïe.

Ja fine amors ne sera sanz torment,
Que losengier en ont corrouz et ire.
3190 *Ne ge ne puis servir a son talent,*
Qu'ele me voelle a son servise eslire.
Je soufferai les faus diz de la gent
Qui n'ont pooir, sanz plus, fors de mesdire
De bone amor,
3195 *Ne riens fors li ne me puet geter d'ire•.*

Cez .II. vers li fist pechiez dire,
Qu'il en orent puis grant anui.
Li maus en revint par celui
Qui l'ot porchacié et porquis.

45. *La Belle Dame sans mercy*

ALAIN CHARTIER

V. 233-304

La Dame
XXX

« Il a grant fain de vivre en deul
Et fait de son cueur lache garde,
235 Qui, contre ung tout seul regart d'eul,

3180 *Quand les vergers se couvrent de feuillages,*
que l'herbe est verte et la rose épanouie,
quand au matin j'entends monter le chant
du rossignol qui au bois s'égosille,
alors je ne sais quel parti prendre envers Amour,
3185 *car jamais je n'eus envie d'autre richesse*
sinon d'amour,
et seule, ma dame peut me porter secours.

Un parfait amour ne sera jamais sans peine,
car les médisants en sont irrités et fâchés.
3190 *Je ne puis servir ma dame à son gré, en sorte*
qu'elle me choisisse comme chevalier servant.
J'endurerai les mensonges des gens
uniquement capables de calomnier
l'amour vrai,
3195 *et seule, ma dame, peut soulager ma douleur.*

C'est la malchance qui l'incita à chanter ces deux
    couplets,
car ils en eurent ensuite de grands tourments.
Ce malheur arriva par la faute de celui
qui l'avait recherché et provoqué.

45. *La Belle Dame sans mercy*

L'AMANT COURTOIS ÉCONDUIT À JAMAIS

La Dame
XXX

« Il a grande envie de vivre dans l'affliction
et se montre un faible gardien de son cœur
235 celui qui, pour un simple coup d'œil,

Sa paix et sa joye ne garde.
Se moy ou aultre vous regarde,
Les yeux sont faiz pour regarder.
Je n'y pren point aultrement garde :
240 Qui y sent mal s'en doibt garder.

L'Amant
XXXI

– S'aucun blesce aultry d'avanture
Par coulpe de celuy qu'i blesce,
Quoy qu'il n'en peust maiz par droicture•,
Si en a il dueil et tristresse.
245 Et puis que Fortune• ou Rudesse
Ne m'ont mie fait ce mehaing,
Maiz vostre tresbelle jennesse,
Pour quoy l'avez vous en desdaing ?

La Dame
XXXII

– Contre vous desdaing n'actaÿnne
250 N'eux onques ne ne veul avoir,
Ne trop grant amour ne haÿnne,
Ne vostre priveté savoir.
Se Cuider vous fait percevoir
Que poy de chose doibt trop plaire,
255 Et vous vous voulés decepvoir,
Ce ne veul je pas pour tant faire.

L'Amant
XXXIII

– Qui que m'ait le mal pourchassé,
Cuider ne m'a point deceü ;
Maiz Amours m'a si bien chassé
260 Que je suis en vos lacz cheü.

renonce à sa paix et à sa joie.
Si moi ou une autre vous regarde, peu importe,
les yeux sont faits pour regarder.
Je n'y fais pas autrement attention :
240 Qui en souffre doit prendre garde.

L'Amant
XXXI

– Si par hasard quelqu'un blesse un autre,
par la faute de celui qu'il a blessé,
bien qu'il n'y puisse légitimement rien,
cependant il en éprouve chagrin et tristesse.
245 Et dès lors que ni Fortune ni Rudesse
ne m'ont fait cette blessure,
mais votre très belle jeunesse,
pourquoi la méprisez-vous ?

La Dame
XXXII

– Je n'ai jamais ressenti ni mépris ni colère
250 envers vous, et je ne veux pas en ressentir,
pas plus qu'un amour ou une haine excessifs,
ni ne désire connaître votre vie intime.
Si Présomption vous fait comprendre
que ce peu d'attention doit procurer un grand plaisir,
255 et que vous voulez ainsi vous tromper,
pour autant, moi, je ne veux pas le faire.

L'Amant
XXXIII

– Qui que ce soit qui m'ait causé du mal,
Présomption ne m'a point trompé,
mais plutôt Amour qui m'a si bien poursuivi
260 que je suis tombé dans vos filets.

Et puis qu'ainsy m'est escheü
D'estre en mercy entre vos mains,
S'il m'est au chëoir mescheü,
Qui plus tost meurt en languist mains.

La Dame
XXXIV

265 – Si gracïeuse maladie
Ne met gueres de gens a mort,
Maiz il chiet bien que l'en le die
Pour plus tost actraire confort.
Tel se plaint et guermente fort
270 Qui n'a pas les plus aspres deulz ;
Et s'Amours grefve tant, au fort,
Mieulx en vault ung dolent que deulx.

L'Amant
XXXV

– Helas ! ma dame, il vault trop mieulx,
Pour courtoisie et bonté faire,
275 D'ung dolent faire deulx joyeux
Que le dolent du tout deffaire.
Je n'ay desir në aultre affaire
Fors que mon service vous plaise
Pour eschangier, sans rien meffaire,
280 Deulx plaisirs en lieu d'ung mesaise.

La Dame
XXXVI

– D'amours ne quier courroux ne aysance,
Ne grant espoir ne grant desir,
Et si n'ay de vos maulx plaisance
Ne regret a vostre plaisir.

Et puisqu'il m'est ainsi échu
d'être à votre merci et entre vos mains,
s'il m'arrive malheur dans ma chute,
qui meurt plus vite en languit moins.

La Dame
XXXIV

265 – Une maladie aussi charmante
ne met guère de gens à mort,
mais il est opportun d'en parler
pour être plus vite réconforté.
Tel se plaint et se lamente beaucoup
270 qui n'éprouve pas les plus graves douleurs ;
et en fin de compte si Amour tourmente autant,
mieux vaut un malheureux que deux.

L'Amant
XXXV

– Hélas ! ma dame, il vaut bien mieux encore,
pour agir avec courtoisie et bonté,
275 faire d'un seul malheureux deux êtres joyeux,
que détruire complètement le malheureux.
Mon seul désir et mon seul souci,
c'est que mon service vous plaise
afin de substituer, sans le moindre méfait,
280 deux plaisirs à un tourment.

La Dame
XXXVI

– Je ne cherche ni l'affliction ni le plaisir de l'amour,
ni de grands espoirs ni d'ardents désirs ;
je ne me réjouis pas de vos malheurs,
ni ne déplore votre plaisir.

285 Choisisse qui vouldra choisir :
    Je suis france et france veul estre,
    Sans moy de mon cueur dessaisir
    Pour en faire un aultre le maistre.

L'Amant
XXXVII

    – Amours qui joye et deul depart
290 Mist les dames hors de servage,
    Et leur ordonna pour leur part
    Maistrisë et franc segnourage.
    Les servans n'y ont avantage
    Fors tant seulement leur pourchas ;
295 Et qui fait une fois l'ommage,
    Bien chier en coustent les rachas.

La Dame
XXXVIII

    – Dames ne sont pas si lourdes,
    Si mal entendans ne si folles
    Que, pour un poy de plaisans bourdes•
300 Confites en belles parolles,
    Dont vous aultres tenés escoles
    Pour leur faire croirre merveilles,
    Elles changent si tost leurs colles :
    A beau parler closes oreilles. »

285 À chacun son choix :
Je suis libre et veux rester libre,
sans me dessaisir de mon cœur
pour qu'un autre en devienne le maître.

L'Amant
XXXVII

– Amour qui distribue joie et douleur
290 a sorti les dames de la servitude
et leur a donné en partage
souveraineté et plein pouvoir.
Ceux qui les servent n'y ont pas d'autre avantage
que de continuer leur quête ;
295 et qui rend une fois hommage,
en paye bien cher la rançon.

La Dame
XXXVIII

– Les dames ne sont pas si balourdes,
si inconscientes ni si folles,
que, pour quelques plaisants mensonges
300 enrobés de belles paroles,
dont vous et vos semblables dispensez l'enseignement
pour leur faire croire monts et merveilles,
elles changent aussitôt leur humeur :
Aux beaux discours il faut se boucher les oreilles. »

46. *Le Roman de Renart*

Ia – LE SIÈGE DE MAUPERTUIS

V. 1829-1866

Un soir estoient travoillié
1830 Et d'essaillir mout annoié ;
Chascuns dormi seürement
En sa loge priveement.
Et la roiene estoit irie
Et vers le roi mout corociee :
1835 Couchiee estoit a une part.
Atant es vois° issu° Renart
De son chastel seürement ;
Voit les dormir serreement ;
Chascuns gesoit delé un chaine
1840 Ou delez fou ou delez fresne.
Renart a bien chascun lïé
Ou par le poing ou par le pié ;
Mout par a fait gran deablie :
A chascun abre le suen lie,
1845 Neïs le roi par mi la qeue :
Grant mervoille est s'il la desneue.
Aprés s'en va par la roïne
La ou ele gesoit souvine ;
Entre les ganbes li entra.
1850 Ele de lui ne se garda,
Einz quidoit que ce fust le ber°
Qu'a lui se vosist acorder.
Or poez oïr grant mervaille :
Cil la foutoit, ele s'esvaille ;
1855 Qant sot que Renart l'ot traïe,

46. *Le Roman de Renart*

LE VIOL DE LA REINE

Un soir, les assiégeants étaient épuisés
1830 et excédés de tous ces assauts ;
chacun dormit tranquillement
dans sa tente particulière.
La reine était fâchée
et furieuse contre le roi :
1835 elle s'était couchée à l'écart.
Alors voici que Renart est sorti
de son château en toute confiance ;
il voit les assiégeants dormir en rangs serrés,
tous étendus près d'un chêne,
1840 d'un hêtre ou d'un frêne.
Renart a solidement attaché chacun
par le poing ou par le pied ;
quel tour diabolique il leur a joué !
À chaque arbre il attache son dormeur,
1845 et même le roi, par la queue :
ce sera un vrai miracle s'il parvient à la dénouer.
Ensuite il se dirigea vers l'endroit où la reine
était couchée sur le dos ;
il se glissa entre ses jambes.
1850 Loin de se méfier de lui,
elle crut que c'était son mari
qui voulait se réconcilier avec elle.
Vous allez maintenant entendre une histoire
    extraordinaire :
pendant que Renart la besognait, elle s'éveilla ;
1855 quand elle se rendit compte que Renart l'avait
    prise en traître,

Si s'escrïa come esbahie,
Et ja estoit l'abe crevee
Et jor et grant la matinee.
Por le cri sont tuit estormi
1860 Cil qui estoient endormi ;
De Renart le rous s'esbahirent,
Qant avec lor dame le virent,
Et, por ce que il la foutoit,
Sachiez que pas ne lor plaisoit.
1865 S'escrïent tuit : « Levez, levez,
Et prejujié larron praiez ! »

47. *Aloul*

V. 35-65

35 Ne puet dormir ne jor ne nuit,
Moult het Aloul et son deduit,
Ne scet que face, ne coment
Ele ait pris d'Aloul vengement,
Qui le mescroit a si grant tort ;
40 Peu repose la dame et dort.
Longuement fu en cel escil,
Tant que li douz mois fu d'avril,
Que li tens est souez et douz
Vers toute gent et amorouz.
45 Li rousingnols la matinee
Chante si cler par la ramee
Que toute riens se muert d'amer.
La dame s'est prise a lever
Qui longuement avoit veillié.
50 Entree en est en son vergié ;

elle poussa un cri, stupéfaite.
L'aube s'était déjà levée,
le jour avait paru et la matinée était bien avancée.
Le cri a réveillé en sursaut tous
1860 ceux qui étaient endormis ;
ils sont frappés de stupeur en voyant ce rouquin de
    Renart
en compagnie de leur souveraine,
et soyez sûrs que son accouplement avec elle
leur déplaisait.
1865 Tous hurlent : « Debout, debout,
et saisissez-vous de ce brigand avéré ! »

47. *Aloul*

UN RENDEZ-VOUS GALANT

35 La dame ne peut dormir ni le jour ni la nuit,
elle exècre Aloul et son plaisir,
elle ne sait que faire, ni comment
se venger de son mari
qui a grand tort de la soupçonner ;
40 la dame se repose et dort peu.
Elle resta longtemps dans ce tourment,
jusqu'au doux mois d'avril
où le temps est agréable et doux
envers chacun et propice à l'amour.
45 Le matin, le rossignol
chante d'un timbre si clair dans la forêt
que toute créature se meurt d'amour.
La dame s'est levée
après une longue veille.
50 Elle est entrée dans son verger

Nus piez en va par la rousee.
D'une pelice ert afublee,
Et un grant mantel ot deseure.
Et li prestres en icele eure
55 Estoit levez par un matin ;
Il erent si tres pres voisin
Entr'aus .II. n'avoit c'une essele•.
Moult ert la matinee bele,
Douz et souez estoit li tens.
60 Et li prestres entra leenz
Et voit la dame au cors bien fet.
Et bien sachiez que moult li plest,
Quar volentiers fiert de la crupe• ;
Ainz i metroit toute sa jupe•,
65 Que il n'en face son talent.

48. *Sotte chanson*

3 – AMORS GRACI DE SON JOLI PRESANT

I

Amors graci de son joli presant,
C'amer me fait, mal grei ke ju en aie,
Une dame ke n'ait en goule dant :
C'est bien raisons ke por s'amor m'essaie
5 De faire un chant ke soit mal gracïous.
Nuns ne la voit ne soit de li jallous.
Moult est plaixans ; toz jors la goule bee.
Con buer• fut neis c'an puet avoir danree• !

et a marché pieds nus sur la rosée.
Elle était vêtue d'une tunique fourrée
et par-dessus d'un grand manteau.
À cet instant le prêtre
55 s'était levé de bon matin ;
ils étaient si proches voisins
qu'il n'y avait entre eux deux qu'une palissade.
La matinée était splendide,
le temps doux et agréable.
60 Le prêtre est entré dans le verger
et il voit la dame au corps bien fait.
Soyez assurés qu'elle lui plaît beaucoup,
car il fait volontiers l'amour ;
il enlèverait son froc
65 avant de jouir d'elle.

48. *Sotte chanson*

UNE DAME GROTESQUE

I

Je remercie Amour pour son agréable présent
qui me fait aimer, malgré que j'en aie,
une dame qui n'a plus une dent dans la gueule :
il est raisonnable que, au nom de son amour, je
m'essaie
5 à composer une chanson disgracieuse.
Nul ne la voit sans avoir envie d'elle.
Elle est charmante, toujours la gueule grand-ouverte.
Il est né sous une bonne étoile celui qui peut en
avoir un morceau !

II

Lais ! c'an puis je s'a li servir me rant ?
10 Car sa biauteit me fait sovant wanaie,
Et s'elle rit, bien samble fuer dou sant.
Je proi a Deu ke ja nuns s'amor n'aie
Se il n'est dont ou borgnes ou tignous,
Ou ke il soit plus poulus ke un lous.
15 Ne doit pas estre teil dame garsonee•,
Ke plus l'ainme et plus ait malle jornee.

III

De li amer nuns jor ne m'an repant,
Tant la desir… Jai Deus ne dont je l'aie !
Moult ait bel non : c'est ma dame Hersant•.
20 Mon cuer li don dou tot an sa manaie.
Can je la proi, durement suis pitous.
Et elle dit : « J'ain moult millor de vous :
Nostre bergier c'ait la teste plumee•,
Ke l'autre soir m'estordit ma büee•. »

IV

25 C'est sans mantir, de rire n'ai talant
Can je la voi ke elle ensi m'abaie.
Trop mi deplait can voi son maltalant ;
Tel duel en ai j'an dexire ma braie.
De li ameir suis formant perisous.
30 J'ai droit por ceu ke n'an soie cous !
Je croi plus ait de cent ans ne fut nee.
C'a droit la voit, bien samble forcenee.

II

Hélas ! qu'y puis-je si je me voue à son service ?
10 Car sa beauté me procure souvent du profit,
et quand elle rit, elle a bien l'air d'une insensée.
Je prie Dieu que jamais nul n'ait son amour
à moins qu'il n'en devienne ou borgne ou teigneux,
ou qu'il ne soit plus poilu qu'un loup.
15 Une telle dame ne doit pas être tringlée,
qui l'aime le plus souffre le plus.

III

Je ne me repens jamais de l'aimer,
tant je la désire… Que Dieu ne m'accorde jamais
de la posséder !
Elle a un nom magnifique : c'est ma dame Hersent.
20 Je confie mon cœur entièrement sous sa protection.
Quand je la sollicite, je fais vraiment pitié.
Elle déclare : « J'aime quelqu'un bien meilleur que
vous :
notre berger, au crâne déplumé,
qui l'autre soir a essoré mon linge. »

IV

25 Sans mentir, je n'ai aucune envie de rire
quand je la vois ainsi aboyer contre moi.
Il me déplaît fort de voir sa mauvaise humeur ;
j'en éprouve un tel chagrin que j'en déchire mon
caleçon.
Je suis fort paresseux pour l'aimer.
30 J'ai raison : cela m'évite d'être cocu !
Je crois qu'elle est née il y a plus de cent ans.
Pour qui la voit opportunément elle a l'air d'une
forcenée.

V

Dame, mercit ! je vos ain si forment
Por vos ne sant poinne, dolor ne plaie.
35 Vostre amor m'ait si bruleit ardanment
Xadeit an ai lou poil de ma flasaie.
D'amer si hat suis je trop outrajous.
C'a main vos voit, lou soir an ait la tous,
Car trop aveis la faice ridolee.
40 Mestier avriés c'adés fuxiés ferdee.

49. *Le Roman de la rose*

JEAN DE MEUN

V. 4290-4337

4290 « Amours ce est pais hayneuse,
Amours est hayne amoreuse,
C'est loiautez la desloiaus,
Ce est desloiautez loiaus,
C'est paours toute asseüree,
4295 C'est esperance desesperee,
C'est raisons toute forsenable,
C'est forsenerie• raisnable,
C'est douz periz a soi noier,
Grief fais legier a palmoier,
4300 C'est Caripdis• la perilleuse,
Desagreable et gracïeuse,
C'est langors toute santeïve,
C'est santez toute maladive,
C'est fain saoule en abondance,
4305 C'est convoiteuse souffisance,

V

Dame, pitié ! je vous aime si intensément
que je ne ressens grâce à vous peine, douleur ni
    blessure.
35 Votre amour m'a brûlé si ardemment
que j'en ai échaudé le poil de ma couverture.
Je suis fort présomptueux d'aimer si haut.
Qui vous voit le matin, en tousse encore le soir,
car vous avez le visage particulièrement ridé.
40 Vous auriez besoin d'être toujours fardée.

49. *Le Roman de la rose*

LES VICISSITUDES
DU SENTIMENT AMOUREUX

4290 « L'amour, c'est une paix haineuse,
l'amour, c'est une haine amoureuse,
c'est une loyauté déloyale,
c'est une déloyauté loyale,
c'est une peur pleine d'assurance,
4295 c'est une espérance désespérée,
c'est la raison pleine de folie,
c'est la folie raisonnable,
c'est le doux péril de se noyer,
un lourd fardeau, léger à manier,
4300 c'est la redoutable Charybde,
désagréable et attirante,
c'est une langueur pleine de santé,
c'est une santé toute maladive,
c'est une faim repue dans l'abondance,
4305 c'est un contentement plein de convoitise,

C'est la soif qui touz jors est yvre,
Yvrece qui de soif s'enyvre,
C'est faus deliz, c'est tristour lie,
C'est leece la corroucie,
4310 Douz maus, douceur maliciëuse,
Douce savor mal savoreuse,
Entechiez de pardon pechiez,
De pechiez pardons entechiez ;
C'est paine qui trop est joieuse,
4315 C'est felonnie• la piteuse,
C'est li geus qui n'est pas estables,
Estaz trop forz et trop muables,
Force enferme, enfermeté fors,
Qui tout esmuet• par ses esforz,
4320 C'est fous sens, c'est sage folie,
Prosperitez triste et jolie,
C'est ris plains de plors et de lermes,
Repous travaillanz en touz termes,
Ce est enfers li doucereus,
4325 C'est paradis li doulereus,
Chartre qui prisonniers solage,
Printans plains de froit yvernage,
C'est teigne qui riens ne refuse,
Les pourpres• et les buriaus• use,
4330 Car ausi bien sont amoretes
Souz buriaus comme souz brunetes,
Car nus n'est de si haut lignage
Ne nul ne treuve l'en si sage
Ne de force tant esprouvé
4335 Ne si hardi n'a l'en trouvé
Ne qui tant ait d'autres bontez
Qui par Amours ne soit dontez. »

c'est la soif qui est toujours ivre,
une ivresse qui s'enivre de soif,
c'est un plaisir trompeur, c'est une tristesse joyeuse,
c'est une allégresse affligée,
4310 un doux mal, une douceur mauvaise,
une douce saveur au goût désagréable,
un péché marqué de pardon,
un pardon entaché de péché ;
c'est une peine très joyeuse,
4315 c'est une cruauté miséricordieuse,
c'est le jeu dépourvu de règles stables,
un état très fort et très changeant,
une force faible, une faiblesse forte,
qui remue tout par ses efforts,
4320 c'est folle sagesse, c'est sage folie,
prospérité triste et gaie,
c'est un rire plein de pleurs et de larmes,
un repos où l'on peine en tous temps,
c'est un enfer de douceur
4325 c'est un paradis de douleur,
une geôle qui soulage les prisonniers,
un printemps plein de froidure hivernale,
c'est la teigne qui ne refuse rien,
qui ronge les étoffes et les bures,
4330 car les amourettes se trouvent aussi bien
sous les bures que sous les tissus de qualité,
car personne n'est de si haut lignage
et l'on ne trouve personne de si sage
ni de force si éprouvée,
4335 et l'on n'a trouvé personne de si hardi
ou si bien pourvu d'autres qualités
qui ne soit dompté par Amour. »

50. *Le Roman de la rose*

JEAN DE MEUN

V. 21623-21663

    Se bohourder• m'i veïssiez,
    Pour coi bien garde i preïssiez,
21625 D'Ercules vous peüst membrer
    Quant il vost Cacus• desmembrer !
    .III. foiz a sa porte assailli,
    .III. foiz hurta, .III. foiz failli,
    .III. foiz s'assist en la valee
21630 Touz las, pour ravoir s'alenee,
    Tant ot souffert paine et travaill.
    Et je qui ci tant me travaill
    Que trestouz en tressu d'angoisse
    Quant ce paliz tantost ne froisse,
21635 Sui bien, ce cuit, autant lassez
    Com Hercules ou plus assez.
    Tant ai hurté que toute voie
    M'aperçui d'une estroite voie
    Par ou bien puis outre passer,
21640 Mais le paliz m'estuet quasser.
    Par la sentele que j'ai dite,
    Qui tant ert estroite et petite,
    Par ou le passage quis ai,
    Le paliz au bourdon• brisai ;
21645 Sui moi dedenz l'archiere mis,
    Mais je n'i entrai pas demis.
    Pesoit moi que plus n'i entroie,
    Mais outre pooir ne pooie.
    Mais pour riens nule ne laissasse
21650 Que le bourdon tout n'i passasse.

50. *Le Roman de la rose*

LA DÉFLORATION DE LA ROSE

Si vous m'aviez vu jouter là,
pour peu que vous y eussiez bien fait attention,
21625 vous auriez pu vous souvenir d'Hercule
quand il voulait mettre Cacus en pièces !
Trois fois il attaqua sa porte,
trois fois il y heurta, trois fois il échoua,
trois fois il s'assit dans la vallée,
21630 épuisé pour reprendre son souffle,
tant il avait souffert de peines et de tourments.
Et moi qui m'acharne ici à tel point
que je suis tout trempé de sueur à cause de
    l'anxiété
de ne pouvoir briser aussitôt cette palissade,
21635 je suis bien, à mon avis, aussi fatigué
qu'Hercule ou bien plus encore.
À force de heurter j'ai fini toutefois
par apercevoir une voie étroite
par où je puis bien passer au-delà,
21640 mais il me faut casser la palissade.
Par le sentier que j'ai mentionné,
qui était si étroit et petit,
et par lequel j'ai cherché le passage,
je brisai la palissade avec le bourdon ;
21645 je m'introduisis dans la meurtrière,
mais je n'y entrai pas à moitié.
Cela me contrariait de ne pas y entrer davantage,
mais je ne pouvais aller plus loin.
Pourtant, pour rien au monde je n'aurais renoncé
21650 à faire passer le bourdon en entier.

Outre l'ai passé sanz demeure,
Mais l'escharpe• dehors demeure
O les martelez rebillanz
Qui dehors erent pendillanz.
21655 Et si m'en mis en grant destroit,
Tant trouvai le passage estroit,
Car largement ne fu ce pas
Que je trespassasse le pas.
Et se bien l'estre du pas sé,
21660 Nus n'i avoit onques passé,
Car g'i passai touz li premiers,
N'encor n'ert coustumiers
Li lieus de recevoir paiage.

51. *Les Quinze Joies de mariage*

LA CINQUIÈME JOIE

Auxi sachez que la dame qui a son amy a sa plaisance,
par neccessité et deffault d'aultre en prent aucuneffois
pour passer sa soif et pour passer temps. Et pour ce,
quant son mari s'i veult prendre et elle ne le veult pas, el
5 lui dit : « Pour Dieu, fait el, lessés moy ester• et actendez
devers le matin.

– Certes, m'amie, non feroy ; tournez vous devers moy.

– Par Dieu, mon amy, vous me faites grant plesir si
vous me lessés ester jusques a matin. »

10 Lors se tourne le bon homme•, qui ne lui ouse des-
plaire, et la lesse jusques au matin.

Lors la dame, qui pense a son ami et a entencion de
le veoir le lendemain, dit a soy mesmes qu'il n'y touchera

Je l'ai passé au-delà sans retard,
mais la besace est restée dehors
avec les petits marteaux qui frappent sans cesse
et pendillent à l'extérieur.
21655 Et je me donnai du mal,
tant je trouvai le passage étroit,
car il n'était pas large
au point que je pusse le franchir.
Et si je connais bien la nature du passage,
21660 personne n'y avait jamais passé,
car je fus le tout premier à le faire,
et l'endroit n'était pas encore coutumier
de recevoir des péages.

51. *Les Quinze Joies de mariage*

LA DUPLICITÉ FÉMININE

Sachez aussi que la dame qui a un ami à son goût
prend quelquefois un second amant, afin d'étancher sa
soif et passer le temps, lorsque le premier est contraint
de s'absenter. Et dans ces conditions, quand son mari
5 veut la prendre mais qu'elle ne le veut pas, elle lui dit :
« Par Dieu, laissez-moi tranquille et attendez demain
matin.

— Non, m'amie, je n'attendrai pas ; tournez-vous vers
moi.

10 — Par Dieu, mon ami, faites-moi grand plaisir en me
laissant tranquille jusqu'à demain matin. »

Alors le brave homme qui n'ose pas lui déplaire se
retourne et la laisse jusqu'au matin.

Cependant la dame, qui pense à son ami et a l'inten-
15 tion de le voir le jour suivant, se dit que son mari ne la

pas au matin, et pour ce se lieve bien matin et fait sem-
15 blant d'estre bonne mesnagere, et le lesse dormant. Et a
l'aventure el a bien veu son amy et a fait ses plaisirs
davant que son mari lieve, et aprés elle fait trop bien le
menage. Aucuneffoiz avient que elle ne se lieve point,
mes, davant le jour, el se plaint et mignote tout a escient
20 et d'aguet•, et le bon homme, qui l'a ouye, lui demande :
« Qu'avez vous, m'amye ?

– Vroiement, mon amy, j'ay si grant mal en ung cousté
et ou ventre que c'est merveilles ; je croy bien que c'est
le mal que j'ay acoustumé a avoir.

25 – M'amie, fait il, tournez vous devers moy.

– Par Dieu, mon amy, fait el, je suy si chaude que c'est
merveilles et ne peu ennuyt dormir. »

Lors le bon homme l'accolle et trouve que elle est bien
chaude et il dit : « Voir ! » Mes c'est d'aultre maladie
30 qu'el ne dit et qu'il ne cuide, quar el a par aventure songié
que elle estoit avecques son amy et pour ce sue bien fort.
Le bon homme la couvre bien, que le vent n'y entre, pour
lui faire boire sa sueur, et luy dit : « M'amie, gardés bien
vostre sueur et je feroy bien faire la besongne•. » Lors le
35 bon homme se lieve sans feu, a l'aventure, sans chandelle.
Et quant il est temps que elle lieve, il lui fait faire du feu,
et la dame dort a son aise et s'en rit tout par elle.

touchera pas non plus le lendemain matin ; pour cette raison elle se lève très tôt et fait mine de s'occuper de son ménage, tout en laissant son époux dormir. Peut-être a-t-elle rencontré son ami et a-t-elle eu du plaisir avant le lever de son mari ; ensuite elle fait très bien le ménage. Il arrive parfois qu'elle ne se lève point, mais, avant l'aube, elle se plaint et prend un air languissant sciemment et opportunément ; le brave homme qui l'a entendue, lui demande : « Qu'avez-vous, mon amie ?

– En vérité, mon ami, j'ai une si vive douleur à un côté et au ventre que c'est inconcevable ; je crois bien que c'est mon mal habituel.

– M'amie, dit-il, tournez-vous vers moi.

– Par Dieu, mon ami, je suis extrêmement chaude et je n'ai pu dormir cette nuit. »

Alors le brave homme l'embrasse et la trouvant effectivement bien chaude, il s'exclame : « C'est vrai ! ». Mais son mal est tout autre que ce qu'elle en a dit et qu'il s'imagine, car elle a peut-être rêvé qu'elle était avec son ami et c'est pourquoi elle est tout en sueur. Le brave homme la couvre bien pour que le vent ne pénètre pas dans le lit et qu'elle continue à baigner dans sa sueur, puis il lui dit : « M'amie, gardez bien votre sueur, et je ferai bien faire ce qu'il faut. » Alors le brave homme se lève sans feu, parfois sans chandelle. Et lorsqu'il est temps pour elle de se lever, il lui fait préparer un bon feu, et la dame s'endort satisfaite, tout en riant au fond d'elle-même.

52. *Jehan de Saintré*

ANTOINE DE LA SALE

T. II, chap. LXVIII et LXIX

Lors damps• Abbés osta sa robe et se mist en pour-
point•, les chausses destachees, qui, en cellui temps,
n'estoient point tenans et en avantpiez, bien entortillees
soubz les genoulz, vint devant Madame tout le premier,
5 et au venir que devant Madame fist, après sa grande reverence, fist en l'air ung tour, monstrant ses grosses et
blances cuisses, pellues et vellues comme ung ours. Lors
vint le seigneur de Saintré, qui a un boult du preau
s'estoit despouillié ; et, en ses chausses ainssy richement
10 de grosses perles brodees, a Madame sa reverence fist, en
faignant la tres amere dolleur ou son cuer estoit. Lors
l'un devant l'autre furent ; mais, ainchoiz que la luicte
fust commencee, damps Abbé se vira a Madame et, par
mocquerie, a ung genoul lui dist : « Madame, a jointes
15 mains, vous prie que a monseigneur de Saintré me
recommandez. »

Madame, qui congnoissoit bien la farce de l'Abbé, en
sousriant dist au seigneur de Saintré : « Hé ! sires de
Saintré, je vous recommande nostre Abbé, et vous prie
20 que l'espargniez ! »

Le seigneur de Saintré, qui congnoist bien la mocquerie, dist : « Ha ! Madame, je aroye plus grant besoing de
lui estre recommandé ! »

Alors, ces parolles finies, damps Abbés et le seigneur
25 de Saintré l'un a l'aultre se prinrent et tournerent ung
tour ou deux. Lors damps Abbés estent sa jambe, et par
dedens la lye a celle de Saintré, puis, tout a cop, se deslye,
et par dehors le trousse• tellement que les piez du

52. *Jehan de Saintré*

LE CHEVALIER COURTOIS HUMILIÉ

Alors Messire l'Abbé ôta sa robe, se mit en pourpoint, les chausses détachées (qui, à cette époque, ne tenaient pas à l'habit) et, au-dessus du pied, bien entortillées sous les genoux, puis s'avança le premier vers Madame.
5 Quand il s'approcha d'elle, après sa grande révérence, il fit un saut en l'air, montrant ses grosses cuisses blanches, poilues et velues comme des pattes d'ours. Vint ensuite le seigneur de Saintré, qui, à une extrémité du préau, s'était dévêtu ; et avec ses chausses somptueusement bro-
10 dées de grosses perles, il fit sa révérence à Madame, en dissimulant la douleur très amère qui lui déchirait le cœur. Ils se retrouvèrent alors l'un devant l'autre ; mais, avant que la lutte commence, messire l'Abbé se tourna vers Madame et, par dérision, un genou en terre, lui dit :
15 « Madame, c'est à mains jointes que je vous prie de me recommander à monseigneur de Saintré. »

Madame, qui avait bien compris la plaisanterie de l'abbé, dit en souriant au seigneur de Saintré : « Eh bien ! Seigneur de Saintré, je vous recommande notre abbé et
20 je vous prie de l'épargner. »

Le seigneur de Saintré, parfaitement conscient qu'on se moquait de lui, répondit : « Ah ! Madame, c'est plus moi qui aurais besoin de lui être recommandé ! »

Sur ces mots, messire l'Abbé et le seigneur de Saintré
25 s'agrippèrent l'un à l'autre et firent un tour ou deux sur place. Alors messire l'Abbé étendit sa jambe et par l'inté-rieur la joignit à celle de Saintré, puis tout à coup il se retira et par l'extérieur le souleva, de sorte que les pieds

seigneur de Saintré furent assez plus haultz que ne fust
30 la teste, et a terre l'abatty ; et en le tenant soubz lui, sa
poictrine sur la sienne tout envers, alors s'escria damps
Abbés et a Madame dist : « Madame, Madame, recommandez moy au seigneur de Saintré ! »

Lors Madame, en tres fort riant, luy dist : « Ha ! sires
35 de Saintré, ayez pour recommandé l'abbé ! »

Mais de joye qu'elle avoit et de rire, a paine povoit elle
parler. Lors damps Abbés fust sur piez et, en riant a
Madame, Madame lui dist : « Une aultre foiz ! une aultre
foiz ! »

40 Alors damps Abbés dist a Madame, sy hault que le
seigneur de Saintré et tous le oÿrent : « Madame, ce que
j'ay fait, c'est pour l'amour de la querelle, dont Dieux et
amours me ont esté tesmoingz ; mais ores, se le sires de
Saintré voulloit soustenir qu'il amast plus loyaulment sa
45 dame que ne faiz la mienne, veez cy ung simple et foible
moisne qui a ceste bataille le combattera.

– Feriez ? dist Madame.

– Se le feroie ? oïl, par Dieu, Madame, tous quancques
il en y a ! »

50 Alors Madame, tout en riant, au seigneur de Saintré
dist : « Qu'en dictes vous, beau sires ? Est il cuer de gentil
homme qui n'y respondist ?

– Madame, dist le seigneur de Saintré, il n'est cuer de
gentil homme qui a ung son pareil ne respondist, et en
55 la façon que en tel cas appartient.

– Ce sont excuses ! dist Madame, aussi voulliez vous
excuser de l'autre querelle ! Bien fait a reprochier le cuer
d'ung gentil homme que, pour une luicte, ne oze soustenir sa loyaulté ; et, en verité, je croy que, qui bien y quer-
60 roit, que en vous peu s'en trouveroit.

du seigneur de Saintré se trouvèrent beaucoup plus haut
que sa tête ; il le renversa à terre et, en le maintenant
sous lui, sa poitrine contre la sienne, messire l'Abbé
s'écria alors à Madame : « Madame, Madame, recom-
mandez-moi au seigneur de Saintré ! »

Et Madame, en éclatant de rire, dit à Saintré : « Ah !
seigneur de Saintré, que l'abbé vous soit recommandé ! »

Mais, à cause de la joie qu'elle éprouvait et de ses
éclats de rire, elle pouvait à peine parler. Alors messire
l'Abbé se remit sur pied, et pendant qu'il riait à Madame,
celle-ci lui dit : « Encore une fois ! Encore une fois ! »

Alors messire l'Abbé dit à Madame, d'une voix si forte
que le seigneur de Saintré et tous les spectateurs de la
scène l'entendirent : « Madame, ce que j'ai fait, je l'ai fait
par attachement à la cause dans laquelle Dieu et Amour
ont été mes témoins ; mais à présent, si le seigneur de
Saintré veut soutenir qu'il aime sa dame plus loyalement
que je n'aime la mienne, voici un humble et faible moine
qui le combattra dans cette bataille.

– Vous le feriez ? demanda Madame.

– Si je le ferais ? Oui, par Dieu, Madame, contre tous,
autant qu'il y en a ! »

Alors Madame, tout en riant, dit au seigneur de Saintré : « Qu'en dites-vous, cher seigneur ? Est-il un cœur de
gentilhomme qui ne relèverait ce défi ?

– Madame, répondit le seigneur de Saintré, il n'est pas
un cœur de gentihomme qui ne relèverait le défi de son
égal, et dans les conditions appropriées à un tel cas.

– Ce ne sont que faux-fuyants ! dit Madame, et vous
vouliez aussi vous dérober lors du premier différend ! Il
mérite d'être blâmé le cœur d'un gentilhomme qui, parce
qu'il s'agit d'une lutte, n'ose pas défendre sa loyauté. En
vérité, je crois que, même si on cherchait bien, on n'en
trouverait guère chez vous.

– Hellas ! Madame, dist le seigneur de Saintré, et
pourquoy dictes vous cecy ?

– Je le diz, dist Madame, car vous sentez le tort, et il
est ainssy ! »

65   Alors le seigneur de Saintré dist : « Or voy je bien,
Madame, que il fault reluictier, et qu'il n'est excuse, tant
soit raisonnable, qui vous en peust destourner ; et puis
qu'il vous plaist tant, et je le vueil. »

Damps Abbés, qui ooit toutes ces parolles, par
70   maniere de farse dist : « A ! Madame, je n'ozeroie ; car,
se ne fust le bon droit que j'avoye, il me eust foullé•, tant
ay trouvé de force en luy, que n'est pas merveilles se il a
tant de gens desconffis• ; mais puis que je ay emprinse
la querelle, et je la vueil soustenir. » Alors : « Arriere !
75   arriere ! »

Et chascun arriere se retrait. Damps Abbés s'escrie :
« Ha ! loyaulté, garde ton droit ! »

Et a ces parolles au seigneur de Saintré vint par le
tour d'une attrappe, a bien peu ne l'emporta ; mais tant
80   virerent et tournerent que d'une aultre trousse, assez plus
forte que la premiere, le povre seigneur de Saintré abatist,
et puis dist : « Madame et nostre juge, ay je bien fait mon
devoir ? Qui est le plus loyal ?

– Qui l'est ? dist Madame, vous, qui l'avez gaignié ! »
85   Le povre seigneur de Saintré, qui de la luicte et du
grant plaisir de Madame avoit perdu tout maintenir, ne
savoit ung seul mot dire.

– Hélas ! Madame, dit le seigneur de Saintré, pourquoi dites-vous cela ?

– Je le dis, répliqua Madame, car vous sentez bien que vous avez tort, et c'est ainsi ! »

Le seigneur de Saintré dit alors : « À présent je vois bien, Madame, qu'il me faut lutter à nouveau et qu'il n'est justification, aussi raisonnable soit-elle, qui puisse vous en détourner ; et puisque cela vous plaît tant, eh bien, j'accepte. »

Messire l'Abbé, qui avait tout entendu, dit par manière de plaisanterie : « Ah ! Madame, je n'oserais, car, si le bon droit n'avait pas été de mon côté, il m'aurait piétiné, tant j'ai trouvé de force en lui, et il n'est pas étonnant qu'il ait vaincu tant de gens. Mais puisque j'ai lancé le débat, eh bien, je veux soutenir ma cause. » Alors de crier : « Arrière ! Arrière ! »

Chacun se recula et messire l'Abbé s'écria : « Ah ! loyauté, garde tes droits ! »

Et sur ces mots, il s'approcha du seigneur de Saintré et, par une prise insidieuse, il faillit le faire tomber. Mais ils tournèrent et virevoltèrent jusqu'au moment où, d'un croc-en-jambe plus appuyé que le premier, il renversa le pauvre seigneur de Saintré puis déclara : « Madame et notre juge, ai-je bien accompli mon devoir ? Qui est le plus loyal ?

– Qui l'est ? dit Madame, vous qui avez gagné ! »

Le pauvre seigneur de Saintré, à qui la lutte et la grande satisfaction de Madame avaient fait perdre toute contenance, était incapable de prononcer un seul mot.

53. *Les Cent Nouvelles nouvelles*

MONSEIGNEUR DE LA ROCHE•

XLVIIIe nouvelle

Ung gentil compaignon devint amoureux d'une jeune damoiselle qui n'a gueres estoit mariée. Et le mains mal qu'il sceut, après qu'il eut trouvé façon d'avoir vers elle accointance, il compta son cas, et au rapport qu'il 5 fist, il sembloit fort malade ; et, a la verité dire, aussi estoit il bien picqué. Elle fut bien si gracieuse qu'elle luy bailla bonne audience, et pour la premiere foiz il se partit trescontent de la response qu'il eut. S'il estoit bien feru auparavant, encores fut il plus touché au vif 10 quand il eut dit son fait. Si ne dormoit ne nuyt ne jour, de force de penser a sa dame et de trouver la façon et maniere de parvenir a sa grace. Il retourna a sa queste quand il vit son point. Et Dieu scet, s'il avoit bien parlé la premiere foiz, que encores fist il mieulx son personnage 15 a la deuxiesme, et si trouva de son bon eur sa dame assez encline a passer sa requeste, dont il ne fut pas moyennement joyeux. Et car il n'avoit pas tousjours ne le temps ne le loisir de se trouver vers elle, il luy dist a ceste foiz la bonne volunté qu'il avoit de luy faire service et en 20 quelle façon. Il en fut mercyé de celle qui estoit tant gracieuse qu'on ne pourroit plus. Bref il trouva en elle tant de courtoisie• en maintien et en parler qu'il n'en sceust plus demander par raison. Si se cuida avancer de la baiser, mais il en fut refusé de tous poins ; mesme 25 quand vint au partir et au dire adieu, il n'en peut

53. *Les Cent Nouvelles nouvelles*

TOUT EST PERMIS FORS LE BAISER

Un jeune homme de commerce agréable tomba amoureux d'une jeune dame, mariée depuis peu ; et après qu'il eut trouvé un moyen de lier connaissance avec elle, il lui exposa sa situation, le moins mal qu'il put, et au vu de ce qu'il relata, il avait l'air d'être très malade ; et à vrai dire, il était bien féru. Elle se montra si aimable qu'elle l'écouta avec complaisance, et au terme de cette première entrevue, il s'en alla, très satisfait de la réponse qu'il avait reçue. S'il était très épris auparavant, il fut encore plus atteint jusqu'au tréfonds après avoir expliqué son affaire. Il ne dormait plus ni le jour ni la nuit, à force de penser à sa dame et de chercher le moyen et la manière de parvenir à obtenir ses bonnes grâces. Il reprit sa poursuite amoureuse quand il vit le moment favorable. Dieu sait que, s'il avait bien parlé la première fois, il joua encore mieux son rôle la deuxième et il eut la chance de trouver sa dame tout à fait disposée à accepter sa requête, ce dont il ne fut pas modérément joyeux. Et, comme il n'avait pas toujours le temps ni la possibilité de se trouver à ses côtés, il lui dit, cette fois, sa ferme intention de se mettre à son service et lui révéla de quelle façon. Il en fut remercié par celle dont la grâce était sans égale.

Bref, il trouva en elle tant de bienveillance dans son comportement et dans ses propos qu'il n'aurait pas été raisonnable d'en demander davantage. Aussi crut-il pouvoir prendre l'initiative de l'embrasser mais elle lui opposa un refus catégorique. Même au moment de la séparation et des adieux, il n'en put rien obtenir du tout,

oncques finer•, dont il fut tresesbahy. Et quant il fut en
sus d'elle, il se doubta beaucoup de point parvenir a son
intencion, veu qu'il ne povoit obtenir d'elle ung
seul baiser. Il se confortoit d'aultre costé des gracieuses
30 parolles qu'il eut au dire adieu, et de l'espoir qu'elle luy
baille. Il revint comme aultresfoiz a sa queste ; et pour
abreger, tant y alla et tant y vint qu'il eut heure assignée
de dire a sa dame, a part, le surplus de ce qu'il ne voul-
droit dire, sinon entre eulx deux. Et, car temps estoit, il
35 print congé d'elle. Si l'embrassa bien doulcement et la
voulut baiser ; et elle s'en defend tresbien, et luy dit assez
rudement : « Ostez, ostez vous, et me laissez, je n'ay cure
d'estre baisée. » Il s'excusa le plus gracieusement que
oncques sceut, et sur ce se partit. « Et qu'est cecy ? dist
40 il en soy mesmes ; je ne vy jamais ceste maniere en
femme. Elle me fait la meilleure chere• du monde, et si
m'a desja accordé tout ce que je luy ay osé requerre ;
mais encores n'ay je peu finer d'un pouvre baiser. »

Quand il fut heure, il vint ou sa dame luy avoit dit, et
45 fist tout ce pour quoy il y vint tout a son beau loisir. Car
il coucha entre ses bras toute la belle nuyt, et fist tout ce
qu'il voulut, fors seullement baiser, et de cela n'eust il
jamais finé. « Et je n'entens point ceste maniere de faire,
disoit il en son pardedens. Ceste femme est contente que
50 je couche avecques elle et que je face tout ce qu'il me
plaist ; mais du baiser, je n'en fineroye neant plus que de
la vraye croix ? Par la mort bieu ! je ne sçay entendre
cecy. Il fault qu'il y ait quelque mistere ; il est force que
je le sache. » Ung jour entre les aultres qu'il estoit avec
55 sa dame en gohettes•, et qu'ilz estoient beaucoup de het

ce qui le stupéfia. Lorsqu'il fut loin d'elle, il craignit
beaucoup de ne point parvenir à ses fins, étant donné
qu'il ne pouvait obtenir d'elle un seul baiser. D'un autre
côté, il reprenait courage en pensant aux aimables
paroles entendues lors des adieux et à l'espoir qu'elle lui
donnait. Comme les fois précédentes, il reprit son offen-
sive ; pour abréger, il se démena tant et si bien qu'il
obtint un rendez-vous pour tenir à sa dame, en tête-à-
tête, les propos supplémentaires qu'il ne voudrait révéler
qu'entre eux deux. Parce que c'était le moment, il prit
congé d'elle, la serra tendrement dans ses bras et voulut
lui donner un baiser ; elle s'en défendit énergiquement et
lui dit assez rudement : « Éloignez-vous, éloignez-vous,
laissez-moi, je n'ai pas envie d'être embrassée ! » Il
s'excusa le plus courtoisement qu'il put, et sur ces entre-
faites, s'en alla. « Mais qu'est-ce que cela signifie ? se
dit-il en lui-même. Jamais je n'ai constaté ce comportement chez une femme : elle me fait le meilleur accueil du
monde et m'a déjà accordé tout ce que j'ai osé lui demander ; mais je n'ai pas encore pu obtenir un pauvre
baiser. »

À l'instant convenu, il se rendit à l'endroit que sa dame
lui avait indiqué et fit tout ce pourquoi il y était venu en
prenant tout son temps et son plaisir. En effet il passa
toute cette belle nuit entre les bras de son amie, et fit tout
ce qu'il voulut, à la seule exception des baisers qu'il ne
parvint jamais à obtenir. « Je ne comprends pas cette
façon de faire, disait-il en son for intérieur : cette femme
accepte volontiers que je couche avec elle et que je fasse
tout ce qui me plaît, mais pour ce qui est des baisers, je
ne réussirais pas plus à en obtenir que des morceaux de
la vraie croix ! Morbleu ! je ne puis comprendre cela ; il
faut qu'il y ait quelque mystère ; il est nécessaire que je
l'apprenne. » Un jour parmi d'autres qu'il folâtrait avec
sa dame et qu'ils étaient tous deux fort joyeux, il lui

tous deux : « M'amye, dist il, je vous requier que vous
me dictes la cause qui vous meut de moy tenir si grand
rigueur quand je vous veil baiser. Vous m'avez de vostre
grace baillé la joyssance de vostre beau et gracieux corps
60 tout entierement, et d'un petit baiser vous me faictes le
refus !

– Par ma foy, mon amy, dit elle, vous dictes voir.
Le baiser vous ay je refusé, et ne vous y attendez point ;
vous n'en finerez jamais. Et la raison y est bonne : si la
65 vous diray. Il n'est vray, quand j'espousay mon mary, que
je luy promis de la bouche tant seullement beaucoup de
belles choses. Et car ma bouche est celle qui luy a juré et
promis de luy estre bonne, je suis telle qui luy veil entretenir, et ne souffreroye pour mourir qu'aultre de luy y tou-
70 chast. Elle est sienne et a nul aultre ; et ne vous actendez
d'en rien avoir. Mais mon derriere ne luy a rien promis
ne juré ; faictes de luy et du surplus de moy, ma bouche
hors, ce qu'il vous plaist ; je le vous haba[n]donne ! »
L'autre commença a rire tresfort, et dist : « M'amye, je
75 vous mercye. Vous dictes tresbien, et si vous sçay grand
gré que vous avez la franchise de bien garder vostre promesse.

– Ja Dieu ne veille, dist elle, que je lui face faulte ! »
En la façon que avez oy fut ceste bonne femme abusti-
80 née. Le mary avoit la bouche seullement et son amy le
surplus ; et si d'adventure le mary se servoit aucunesfoiz
des aultres membres, ce n'estoit que par maniere
d'emprunt, car ilz estoient a son amy par le don de sa
dicte femme. Mais il avoit ceste avantage que sa femme
85 estoit contente qu'il emprint sur ce qu'elle avoit donné a
son amy ; mais pour rien n'eust souffert que l'amy eust
joy de ce que a son mary avoit donné.

déclara : « Mon amie, je vous demande de me dire la
raison qui vous pousse à me manifester une telle rigueur
quand je veux vous embrasser. Vous m'avez accordé
généreusement la jouissance de votre joli et gracieux
corps, sans aucune réserve, et pour un petit baiser, vous
m'opposez un refus !

— Par ma foi, mon ami, répondit-elle, vous dites vrai.
Je vous ai refusé le baiser, et n'y comptez pas, vous ne
réussirez jamais à l'obtenir, pour une bonne raison que
je vais vous dire. Il est vrai que, quand j'ai épousé mon
mari, je lui ai promis, uniquement par la bouche, beaucoup de belles choses. Et puisque c'est ma bouche qui lui
a juré et promis de lui être fidèle, je suis déterminée à la
lui conserver telle quelle, et je ne permettrais pas, dussé-
je en mourir, qu'un autre que lui y touchât. Elle est à lui
et à personne d'autre, et n'espérez pas en obtenir quoi
que ce soit. Mais mon derrière ne lui a rien promis ni
juré ; faites de lui et de tout le reste de ma personne,
à l'exception de ma bouche, ce qu'il vous plaît, je vous
l'abandonne. » L'autre éclata de rire et dit : « Mon amie,
je vous remercie. Vous parlez fort bien et je vous suis très
reconnaissant d'avoir la loyauté de respecter scrupuleusement votre promesse.

— Que Dieu ne permette jamais, reprend-elle, que j'y
manque ! »

C'est de la manière que vous venez d'entendre que
cette femme fut l'objet de ce partage. Le mari avait uniquement la bouche, et son ami le reste ; et s'il arrivait
quelquefois que le mari se servît des autres membres, ce
n'était qu'à titre d'emprunt, car ils appartenaient à son
ami par suite du don qu'avait fait ladite femme. Il avait
cet avantage de voir son épouse accepter qu'il pût
emprunter sur la part qu'elle avait donnée à son ami ;
mais, pour rien au monde, elle n'aurait accepté que l'ami
pût jouir de ce qu'elle avait donné à son mari.

NOTES

Un bref commentaire littéraire proche du texte s'efforce d'en déga-ger les enjeux et de préciser les desseins de l'auteur. La plupart des notes qui suivent sont lexicales, apportant des précisions utiles sur la variété sémantique de mots du Moyen Âge qui ont disparu aujourd'hui ou dont le sens a évolué depuis cette époque. L'asté-risque* précédant un terme en italique signale que l'étymon indiqué n'est pas attesté. Si quelques notes sont relatives à la syntaxe, plu-sieurs proposent tantôt des indications sur tel ou tel personnage, tantôt des rapprochements avec d'autres œuvres. Divers index situés en fin d'ouvrage permettent de retrouver les termes et les œuvres mentionnées.

1. Chanson de Jaufré Rudel

Ce texte est établi à partir de l'*Anthologie des troubadours*, éd. bilingue par P. Bec, U.G.E., 10/18, « Bibliothèque médié-vale », 1979, p. 82-85.

Composée de sept *coblas unisonanz*, à savoir sept septains d'octosyllabes aux rimes identiques (ababccd), et d'une *tornada* (un envoi, tercet d'octosyllabes, ccd), cette chanson illustre cette *fin'amor* inaccessible d'un poète partagé entre la douleur de l'éloignement présent (dont la locution *de lonh* constitue le refrain obsédant) et l'espoir, né dans les derniers vers, d'une rencontre dans la chambre ou le jardin, lieux clos privilégiés des amants. Ce rêve d'un rapprochement serait une source de joie et de plaisir, comme en témoignent les différentes formes du verbe *jauzir* (v. 21-22 et 29-30) et les termes *jauzimens* (v. 46), *jòys* (v. 15 et 45) et *solatz* (v. 21). Voir Pierre Bec, « "Amour de loin" et "dame jamais vue". Pour une lecture plurielle de la chanson VI de Jaufré Rudel », *Miscellanea di studi in onore A. Roncaglia*, Modena, 1989, p. 101-118, et Yves Lefèvre, « *L'amors de terra lonhdana* dans les chansons de Jaufré Rudel » et « Jaufré Rudel et son amour de loin », *Mélanges de littérature médiévale*, Bordeaux, Bière, 1991, p. 183-194 et 195-214.

La Vida (récit biographique) de Jaufré Rudel relate son voyage outre-mer et ses derniers instants :

« Jaufré Rudel de Blaye fut un homme noble, prince de Blaye. Il tomba amoureux de la comtesse de Tripoli sans la voir, à cause du grand bien qu'il entendit dire d'elle par les pèlerins qui revenaient d'Antioche. Il composa beaucoup de bons poèmes sur elle, avec de bonnes mélodies mais des vers très simples. Et, pour aller la voir, il se croisa et se mit en mer. Malheureusement, il tomba malade à bord et il fut transporté dans une auberge à Tripoli comme mort. Et ceci fut dit à la comtesse, et elle vint vers lui, auprès de son lit, et elle le prit dans ses bras. Il sut que c'était la comtesse et tout à coup il recouvra la vue et l'ouïe, et remercia Dieu de l'avoir maintenu en vie jusqu'à ce qu'il l'eût vue. Et ainsi il mourut dans les bras de la comtesse. Et elle le fit ensevelir avec honneur dans la maison des Templiers ; puis elle se fit nonne à cause de la douleur qu'elle éprouva de sa mort » (*Les Vies des troubadours*, textes réunis et traduits par M. Egan, U.G.E., 10/18, 1985, p. 121).

2. La Prise d'Orange (laisse X)

Ce texte est établi à partir du manuscrit BNF fr. 1449 et de *La Prise d'Orange*, éd. bilingue par C. Lachet, Champion Classiques, 2010, p. 106-109.

Si les deux premières descriptions laudatives que Gilbert a données de la cité et de la reine d'Orange (v. 192-207 et 240-260) ont suscité de la part de Guillaume l'envie de se rendre dans la ville sarrasine, la troisième (v. 267-281), plus dithyrambique encore, provoque chez le comte un amour si ardent qu'il est impatient de voir Orange et surtout Orable dont il s'est éperdument épris. Tel un *fin amant*, le chevalier ne pense plus qu'à son *amie* (v. 283) et il souffre les tourments d'une passion tyrannique pour sa dame *cortoise* (v. 288) qu'il rêve de posséder au plus tôt. C'est une question de vie ou de mort (v. 291) ! Mais cet amour est insensé, comme le souligne Gilbert en traitant par deux fois de *folie* (v. 292 et 297) le projet de Fierebrace. La chanson de geste se teinte de nuances lyriques et romanesques. Voir Claude Lachet, *La Prise d'Orange ou la Parodie courtoise d'une épopée*, Honoré Champion, 1986.

v. 285, *vin sor lie*. Dans son article « Le vin de Chablis dans la littérature médiévale », *L'Histoire littéraire : ses méthodes et ses résultats.*

Mélanges offerts à Madeleine Bertaud, Genève, Droz, 2001, p. 405-414, Philippe Ménard indique la signification de cette locution : « Je ne pense pas qu'il faille traduire *seur lie* par "nourri de sa lie" ». Le sens est simplement "sur lie". On vendait autrefois des vins non soutirés et encore sur lie » (p. 410, n. 23). Un vin sur lie est plus savoureux qu'un vin soutiré. Guillaume renonce donc à boire du bon vin.

v. 287, *tor marbrine*. Il s'agit de Gloriette, la tour et le palais d'Orable. Ce somptueux donjon symbolise la conjonction des intérêts militaires et sentimentaux, la double conquête du cœur de la cité et du cœur de la reine. Il servira à la fois de dernier refuge aux assiégés et de *locus amoenus* cher aux amoureux et propice aux scènes galantes.

v. 295, *confonde*. Du latin *confundere* (« mêler »), *confondre* a trois sens principaux : 1. « perdre », « anéantir », « tuer » ; 2. « abattre », « détruire », « renverser » ; 3. en emploi pronominal : « se tourmenter », « s'affliger ».

3. Cligès (v. 667-715)

Ce texte est établi à partir de la copie de Guiot, manuscrit BNF fr. 794, et de *Cligès*, éd. bilingue par L. Harf-Lancner, Champion Classiques, 2006, p. 98-101.

Dans un soliloque non dépourvu de préciosité, Alexandre livre son désarroi au sujet de l'amour censé être doux et bienveillant, mais qui se révèle en fait cruel et brutal. De nombreux termes appartiennent ainsi au champ notionnel de la violence, tels que : *batre, blecier, chastier, cop, crever, dart, doloir, enui, esmaier, felon, grever, menacer, navrer, quasser, traire*. Son étonnement et son inquiétude percent à travers les nombreuses questions qu'il se pose, ses hésitations et ses revirements (v. 667, 668, 679, 684, 691, 695-696, 698, 699 et 705-708). La flèche qui traverse l'œil sans le blesser pour atteindre le cœur est un topique de la rhétorique courtoise.

v. 671, *felon*. L'étymon le plus vraisemblable du terme *fel* au cas sujet et *felon* au cas régime est le francique **fillo* (« celui qui maltraite », « celui qui flagelle »). Ce terme péjoratif qualifie celui qui manque à ses devoirs dans la société féodale, dans la classe chevaleresque ou

dans la communauté chrétienne, d'où les valeurs suivantes :
1. « traître », « parjure », « déloyal », « perfide » ; 2. « lâche » ;
3. « discourtois », « désagréable » ; 4. « impie », « infidèle », « renégat » ; 5. « cruel », « méchant », « féroce », « impitoyable » ; 6. « dangereux », « redoutable », « terrible », « inquiétant ».

4. Le Conte du graal (v. 1795-1829)

Ce texte est établi à partir de l'édition de A. Hilka, Halle,
1932, et de *Perceval ou le Conte du graal*, éd. bilingue par
J. Dufournet, GF-Flammarion, 1997, p. 128-131.

Le portrait que Chrétien de Troyes brosse de la châtelaine de
Beaurepaire lui tient à cœur ; soucieux d'authenticité, il intervient personnellement dans le récit pour confier à son public
qu'il peint la beauté de Blanchefleur par plaisir et non par respect d'une mode littéraire (v. 1805-1809). Il évoque d'abord
l'allure distinguée de la demoiselle, et fait allusion à l'épervier,
signe de noblesse et prix de beauté accordé aux femmes les plus
jolies, et à l'exotique perroquet au plumage coloré, un oiseau
unique parce qu'il imite la voix humaine, ce qui renforce la
grâce de son apparition. Il détaille ensuite le raffinement de la
toilette de Blanchefleur, qui semble avoir vêtu ses atours les plus
magnifiques, lui prêtant peut-être le but de séduire Perceval.
Mais la richesse des tissus et des fourrures est presque inconvenante dans le contexte de pénurie, de ruine et de famine provoqué par le siège du château. La beauté de la demoiselle,
échappant à l'emprise des événements tragiques, paraît quasi
intemporelle. Limité au visage, le portrait correspond tout à
fait aux canons de la beauté médiévale, mais par le recours à
deux termes d'héraldique (*sinoples* et *arjant*) redoublant la liaison chromatique (*vermauz* et *blanc*), le visage de la jeune fille
prend une dimension esthétique et devient une véritable œuvre
d'art. Cette beauté ravissante (*anbler*, v. 1826), plus que merveilleuse (*passemervoille*, v. 1827), surnaturelle (v. 1827-1829)
marque le début du blason du corps féminin.

v. 1800, *vair*. Ce substantif, venant du latin *varium* (« moucheté », « bigarré »), désigne la fourrure blanche et grise de certains écureuils, en particuler le petit-gris. Voir la *pantoufle de vair* dans le conte de *Cendrillon*.

v. 1810, *deslïee*. Il s'agit du participe passé du verbe *deslïer* (1. « détacher », 2. « délivrer », « dégager », 3. « déballer », 4. « dévoiler »), antonyme de *lïer* (du latin *ligare*). Le terme s'applique à une femme dont les cheveux libres, découverts et dépourvus de tout voile, guimpe, coiffe ou attache, flottent sur les épaules. Cf. *Amadas et Ydoine*, op. cit., v. 133 ; *Le Roman de la rose ou de Guillaume de Dole*, op. cit., v. 3050.

v. 1821, *vair*. La notion de variété est au cœur du noyau sémique de l'adjectif *vair* dont les différentes acceptions dépendent des termes qualifiés. S'il s'agit des yeux, il se traduit par « gris-bleu » ou « gris-vert », « brillants et vifs », « aux reflets changeants » ; pour un cheval : « pommelé », « tacheté » ; pour un vêtement : « chatoyant », « aux diverses couleurs ».

v. 1825, *sinoples*. Emprunté au latin *sinopis*, lequel reprend le grec *sinôpis* (« terre de Sinope », une terre rouge), ce terme d'héraldique désigne une couleur rouge et, à partir du XIVe siècle, une couleur verte.

5. Le Roman d'Énéas (v. 1302-1335)

Ce texte est établi à partir du manuscrit BNF fr. 60 et du *Roman d'Énéas*, éd. bilingue par A. Petit, Le Livre de Poche, « Lettres gothiques », 1997, p. 122-125.

Didon, la reine de Carthage, éprouve pour son hôte Énéas la plupart des symptômes traditionnels du mal d'amour : insomnie, agitation rendue par de multiples verbes d'action enchaînés sur un rythme binaire et ternaire (v. 1312-1316), soupirs, tremblements, pleurs, évanouissement et défaillance. Elle pense à lui de manière obsessionnelle, se souvenant ainsi de tous ses faits et gestes, de ses paroles, du récit de ses exploits et de son apparence physique. Victime d'hallucinations exprimées par l'emploi du verbe *cuidier* (v. 1320 et 1326) et de la locution *com se* (v. 1329), elle s'imagine qu'Énéas partage sa couche. Ces fantasmes se révèlent à la fois sensuels (avec les verbes : *gesir*

ambigu, *tout nu tenir, acolle, baisa, taste*) et douloureux quand
la réalité de l'absence vient contredire les rêves de présence
charnelle (voir les termes *dementer, travaillier, mal baillie, grant
duel*).

v. 1320, *cuide*. Du latin *cogitare* (« songer », « méditer »), *cuidier* signifie
dans l'ancienne langue : « penser ». Mais à l'inverse du verbe *croire*
qui dénote une opinion digne de confiance, il révèle plutôt une pensée
incertaine, voire erronée, sauf à la première personne du présent de
l'indicatif, et se traduit par « croire à tort », « (s')imaginer faussement », « supposer », « prétendre ». Le verbe a deux autres sens ; l'un
est volitif : « vouloir », « tenter de », « avoir l'intention de » ; l'autre
exprime l'imminence contrecarrée : « faillir », « manquer de », « être
sur le point de ».

6. Le Chevalier de la charrette (v. 711-747)

Ce texte est établi à partir de la copie de Guiot, manuscrit
BNF fr. 794, et du *Chevalier de la charrette*, éd. bilingue par
C. Croizy-Naquet, Champion Classiques, 2006, p. 106-109.

Dans son *De Amore* (*Traité de l'amour courtois*), André
Le Chapelain précise que « le véritable amant est obsédé sans
relâche par l'image de celle qu'il aime » (*op. cit.*, livre II,
règle XXX, p. 183 ; voir texte 37). C'est bien le cas de Lancelot
dans cet épisode. Privé de toute sensation et de toute lucidité,
insensible au monde extérieur, étranger aux autres et à lui-
même, Lancelot perd la notion du temps, de son identité et
de sa personnalité. Obnubilé par l'image de la reine, en pleine
méditation, il est comme dépossédé de lui-même. L'anaphore
(« *ne set* »), la reprise des termes *panser* (v. 711, 714, 723, 737
et 745) et *obli(e)* (v. 715 et 722), la mutiplicité des adverbes et
conjonctions à valeur négative, les alternatives marquées par la
répétition de « ou » traduisent le ravissement du chevalier dont
la pensée est entièrement tournée vers la dame chérie. L'opposition entre le chevalier apathique et son cheval vif et déterminé
ne manque pas d'humour.

v. 724, *ot*. Le verbe *oïr*, issu du latin *audire*, est usuel au Moyen Âge pour désigner la perception des sons et des bruits par l'oreille. Outre ce sens d'« entendre », il signifie aussi : « apprendre » ; si son complément est un office religieux, on pourra traduire par : « assister à » ; en formule de souhait, il signifie : « exaucer ». Les formes trop brèves de ce verbe, les homophonies gênantes avec celles de l'auxiliaire « avoir » ont entraîné son abandon au profit d'« entendre ». « Ouïr » subsiste toutefois avec l'impératif vieilli « oyez » (formule de proclamation du héraut), avec l'expression « par ouï-dire » et avec l'adjectif « inouï ».

v. 724, *antant*. Venant du latin classique *intendere*, le verbe *antandre/entendre* possède quatre valeurs principales : 1. sens étymologique : « tendre vers », « s'efforcer de », « s'appliquer à », « être occupé à », « se consacrer à » ; 2. par dérivation, dans la mesure où l'on tend son attention pour atteindre un but : « aspirer à », « avoir l'intention de », « vouloir », « espérer » ; 3. « tendre son esprit vers », d'où « comprendre » ; 4. par restriction : « percevoir par le sens de l'ouïe », « écouter ». Cette dernière acception est à notre époque la plus usuelle.

v. 735, *none basse*. Au Moyen Âge, la journée entière est divisée en huit périodes de trois heures, quatre pour le jour et quatre pour la nuit. Au lever du soleil, c'est *prime* (la première heure, soit 6h du matin), puis *tierce* (la troisième heure, vers 9h), *siste* (la sixième heure, vers 12h), *none* du latin *nona (hora)* (la neuvième heure, environ 15h), enfin *vespre* (le soir). L'adjectif *basse* qualifie une heure du jour par rapport à la position du soleil dans le ciel : à *none basse* il décline, c'est presque la fin de l'après-midi.

7. Le Conte du graal (v. 4172-4210)

Ce texte est établi à partir de l'édition de A. Hilka, Halle, 1932, et de *Perceval ou le Conte du graal*, éd. bilingue par J. Dufournet, GF-Flammarion, 1997, p. 246-249.

Lors de l'épisode des gouttes de sang sur la neige, Perceval s'élève de la simple perception visuelle avec le verbe *vit* (v. 4194) à la contemplation, suggérée par le verbe *esgarder* (v. 4198), puis à la méditation rendue par le verbe *panse* (v. 4202). D'abord il voit trois gouttes de sang qu'une oie, blessée au cou

par un faucon, a répandues sur la neige. Il observe ensuite
attentivement l'image des deux couleurs, le rouge mêlé harmonieusement au blanc, et décèle alors une analogie chromatique
entre le paysage naturel et un souvenir sentimental, une correspondance renforcée par la reprise au vers 4204 d'un octosyllabe
déjà utilisé par le narrateur pour le portrait de Blanchefleur :
Li vermauz sor le blanc assis (voir texte 4, v. 1824). Peu à peu
la réalité extérieure s'efface au profit de la vie intérieure. Les
trois gouttes de sang sur le sol blanc s'estompent pour ne plus
laisser apparaître que le visage de la demoiselle aimée, absente
physiquement mais désormais seule présente dans le cœur du
chevalier. Cette pensée, cette rêverie amoureuse, ce ravissement
extatique exprimés par le verbe *s'oblie* (v. 4202) sont dignes du
fin amant qu'est devenu à présent le héros. Pour la première fois
celui-ci dépasse en effet le monde des apparences (une scène de
chasse), et perçoit des symboles dans le décor ; les choses ne
sont pas uniquement ce qu'elles représentent. Lisant sur la
neige, il lit en lui-même.

v. 4198, *sanblance*. Dérivé de *sembler* (du bas latin *similare* formé sur
    similis), le substantif *sanblance/semblance* présente plusieurs valeurs :
    1. « ressemblance », « analogie » ; 2. au sens concret : « image »,
    « portrait » ; 3. « apparence », « aspect », « forme », en particulier
    « apparence physique », « contenance » et la locution *par semblance*
    (« par son aspect extérieur », « d'aspect », « à ce qu'on voit ») ;
    4. « expression », « mine » ; 5. « visage », « figure » ; 6. « symbole »,
    « parabole » ; 7. « avis », « pensée », « opinion ».

8. Jehan et Blonde (v. 458-487)

Ce texte est établi à partir du manuscrit BNF fr. 1588 et de
Jehan et Blonde, éd. S. Lécuyer, Honoré Champion, 1984, p. 40-
41.

Entré au service de Blonde, la fille du comte d'Oxford, depuis
dix-huit semaines, Jehan s'éprend d'amour ardent pour la belle

demoiselle. Absorbé dans sa contemplation, il néglige d'accomplir sa tâche d'écuyer tranchant, chargé notamment de découper la viande destinée à la jeune fille, laquelle le rappelle à l'ordre (v. 432-441). Le lendemain, devant elle, il commet la même faute et oublie d'exercer son activité à table. Pour traduire le désarroi de Jehan qui n'a pu s'empêcher de regarder sa maîtresse, l'auteur joue avec les mots : *regarde/garde/esgarder/ garder/regardement/regart* (v. 463-469). Blonde est contrainte d'intervenir par deux fois : au discours indirect (v. 473), témoignant de l'indifférence de l'écuyer, succède un discours direct plus énergique avec trois impératifs (v. 475-478). Mais, sorti brutalement de la rêverie où il était plongé, comme le suggère la reprise des termes *penser* (v. 469, 471, 472 et 485) et *songier* (v. 476 et 478), il est encore si troublé qu'il se blesse aux doigts en reprenant sa fonction.

v. 464, *garde*. Déverbal de *garder*, *garde* revêt les significations suivantes : 1. « surveillance », « protection » ; 2. « attention », d'où *(soi) prendre garde a/de* = « faire attention à », « surveiller », « examiner », « prendre soin de », « s'occuper de », « veiller à », « soigner » ; 3. « crainte », « peur », d'où *avoir garde* = « avoir peur », « craindre » ; 4. « gardien », « surveillant », « observateur », « confident(e) » ; 5. troupe de soldats chargés de protéger (voir les expressions « avant-garde » et « arrière-garde »). Voir *garder*.

v. 466, *garder*. Les différentes acceptions du verbe *garder*, issu du germanique **wardon* (« regarder vers », « veiller »), relèvent de trois sèmes majeurs : l'attention, le soin et la conservation : 1. « regarder », « examiner » ; 2. « considérer », « prendre en considération » ; l'expression *ne garder l'eure que* signifie : « s'attendre à tout moment à ce que » ; 3. « prendre soin de », « protéger », « défendre », « préserver », « soigner » ; 4. « garder », « surveiller » ; 5. « conserver » ; 6. « observer », « respecter », « être fidèle à » ; en emploi pronominal : 7. « prendre garde à », « se protéger de », « veiller à » ; 8. « s'abstenir de », « s'empêcher de ». Voir *garde*.

9. Le Roman d'Énéas (v. 8019-8052)

Ce texte est établi à partir du manuscrit BNF fr. 60 et du *Roman d'Énéas*, éd. bilingue par A. Petit, Le Livre de Poche, « Lettres gothiques », 1997, p. 490-493.

La mère de Lavine démontre à sa fille le caractère double de l'amour, qui blesse et guérit tous ceux qui en sont atteints. Pour la convaincre, elle utilise toute une série d'antithèses, figures essentielles de la rhétorique courtoise (v. 8020-8028, 8042-8043, 8049-8050 et 8052). L'opposition entre ces deux aspects se traduit aussi par les objets symboliques que porte le dieu Amour : deux flèches destinées à transpercer les cœurs dans la main droite, et une sorte de boîte à pharmacie pour panser les plaies dans la gauche, ainsi que par deux verbes antithétiques, *navrer* et *saner*, dont on relève cinq occurrences pour chacun en une vingtaine d'octosyllabes. Outre ces deux termes, la locutrice emploie de multiples mots appartenant au vocabulaire médical : *mal* (v. 8020-8021, 8030 et 8032), *plaie* (v. 8034 et 8048), *souffrir* (v. 8051) d'un côté ; *entrait* (v. 8033), *garir* (v. 8048), *herbe* (v. 8031), *mecine* (v. 8032), *mire* (v. 8047), *oingement* (v. 8033), *resane* (v. 8050), *santé* (v. 8049) de l'autre.

v. 8035, *navrer*. Ce verbe serait emprunté à l'ancien norrois **nafra* (« percer ») ou résulterait du latin *naufragare* (« faire naufrage », d'où « ruiner », « endommager »). Par rapport à d'autres verbes qualifiant l'action de blesser comme *blecier* (« contusionner ») ou *mehaignier* (« mutiler »), *navrer* signifie blesser grièvement à l'aide d'une arme qui transperce et provoque une effusion de sang. À partir du XVIIe siècle, le verbe s'emploie surtout au figuré au sens d'« atteindre moralement », « affliger », puis, par un nouvel affaiblissement sémantique, au sens de « contrarier ».

v. 8036, *saner*. Comme son étymon latin *sanare*, le verbe *saner* veut dire essentiellement « guérir », puis par extension « soigner », « panser » et « faire du bien ».

v. 8047, *mire*. Dérivé du latin *medicum*, *mire* dénomme un médecin plus ou moins habile, alors que le terme *fisicien* s'applique d'ordinaire aux docteurs les plus savants et compétents. *Mire* désigne aussi dans un contexte métaphorique la personne aimée, seule capable de soigner la blessure d'amour.

v. 8048, *garir*. Provenant du francique **warnjan* (« avertir », « prévenir ») qui ressortit aux sèmes de défense et de protection, le verbe *garir* (la forme *guérir*, apparue dès le XIIIe siècle, se généralise après le Moyen Âge) offre, outre son sens étymologique, plusieurs acceptions. En emploi transitif, il signifie : 1. « protéger », « défendre »,

« garantir », « sauver » ; 2. par restriction sémantique : « approvi-
sionner », « fournir », « ravitailler » ; 3. « soigner », « panser »,
« guérir » ; 4. avec la préposition *de* : « préserver de », « empêcher
de » ; 5. intransitif : « recouvrer la santé », « se cicatriser » (pour une
plaie), mais aussi « être préservé », « échapper au danger », « résis-
ter » ; 6. pronominal : « se protéger », « se prémunir », « sauver sa
vie ». À partir du XVIe siècle, le verbe s'est spécialisé dans le sens
médical.

10. Cligès (v. 953-988)

Ce texte est établi à partir de la copie de Guiot, manuscrit
BNF fr. 794, et de *Cligès*, éd. bilingue par L. Harf-Lancner,
Champion Classiques, 2006, p. 112-115.

Si, comme l'affirme la veuve Dame à son fils Perceval, « c'est
par le nom qu'on connaît l'homme » (*Perceval ou le Conte du
graal*, v. 562), Soredamor comprend que sa destinée amoureuse
est inscrite dans son nom. En effet selon la tradition scolaire
de l'interprétation étymologique de l'anthroponymie, elle
décompose son prénom en deux syllabes, *sore* (la blondeur
dorée étant un critère de beauté et de noblesse) et *d'amors*, et
multiplie les rimes et les sonorités en *or* (ving-cinq occurrences
en vingt octosyllabes, v. 967-986). Commentant cet extrait,
Myriam Rolland-Perrin écrit avec justesse : « Véritable morceau
de bravoure, l'éclaircissement de l'onomastique joue avec les
mots savamment entrelacés dans une répétition incantatoire qui
envoûte le public et qui n'est pas sans préfigurer la poésie des
grands rhétoriqueurs ou même la poésie baroque. L'harmonie
sonore est première, recherchée grâce à la quadruple répétition
de *non*, d'*amors* et grâce à la reprise de *color* et *sororee*. Le
choix des termes semble en grande partie guidé par leurs sonorités, comme le montre la proximité de *enoree* et de *sororee* »
(*Blonde comme l'or. La chevelure féminine au Moyen Âge*,
Publications de l'université de Provence, Senefiance 57, 2010,
p. 293).

v. 958, *sanblant*. Ce terme se rattache au bas-latin *similare*. Dans
l'ancienne langue, il possède les acceptions suivantes : 1. « ressemblance », « image », « portrait » ; 2. « aspect », « apparence », d'où la
locution *par semblant* : « à ce qu'on voit », « à ce qu'il semble »,
« apparemment » ; 3. « expression physique », « contenance »,
« mine », « visage » d'où *faire/mostrer bel semblant* : « faire bonne
figure », « bon accueil » et *faire/mostrer semblant* : « montrer par son
comportement, par des signes extérieurs », « avoir l'air », « sembler » ; 4. « indice », « marque » ; 5. « manière d'être », « avis »,
« opinion ». À notre époque, le mot qualifie l'apparence trompeuse.
Comme le précise Lucien Foulet : « *Faire semblant* est aujourd'hui
aussi courant que par le passé, mais il est toujours péjoratif : il
implique l'idée de vouloir tromper ou berner son monde ; en se cris-
tallisant ainsi, l'expression a perdu beaucoup de sa couleur et de sa
force » (*Glossary of the First Continuation*, vol. 3, partie 2, Philadelphie, American Philosophical Society, 1955, p. 268).

v. 960, *veraie*. Provenant du bas-latin *veracum* à partir du latin classique
veracem (« véridique »), l'adjectif *verai/vrai* désigne ce qui est
« conforme à la vérité » : pour une personne, « véritable », « sincère », « loyal », et pour une chose : « efficace », « réel », « incontes-
table ».

v. 970, *sor*. Du francique **saur* (« brun tirant sur le jaune »), *sor* qualifie
une couleur brillante d'or : « blond doré », « blond brillant » pour
une chevelure, « alezan » pour un cheval et « qui n'a pas encore
mué » pour un oiseau de proie. Cet adjectif rime souvent avec *or*.
Cf. *Érec et Énide*, op. cit., v. 1651-1652 ; *Perceval ou le Conte du graal*,
op. cit., v. 1813-1814 ; *Blancandin et l'Orgueilleuse d'amour*, op. cit.,
v. 567-568 ; *Claris et Laris*, op. cit., v. 14477-14478. Sur ce sujet, voir
Myriam Rolland-Perrin, *Blonde comme l'or. La chevelure féminine au
Moyen Âge*, op. cit., p. 33-41.

11. Le Roman de Tristan *de Béroul* (v. 1981-2016)

Ce texte est établi à partir du manuscrit BNF fr. 2171 et de
Tristan et Iseut, éd. bilingue par P. Walter, Le Livre de Poche,
« Lettres gothiques », 1989, p. 114-115. Nous avons corrigé *des-
cendit* (v. 1993) en *decendist*.

À travers la forêt du Morois, le forestier conduit le roi Marc
jusqu'à la loge de feuillage où les deux amants sont endormis.
Furieux, le souverain s'approche, tire son épée du fourreau et la

brandit, prêt à les tuer (avec les trois subjonctifs « d'imminence contrecarrée, v. 1993-1995). Pourtant il ne les frappe pas : il remarque en effet dans leur attitude quatre indices qu'il interprète toujours comme des marques de leur innocence, et qui le convainquent de leur chasteté. Alors que la chemise vêtue par Yseut, les braies conservées par Tristan et l'écart entre leurs bouches peuvent s'expliquer par la fatigue et la chaleur accablante, tandis que l'épée nue séparant leurs corps peut révéler la prudence d'un chevalier soucieux de garder son arme à portée de main, Marc y voit la preuve de leur continence et conclut qu'ils n'éprouvent pas une folle passion l'un pour l'autre. Cette scène illustre ainsi l'incommunicabilité entre les êtres à cause du caractère double et trompeur des signes que chacun comprend à sa façon. Voir J. Dufournet, « Étude de l'épisode du roi Marc dans la hutte des amants », *L'Information littéraire*, mars-avril 1975, p. 79-87.

v. 1981, *Li rois deslace son mantel*. Comme l'explique Lucien Foulet dans *The Glossary of The First Continuation*, *op. cit.*, p. 178, le manteau est un vêtement d'apparat et de cérémonie que l'on porte en signe de paix, de déférence courtoise et de loisir. En revanche, « dès qu'on prend part à une activité quelconque, qui ne soit pas de pure parade, mission à remplir, service à assurer, besogne à mener à fin, intervention à soutenir », il convient d'ôter son manteau. Marc accomplit ce geste symbolique avant d'agir.

v. 1987, *loge*. Issu du francique *laubja* (« tonnelle »), le substantif *loge* désigne une habitation provisoire, une hutte faite de branches et de feuilles, une cabane ou une tente. Le mot s'applique ensuite à de petites pièces (chambre haute, d'appoint) ou à des galeries d'un château, ouvertes sur l'extérieur et destinées à l'agrément ou à l'observation. Enfin, il définit la tribune érigée pour les spectateurs d'un tournoi et l'abri couvert, la boutique située dans les foires et les halles.

v. 1988, *forestier*. Le garde forestier est un agent chargé de protéger un territoire boisé réservé au seigneur. Le personnage est souvent détesté parce qu'il poursuit les braconniers, perçoit les taxes et les amendes, et s'oppose au défrichage de la forêt. Espion, mauvais conseiller, celui-ci représente le double négatif, vil, félon, instinctif et brutal du roi Marc.

v. 1990, *çoine*. C'est la troisième personne du présent de l'indicatif du
verbe *seignier*, qui veut dire « faire signe ».

v. 1993-1995. *Ja decendist li cop sor eus,/ Ses oceïst, ce fust grant deus,/
Quant vit…* Le système syntaxique propose un premier membre de
phrase au subjonctif imparfait (*decendist, oceïst, fust*) et un second,
une subordonnée temporelle au passé simple de l'indicatif (*Quant
vit…*). Cette combinaison du subjonctif appelé parfois « subjonctif
d'imminence contrecarrée » et employé pour un procès qui était sur
le point de se produire, et de l'indicatif qui empêche la réalisation de
l'action envisagée, cette juxtaposition de l'irréel et du réel suscite un
intense effet dramatique. Voir Philippe Ménard, *Syntaxe de l'ancien
français*, Bordeaux, Bière, 1994, p. 148.

v. 2000, *braies*. Issu du gaulois **braca*, le mot désigne « une sorte de
culotte ou de caleçon plus ou moins long ».

12. La Quête du Saint Graal

Ce texte est établi à partir de *La Queste del Saint Graal*,
éd. A. Pauphilet, Honoré Champion, 1975, p. 66 et 70-71.

Alors qu'en principe le *fin amant* ne doit révéler à personne
sa relation secrète avec la dame aimée, Lancelot finit par céder
aux exhortations de l'ermite et lui confesse son amour coupable
(*fole amor*) pour l'épouse du roi Arthur. D'une part, il se sent
encore très redevable envers la reine qui lui a procuré richesse,
haut rang, gloire chevaleresque et bonheur terrestre, comme il
le souligne dans une tirade lyrique marquée par la reprise de
l'anaphore (*Ce est cele qui*). De l'autre, il reconnaît sa culpabilité, comme en témoignent la répétition du terme *pechié* et la
présence des verbes *pecherai*, *blasme* et *honist* ; il s'engage à
observer désormais la chasteté, car il désire toujours accomplir
de hauts faits et garde sans doute l'espoir de mener à bien la
quête du Graal. Le lien qui unit le saint ermite (*prodome*) et son
frère chevalier préfigure d'une certaine manière la chevalerie
célestielle à laquelle Lancelot rêve d'accéder mais qu'il ne
pourra atteindre malgré son repentir. Au demeurant, dans *La
Mort du roi Arthur*, le roman qui suit *La Quête du Saint Graal*,
Lancelot retombe dans sa folle passion adultère pour Guenièvre.

l. 2, *pechié*. Du latin *peccatum* (« action coupable », « crime », « erreur »), ce terme offre plusieurs acceptions dans l'ancienne langue : outre le sens général de « faute », il désigne aussi une « mauvaise action », un « outrage », un « dommage », un « malheur », une « imprudence » aux conséquences fâcheuses, enfin une « transgression de la loi divine » ; depuis le XVIIe siècle, cette valeur religieuse est prédominante.

l. 18, *creant*. Dérivé du latin tardif **credentare*, formé sur *credens*, participe présent de *credere* (« croire »), le verbe *creanter* veut dire : 1. « promettre » ; 2. « garantir », « assurer » ; 3. « autoriser », « permettre », « accorder », « consentir à » ; 4. « approuver », « ratifier ». Sous la forme pronominale, il se traduit par : « s'engager à ».

l. 23, *haitiez*. Participe passé du verbe *haitier*, cet adjectif en garde les deux valeurs principales : 1. « de bonne humeur », « gai », « joyeux », « allègre », « rempli d'ardeur » ; 2. « bien portant », « en bonne forme physique et mentale ». Il est souvent associé à l'adjectif *sain* pour qualifier un personnage « bien portant de corps et d'esprit », une personne en parfaite santé.

13. Cligès (v. 3120-3154)

Ce texte est établi à partir de la copie de Guiot, manuscrit BNF fr. 794, et de *Cligès*, éd. bilingue par L. Harf-Lancner, Champion Classiques, 2006, p. 230-233.

Fénice condamne l'amour adultère qui unit Tristan et Yseut au nom de la raison et du droit (*resnable*, v. 3139, et *droiz*, v. 3154). Contrairement à Yseut, elle refuse que son corps appartienne à deux hommes. Elle dénonce la duplicité de la reine qui n'a donné son cœur qu'à un seul mais abandonne son corps à son amant et à son mari. La réprobation à l'égard de ce comportement se traduit par des termes péjoratifs tels que *folie* (v. 3130), *honte* (v. 3131), *vilena* (v. 3134), *rentiers* (v. 3136), *garçoniers* (v. 3143) et *parçoniers* (v. 3144). Reprenant un cliché de la poésie lyrique, la séparation du cœur et du corps, le vers 3145 *Qui a le cuer, cil a le cors* constitue surtout une réplique cinglante au vers 1193 du *Roman de Tristan* de Thomas : *Ele a le cors, le cuer ne volt* (Yseut possède le corps du roi Marc mais ne veut pas son cœur).

v. 3136. *rentiers*. Le substantif qualifie « celui qui doit ou paie une
rente », ainsi que le « bénéficiaire ». La rime *entiers/rentiers* est inver-
sée dans *Éracle* de Gautier d'Arras (éd. G. Raynaud de Lage, Honoré
Champion, 1976, v. 3525-3526). Voir Corinne Pierreville, *Gautier
d'Arras, l'autre chrétien*, Honoré Champion, 2001, p. 51.

v. 3143. *garçoniers*. Cet adjectif se rattache au terme *garçon* issu du
francique **wrakjo* (« vagabond ») qui désigne un « serviteur de statut
social inférieur » et devient une insulte au sens de « coquin », « misérable ». *Garçoniers* est lui aussi un terme péjoratif signifiant : « liber-
tin », « volage », « dévoyé ». Au demeurant le nom *garçoniere* évoque
une « débauchée », une « prostituée ».

v. 3144. *parçoniers*. Dérivé du mot *parçon*, venant lui-même du latin
partitionem (« division », « répartition »), ce substantif définit celui
qui partage son bien avec autrui, un « cohéritier », un « coproprié-
taire », un « associé », un « confident ». L'emploi de ce vocable, présent également au v. 2289 du *Roman de Tristan* de Thomas à propos
de Governal, complice des amants de Cornouailles, se réfère peut-
être au *Roman d'Énéas* où Lavine refuse de partager son amour : *o
lui n'avra ja parçonier* (éd. bilingue par A. Petit, Le Livre de Poche,
« Lettres gothiques », 1997, v. 8358). Gautier d'Arras se plaît à déve-
lopper ces rimes dans *Ille et Galeron*, éd. Y. Lefèvre, Honoré Champion, 1988, v. 1285-1288 : *Ne cuidiés ja que garçonier/ Soient ja
d'amor parçonier/ Ne ja n'en seront parçonieres/ Celes qui en sont
garçonieres* (« Ne croyez pas que les libertins puissent jamais prendre
part à l'amour, et n'y prendront jamais part celles qui sont volages »).
Voir Corinne Pierreville, *Gautier d'Arras…, op. cit.*, p. 53.

14. Le Roman de la rose *de Guillaume de Lorris* (v. 1017-1052)

Ce texte est établi à partir du manuscrit BNF fr. 25523 et du
Roman de la rose, éd. bilingue par J. Dufournet, GF-Flammarion, 1999, p. 98-101.

Après avoir évoqué les premiers participants à la carole, à
savoir le dieu d'Amour et Beauté, le narrateur s'attarde sur le
personnage de Richesse dont il souligne la noblesse et la puissance ; elle exerce un pouvoir qui peut s'avérer inquiétant,
comme le suggèrent les termes *nuire* (v. 1023), *nuisance*

(v. 1026), *cremoit* (v. 1032) et *dangier* (v. 1033), d'autant que sa souveraineté entraîne la présence de vils flatteurs dans sa cour. L'auteur multiplie d'ailleurs les vocables appartenant au champ lexical de la flatterie : *loent* (v. 1040), *los* (v. 1044), *alosés* (v. 1045), le verbe *losengier* (v. 1039) et surtout les substantifs *losengier(s)* (v. 1034, 1040, 1047, 1051) et *losenges* (v. 1042, 1047). Il dénonce aussi les pratiques de ces hypocrites à l'aide d'antithèses (*Par devant/ Par derrier*) et de rimes signifiantes (*blamer/amer, oignent/poignent, alosés/accusés*). Poussés par l'envie, ces traîtres s'attaquent en priorité aux personnes les plus aimables et aux hommes de mérite, les *prodommes* (v. 1046), auxquels tout les oppose.

v. 1022, *fiers*. Du latin *ferum* (« sauvage », « cruel ») cet adjectif est ambivalent. En effet tantôt il souligne la valeur des combattants : 1. « farouche », « vaillant », « courageux », « acharné » ; 2. il peut devenir une sorte d'intensif : « magnifique », « excellent », « extra-ordinaire » ; tantôt il a un sens péjoratif : 3. « violent », « féroce », « terrible » ; 4. « hautain », « arrogant », « prétentieux ».

v. 1025, *riches*. Provenant du francique **riki*, l'adjectif *riche* signifie : 1. « puissant », comme son étymon ; 2. « très important », « considé-rable » ; 3. « fort », « redoutable » ; 4. « magnifique », « précieux », « somptueux », « fastueux » ; 5. « qui possède de grands biens », « qui a de la fortune ».

15. Chanson III *du châtelain de Coucy*

Ce texte est établi à partir du manuscrit BNF fr. 844 et des « Chansons authentiques », in *Édition critique des Œuvres attri-buées au Chastelain de Couci*, éd. A. Lerond, PUF, 1964, III, p. 68-71.

Cette chanson courtoise comprend cinq huitains décasylla-biques aux rimes identiques, quatre croisées puis quatre embrassées selon le schéma : a'ba'b ba'a'b.

Elle contient plusieurs topiques de la poésie lyrique : la voix du rossignol – cet oiseau messager du printemps et chantre de l'amour courtois, de surcroît ici reflet de l'état d'âme du poète

où se mêlent langueur et plaisir – incite le châtelain à chanter
à son tour ; la loyauté, la fidélité et la timidité de l'amant ; ses
craintes exprimées par les verbes *os* (nié, v. 12, 15, 34), *redout*
(v. 16, 35), *dout* (v. 23) ; sa pensée obsédante pour sa dame ;
son amour supérieur à celui de Tristan ; son abandon total ;
l'éloge de la bien-aimée sans égale ; l'importance des yeux ; la
séparation du cœur et du corps ; la menace que représentent les
losengiers ; l'emploi constant du lexique de la féodalité : *lige
homage* (v. 6), *a son oez retenir* (v. 8), *serf* (v. 11), *servir* (v. 24),
hostage (v. 30). Le châtelain de Coucy apparaît comme le parfait vassal, au service de celle qu'il adore comme une divinité.
Sur ce poème, voir Paul Zumthor, *Essai de poétique médiévale*,
Éditions du Seuil, « Points », 1972, p. 234-247.

v. 9, *faus.* Du latin *falsum* (« faux », « trompeur »), cet adjectif signifie :
    1. « qui n'est pas authentique », « non conforme à la vérité »,
    « inexact » ; 2. « mensonger » ; 3. « déloyal », « perfide » ; 4. « infi-
    dèle » ; 5. « injuste », « inique » ; pour les choses : 6. « dissimulé »,
    « secret », « dérobé » ; 7. « de mauvaise qualité ».
v. 15, *simple.* Conservant la plupart des valeurs de son étymon latin
    simplex, cet adjectif souligne plus souvent une qualité qu'un défaut :
    1. « ordinaire », « naturel » ; 2. « modeste », « humble » ; 3. « dis-
    cret » ; 4. « franc » ; 5. « affable », « doux » ; 6. « crédule », « naïf »,
    « ingénu » ; 7. « penaud », « niais ».

16. Le Roman de Tristan *de Béroul* (v. 2694-2732)

Ce texte est établi à partir du manuscrit BNF fr. 2171 et de
Tristan et Iseut, éd. bilingue par P. Walter, Le Livre de Poche,
« Lettres gothiques », 1989, p. 146-148. Nous avons corrigé *con*
(v. 2719) par *çou*.

On remarque tout d'abord un lexique propre à la *fine amor*
(v. 2722), avec des termes tels que : *por l'amor de moi* (v. 2709),
drüerie (v. 2726), *seisi* (v. 2728) et *saisine* (v. 2732), *don* (v. 2723)
et *gerredon* (v. 2729). Les cadeaux offerts, l'anneau que la reine
donne à Tristan et le chien Husdent que celui-ci confie à Yseut
sont pour eux à la fois des souvenirs, des gages d'affection et

des signes de reconnaissance. Le baiser échangé (v. 2731-2732) rappelle le rituel féodal de l'*osculum* ; toutefois la réciprocité de la saisine traduit l'égalité des amants de Cornouailles et non la supériorité de la dame. Au contraire, lorsque la fée Morgane explique à son frère Arthur le rôle d'entremetteur joué par Galehaut qui a incité Guenièvre à répondre favorablement à l'amour de Lancelot, elle insiste sur le lien de vassalité qui unit la reine et son chevalier servant : « *il pria tant la roïne que elle otroia del tout en tot s'amor a Lancelot et l'en sessi par un besier* » (*La Mort du roi Arthur, op. cit.*, § 48, p. 138, l. 71-72, « Galehaut pria tant la reine qu'elle donna sans réserve son amour à Lancelot et s'engagea à lui par un baiser »). Sur ces deux textes, voir Jean Frappier, *Amour courtois et Table ronde*, Genève, Droz, 1973, p. 11-12.

v. 2696, *Husdent*. C'est le petit braque de Tristan. Il retrouve son maître dans la forêt du Morois ; celui-ci lui apprend à chasser sans aboyer. Lorsque Tristan rend Yseut au roi Marc, la reine lui demande de lui laisser son chien en gage d'amour. Husdent est en quelque sorte le « substitut animal » de Tristan.

17. Le Chevalier de la charrette (v. 4477-4508)

Ce texte est établi à partir de la copie de Guiot, manuscrit BNF fr. 794, et du *Chevalier de la charrette*, éd. bilingue par C. Croizy-Naquet, Champion Classiques, 2006, p. 302-305.

La nouvelle que Lancelot n'est pas mort a réjoui la reine et l'a rendue désireuse de revoir le chevalier. Profitant des bonnes dispositions de Guenièvre, le héros ose enfin lui demander la raison du mauvais accueil qu'elle lui a réservé lors de leur première rencontre (v. 3945-3977). Avant même de savoir la cause de sa froideur, il plaide déjà coupable, évoque un crime qu'il aurait pu commettre et se dit prêt à réparer sa faute (*amander*, v. 4488). Avec une grande assurance qu'expriment la question dirigée (*Don n'eüstes vos ?*, v. 4492) et les adverbes (*Molt*, v. 4494, et *voir*, v. 4496), la reine lui reproche son hésitation à

monter sur la charrette d'infamie, et les deux pas de retard
(v. 4495) rappellent tout à fait l'octosyllabe ajouté dans deux
manuscrits, après le v. 360 : *Tant solemant deus pas demore*.
Aux yeux de la dame courtoise, cet atermoiement constituait
un début d'insoumission. Loin de contester cette accusation,
Lancelot l'approuve et en souligne le bien-fondé (*molt grant
droit*, v. 4501). Son assujettissement lui vaut aussitôt d'être pardonné (*quites*, v. 4506, et *pardoing*, v. 4508).

v. 4488, *amander*. Provenant du latin *emendare* (« corriger », « punir »),
   forgé lui-même sur *menda* (« faute », « défaut »), le verbe *amander/
   amender* possède plusieurs significations. D'abord en rapport avec
   son sens étymologique : 1. en emploi transitif : « corriger une faute »,
   « réparer un tort » puis « tirer réparation de », « venger », « condamner » ; 2. en emploi intransitif : « offrir réparation », « faire amende
   honorable », « présenter ses excuses », « demander pardon » ; 3. en
   emploi pronominal : « se racheter », « expier ». Le verbe peut aussi
   qualifier toute amélioration : 4. sur le plan matériel : « arranger »,
   « améliorer », « embellir » (transitif) ; « s'améliorer », « augmenter »,
   « croître » (intransitif) ; 5. sur le plan physique : « guérir », « soigner » (transitif) ; « se porter mieux », « se rétablir », « grandir »
   (intransitif) ; 6. sur le plan moral : « rendre meilleur », « avantager »,
   « favoriser » (transitif) ; « s'améliorer » (intransitif) ; « valoir mieux »
   (pronominal).
v. 4503, *amande*. Déverbal d'*amander*, *amande/amende* veut dire :
   1. « réparation d'un tort » ; 2. « punition », « châtiment », « peine ».
v. 4506. *quites*. Dérivé du latin *quietum* (« paisible »), l'adjectif *quite(s)*
   n'a conservé la valeur de son étymon que très rarement : « calme »,
   « tranquille » ; il possède surtout un sens juridique : « libre »,
   « libéré », « acquitté », puis, par extension, il signifie : « délivré de »,
   « débarrassé de », « dispensé de », « pardonné de ».

18. Le Roman de Tristan *de Thomas* (v. 785-854)

Ce texte est établi à partir du manuscrit Oxford, Bodleian
Library Fr. d.16 (ms. dit « Sneyd » 1), et du *Roman de Tristan
par Thomas*, éd. bilingue par E. Baumgartner et I. Short,
Champion Classiques, 2003, p. 90-95.

Le texte est construit en partie sur une opposition entre deux termes : *desir* (v. 803, 805, 812, 816, 817 et 819), qui désigne chez Tristan « le souvenir nostalgique de l'amour qui le lie à Yseut et l'empêche de lui être infidèle » (*ibid.*, p. 268-269), l'amour « dans sa dimension sentimentale », et *voleir* (v. 799, 804, 805, 808, 813, 818) qui définit « la concupiscence charnelle », le désir sexuel. L'alliance du *desir* et du *voleir* constitue, « selon Thomas, l'amour parfait, et l'erreur de Tristan [...] est d'avoir cru possible de les dissocier, d'avoir voulu satisfaire son *voleir* en oubliant l'amour vrai, le *desir*, qui le lie à Yseut. » (*ibid.*, p. 57, note 2). Pour expliquer sa continence à son épouse, il prétexte une grave maladie (*emfermeté, anguissé forment, anguissusement, mal, malades*) sur laquelle il lui demande de garder le silence ; il cherche aussi à la réconforter en lui prédisant d'autres occasions de jouissance. La pudeur, représentée par l'euphémisme *el* (v. 853), et l'ignorance de la jeune vierge qui n'a pas encore découvert le plaisir sensuel (v. 828) rendent crédible à ses yeux l'*engin* (v. 824), la ruse, l'excuse imaginée par Tristan.

v. 804, *meschine*. Emprunté à l'arabe *miskin* (« pauvre », « petit »), le substantif *meschine* désigne une adolescente de condition modeste, une servante. Toutefois il peut aussi qualifier une jeune fille noble qui se révèle faible, fragile et pitoyable. Voir Georges Gougenheim, « Meschine », *Le Moyen Âge*, t. LXIX, 1963, p. 359-364.

v. 807, *Amur e Raisun*. Alors que ces deux personnifications sont souvent opposées, comme dans *Le Chevalier de la charrette* (v. 365-377) où Lancelot hésite à monter sur la charrette d'infamie parce qu'il est tiraillé entre ces deux forces antagonistes : d'une part la Raison qui représente le respect des conventions sociales et l'éthique féodale fondée sur l'honneur, de l'autre Amour qui exige de ses fidèles tous les sacrifices, dans ce passage Amour et Raison unissent leurs forces pour empêcher Tristan d'assouvir son désir pour Yseut aux Blanches Mains.

v. 824, *engin*. Issu du latin *ingenium* (« qualités innées », « talent »), le substantif possède au Moyen Âge des valeurs abstraites et concrètes : 1. « intelligence », « esprit » ; 2. avec une nuance méliorative : « ingéniosité », « habileté », « adresse » ; 3. avec une nuance péjorative : « ruse », « tromperie », « perfidie » ; 4. « bon tour », « moyen ingénieux », « artifice », « procédé » ; 5. « mécanisme », « dispositif », en particulier : « machine de guerre », « piège pour la chasse et la pêche ».

v. 830, *vilanie*. Rattaché à *vilain*, le substantif *vilanie/vilenie*, antonyme de *cortoisie*, présente au Moyen Âge plusieurs significations : 1. « condition de vilain » ; 2. « ensemble de vilains », « paysannerie » ; 3. « bassesse », « infamie », « déshonneur » ; 4. « action honteuse », « conduite vile » ; 5. « affront », « outrage » ; 6. « injure », « insulte », « grossièreté » ; 7. « ordure », « saleté » ; 8. « violence », « brutalité ».

19. Chanson *de Bernard de Ventadour*

Ce texte est établi à partir de l'*Anthologie des troubadours,* éd. bilingue par P. Bec, U.G.E., 10/18, « Bibliothèque médiévale », 1979, p. 132-136.

La *canso* comprend sept *coblas unisonanz* de huit octosyllabes (selon le schéma suivant : ababcdcd) et une *tornada* de quatre octosyllabes (cdcd).

Au terme de cette chanson de désespoir, l'une des plus belles de la lyrique provençale, Bernard de Ventadour renonce à aimer et donc à chanter. La tonalité tragique se traduit par la récurrence de la mort (v. 22-23, 48, 54) et la présence de termes exprimant la douleur, comme *ailas !* (v. 5 et 9) et *caitiu(s)* (v. 46, 56, 58). L'image initiale de l'alouette se laissant tomber, comme grisée, symbolise cette extase amoureuse dont est privé le troubadour au désir toujours ardent (v. 8, 16 et 46), par suite de l'indifférence de la dame qui ne cesse de se dérober à lui.

v. 24, *Lo bèlhs Narcisus*. Allusion à la légende de Narcisse racontée par Ovide dans le livre III des *Métamorphoses*. Le jeune, beau et farouche Narcisse, qui a repoussé les avances de plusieurs nymphes, dont Écho, reste insensible à l'amour jusqu'au jour où, près d'une source, il se penche sur l'eau et s'éprend aussitôt de son reflet ; il languit et dépérit de désespoir devant l'objet insaisissable de son amour. Cf. le *Lai de Narcisse* et le *Roman de la rose* de Guillaume de Lorris (v. 1439-1518).

v. 35, *Que vòl çò qu'òm no deu voler*. Un autre manuscrit propose la leçon suivante : *Que no vol so qu'om deu voler* : « Car elle ne veut pas ce qu'on devrait vouloir » (K. Bartsch, *Chrestomathie provençale, Xᵉ-XVᵉ siècles*, Marbourg, 1904).

v. 38, *com fòls en pon*. Traduction : « comme le fou sur le pont ». Allusion à un proverbe : « Le sage, quand il passe sur un pont, ne se lance pas en aveugle mais descend de sa monture. »

v. 47, *Que ja ses lèis non aurà be*. Une autre interprétation est proposée par P. Bec : « qui, sans elle, ne pourra guérir » (p. 135).

v. 53 et 59, *e'm recré*. A. Jeanroy traduit d'une autre manière : « et je le renie » (*La Poésie lyrique des troubadours*, Toulouse/Paris, Privat/Didier, 1934, t. II, p. 143).

v. 57, *Tristans*. Il s'agit non pas de l'amant d'Yseut mais du *senhal* de la dame aimée par le troubadour, peut-être Marguerite de Turenne, femme d'Ebles III, vicomte de Ventadour.

20. Chanson *de Conon de Béthune*

Ce texte est établi à partir de l'édition d'A. Wallensköld, *Les Chansons de Conon de Béthune*, Honoré Champion, 1921.

Cette chanson comprend six huitains de décasyllabes dont les rimes changent toutes les deux strophes selon le schéma suivant : ab'ab'aab'a (b' est une rime féminine).

Ce débat est fondé sur un dialogue assez vif entre un chevalier désabusé par une attente excessive et sa dame prête à lui accorder enfin ses faveurs. Les deux personnages se moquent l'un de l'autre avec insolence et une ironie mordante marquée par les verbes *ramprosner* (v. 17) et *gaber* (v. 19). Si le chevalier repousse les avances de la dame dont la beauté s'est flétrie avec le temps, celle-ci réplique en soulignant l'infériorité de son soupirant par l'emploi du terme *vassal* aux v. 19 et 33 et en l'accusant d'être homosexuel (v. 22-24). Si la valeur de la dame tient encore à sa richesse et à son lignage, pour son ancien prétendant, l'amour ressortit non à la puissance, mais à la beauté, la courtoisie et la sagesse, trois qualités qui manquent désormais à celle qu'il a aimée jadis.

v. 4, *veee*. Le verbe *veer* a conservé les valeurs de son étymon latin *vetare*, à savoir : « refuser », « défendre », « interdire ».

v. 12, *piech'a/piecha*. Formé du substantif *piece* dans son acception temporelle (« moment ») et de la 3e personne du singulier du verbe *avoir* à l'indicatif présent, cet adverbe signifie : « il y a longtemps », « depuis longtemps », « jadis ».

v. 17, *ramprosner*. Ce verbe présente les significations suivantes : 1. « railler avec aigreur », « persifler » ; 2. « injurier », « insulter » ; 3. « quereller ».

v. 19, *vassal*. Provenant du latin médiéval *vassalus,* lui-même dérivé de *vassus* (« serviteur »), le terme *vassal* peut être en ancien français un adjectif (« brave », « courageux ») ou un substantif dénommant selon les contextes : 1. le subordonné d'un seigneur qui lui a cédé un fief ; mais, dans cette acception conservée aujourd'hui, *vassal* était autrefois moins usuel qu'*home* ; 2. le vaillant guerrier ; 3. comme terme d'adresse, il prend parfois la valeur d'une injure. La dame exprime par ce mot l'infériorité du trouvère.

v. 19, *gaber*. Dérivé sans doute de l'ancien scandinave *gabba* (« ouvrir grand la bouche », « railler »), ce verbe présente trois significations majeures en ancien français : 1. « plaisanter », « se divertir » ; 2. « se vanter », « galéjer » ; 3. « se moquer ».

v. 24, *vallet*. Issu du latin populaire **vassellitus*, diminutif de *vassalus*, ce substantif désigne de façon générale un jeune homme célibataire. Si, dans les chansons de geste et les romans, il qualifie un adolescent noble qui n'a pas encore été adoubé chevalier et apprend le métier des armes et les bonnes manières à la cour d'un grand seigneur au service duquel il est entré, dans la littérature bourgeoise et morale, il s'applique à un simple serviteur.

v. 31, *iresie*. Dérivé du latin classique *haeresis* (« doctrine », « système »), le terme se traduit dans ce contexte par « sodomie ». Quand une dame voit ses approches amoureuses rejetées par un homme, il arrive qu'elle l'accuse d'être homosexuel. Voir les propos que la reine adresse à Lanval dans le *Lai de Lanval* de Marie de France (v. 277-282) et les calomnies proférées par la mère de Lavine à sa fille au sujet d'Énéas (*Le Roman d'Énéas*, v. 8621-8656).

v. 39, *li Marchis*. Il s'agirait du marquis Boniface II de Montferrat qui, protecteur des poètes, s'illustra pendant la quatrième croisade.

v. 40, *li Barrois*. L'éditeur du texte l'identifie avec Guillaume des Barres. Ce chevalier doté d'une force prodigieuse vainquit, vers 1188, Richard Cœur de Lion en combat singulier.

21. Le Chevalier de la charrette (v. 4659-4726)

Ce texte est établi à partir de la copie de Guiot, manuscrit BNF fr. 794, et du *Chevalier de la charrette*, éd. bilingue par C. Croizy-Naquet, Champion Classiques, 2006, p. 312-315.

On remarque trois champs lexicaux dans cette scène : l'un qualifie la sensualité d'un amour physique exprimée par les locutions suivantes : *anbrace* (v. 4663), *estroit pres de son piz le lace* (v. 4664), *an son lit tret* (v. 4665), *il la tient antre ses braz/ Et ele lui antre les suens* (v. 4680-4681), *beisier* et *santir* (v. 4683) ; l'autre relève de la jouissance érotique marquée par de multiples termes : *conjot* (v. 4669), *gré* (v. 4678), *solaz* (v. 4679), *jeus* (v. 4682), *joie(s)* (v. 4685, 4690, 4693), *delitable* (v. 4691), *deduit* (v. 4693), *plest* (v. 4703) ; le troisième appartient à des pratiques religieuses avec des vocables tels que : *aore* et *ancline* (v. 4660), *cors saint* et *croit* (v. 4661), *martirs* (v. 4697), *martire* (v. 4699), *a sploié* (v. 4724), *autel* (v. 4726). Cette rencontre particulièrement voluptueuse se teinte ainsi de mysticisme, dans la mesure où Lancelot adopte des gestes liturgiques en entrant et en sortant de la chambre de la reine. Même si l'auteur reste discret pour évoquer l'union sexuelle (v. 4688-4692), les deux personnages éprouvent une immense joie, à la fois sensuelle et spirituelle. Lors de cette nuit d'amour, Lancelot, amant adorateur et martyr, rend un véritable culte à son idole Guenièvre.

v. 4705, *Li cors s'en vet, li cuers sejorne.* La séparation du corps et du cœur laissé en gage à la dame aimée est un topique de la poésie lyrique courtoise.

4708-9, *Que li drap sont tachié et taint/ Del sanc…* Ces draps ensanglantés rappellent ceux qu'évoque Béroul dans son *Roman de Tristan* : on y voit le neveu du roi Marc, blessé la veille à une jambe, rouvrir sa plaie en sautant dans le lit de la reine ; les deux amants sont alors confondus par les taches que le souverain découvre sur la farine répandue sur le sol et sur la couche de son épouse (v. 729-768). Sur cette analogie, voir Claude Lachet, « Le rouge et le blanc chez Chrétien de Troyes et les continuateurs », *Mémoires arthuriennes*, textes réunis par D. Quéruel, Médiathèque du Grand Troyes, 2012, p. 35-36.

22. Le Livre du voir dit (v. 1478-1511)

Ce texte est établi à partir du manuscrit BNF fr. 22545 et du *Livre du voir dit*, éd. bilingue par Paul Imbs, introduction et révision par J. Cerquiglini-Toulet, Le Livre de Poche, « Lettres gothiques », 1999, p. 174-177.

Guillaume de Machaut vient de recevoir un présent de la part de sa jeune admiratrice. Il s'empresse de s'isoler dans sa chambre, comme en témoignent les locutions quelque peu redondantes : *Tous seulz, sans nulle creature* (v. 1479), et *n'i ot fors moi present* (v. 1485), pour le découvrir sans témoin. La beauté du portrait le ravit et il voue aussitôt un véritable culte à cette *ymage*, à genoux et mains jointes (v. 1496). Au lieu de sacrifier des animaux (v. 1493), à la manière des païens, c'est tout son être qu'il apporte en offrande à la divinité, au cours d'un rituel d'hommage vassalique. Considérant cette *ymage* comme le substitut de sa bien-aimée, il lui attribue le même surnom de *Toute Belle* (cf. v. 1491, 12, 2826 et 9009). Plutôt que d'une simple ressemblance, il convient de parler d'identité, dans la mesure où le poète se comporte envers le portrait comme envers sa dame. Ainsi les quatre verbes illustrant son adoration : *Ains sera de moi aouree, / Servie, amee et honnouree* (v. 1502-1503) rappellent exactement ceux qu'il a utilisés précédemment pour la jeune femme : *En ma douce dame honnourer / Servir, amer et aourer* (v. 812-813). Ces similitudes montrent combien le poète fétichiste élève sa dame au rang d'une œuvre d'art.

v. 1486, *ymage*. Issu du latin *imaginem* (« représentation », « imitation », « portrait », « évocation »), le terme *ymage/image* offre tout d'abord des sens concrets : 1. « forme », « aspect » ; 2. « représentation artistique » d'un objet ou d'une personne : dessin, peinture,

sculpture, statue ; 3. « portrait », d'où « ressemblance » ;
4. « marque », « sceau », « figure servant d'enseigne » ; 5. le mot
prend ensuite la valeur abstraite de « représentation mentale produite
par l'esprit ou l'imagination en rêve ou éveillé ».

v. 1506, *ouvra*. Du bas latin *operare*, altération du latin classique *operari*
(« travailler », « s'occuper à »), le verbe *ouvrer* possède les valeurs
suivantes : 1. en emploi transitif direct : « faire », « former »,
« créer », « construire », « fabriquer », « façonner » ; 2. « orner »,
« décorer », « ouvrager » ; 3. en emploi transitif indirect : *ouvrer a*,
c'est-à-dire « travailler à » ; 4. en emploi intransitif : « agir »,
« œuvrer ».

23. Le Roman du châtelain de Coucy et de la dame de Fayel (v. 1325-1375)

Ce texte est établi à partir du manuscrit BNF nouv. acq. fr.
7514 et du *Roman du châtelain de Coucy et de la dame de Fayel*,
éd. bilingue par C. Gaullier-Bougassas, Champion Classiques,
2009, p. 212-217.

Le tournoi de La Fère est un spectacle, comme l'atteste la
reprise du verbe *esgarder* (v. 1336, 1339, 1356). Depuis les
estrades, les dames et les jeunes nobles contemplent les hauts
faits des jouteurs. Renaut, châtelain de Coucy, et Gautier de
Châtillon, qui s'affrontent à la lance offrent ainsi au public un
combat magnifique dont la majesté est rendue par des adverbes
laudatifs, tous placés à la rime : *fierement* (v. 1330), *noblement*
(v. 1333), *biellement* (v. 1353), *honniestement* (v. 1354), auxquels
répond *mignotement* (v. 1338), relatif à l'élégance féminine. Les
hérauts incitent les dames à récompenser les hardis chevaliers
en leur accordant des cadeaux et en leur promettant des baisers
et des rendez-vous d'amour. Selon eux, c'est donc bien la
vaillance chevaleresque qui peut faire naître la *finne amour*
(v. 1360) dans le cœur des spectatrices. Au demeurant, la dame
de Fayel ne reste pas insensible aux prouesses du châtelain de
Coucy (v. 1361-1366).

v. 1339, *hours*. Issu du francique **hurd* (« claie »), le substantif *hourt*/
hourd offre plusieurs significations : 1. « palissade » ; 2. « charpente

en encorbellement dressée au sommet des murailles ou des tours » ; ouvrage en bois surplombant le pied de la maçonnerie très favorable à la défense ; 3. « estrade » destinée aux spectateurs d'un tournoi ; 4. « échafaudage ».

v. 1340, *baceler*. Dans son article « Qu'est-ce qu'un bacheler ? Étude historique de vocabulaire dans les chansons de geste du XIIe siècle », *Romania*, 1975, t. XCVI, p. 289-313, Jean Flori stipule que si ce terme désigne des nobles ou des roturiers, des chevaliers ou d'autres personnages (rois, cuisiniers, jongleurs, forestiers, évêques…), des célibataires ou des hommes mariés, des chevaliers fieffés ou non, il dénomme toujours des jeunes gens. Offrant une résonance idéologique particulière, le substantif est employé en bonne part et souvent accompagné d'adjectifs laudatifs. Il souligne les qualités propres à la jeunesse, à savoir l'audace, l'enthousiasme et la générosité.

1367, *errant*. Participe présent du verbe *errer*, ce mot est adjectivé avec le sens de : « qui se déplace, qui voyage, qui chemine » (voir l'expression « chevalier errant »). Employé adverbialement, il se traduit par : « très vite », « promptement », « immédiatement », « tout de suite ». Cf. *errament* (v. 1374) de même sens.

24. Le Conte de Floire et Blanchefleur (v. 215-264)

Ce texte est établi à partir du manuscrit BNF fr. 375 et du *Conté de Floire et Blanchefleur*, éd. bilingue par J.-L. Leclanche, Champion Classiques, 2003, p. 14-17.

L'existence radieuse (v. 264) que mènent les deux enfants s'explique d'abord par leur étroite association dans toutes les activités qu'ils pratiquent : étude, lecture, promenade, repas, loisir, écriture. Si l'absence de l'un des des deux rend l'autre apathique (v. 221-222), en compagnie ils sont pleins d'ardeur pour apprendre, jouer et s'aimer. Cette communauté de vie et cette communion de sentiments se traduisent par vingt-sept verbes au pluriel, par des verbes pronominaux de sens réciproque renforcé par le préfixe *entre* : *s'entramoient* (v. 219), *s'entresambloient* (v. 220), *aus entramer* (v. 232), par le numéral *andeus* (v. 215), le tour *li uns… l'autre* (v. 238), et par la reprise de l'adverbe *ansamble* (v. 235 et 239). De plus, Nature et *noure-ture* s'allient pour favoriser l'amour mutuel des deux adolescents : d'un côté le verger fleuri où pousse la mandragore aux vertus aphrodisiaques et où les oiseaux chantent l'amour, de l'autre l'école où les élèves lisent des livres païens érotiques et écrivent des lettres et des poèmes d'amour. Cet amour partagé est omniprésent dans le texte et engendre chez les deux héros un merveilleux plaisir de vivre, rendu par les mots : *se delitoient* (v. 229), *deporter* (v. 247) et *joie* (v. 236, 240 et 254).

v. 216, *delivre*. Venant du latin chrétien *deliberare* (« mettre en liberté »), l'adjectif *delivre* revêt les acceptions suivantes : 1. « libre » ; 2. « libéré », « délivré », « débarrassé », « dégagé » ; 3. « quitte », « exempt » ; 4. « dispos », « alerte », « agile » ; 5. « facile ». La locution *a delivre* signifie : 1. « librement » ; 2. « sans réserve », « sans restriction », « à discrétion », « à son gré » ; 3. « facilement » ; 4. « avec empressement ».

v. 233, *noureture*. Du bas latin *nutritura* (« action de nourrir »), le substantif *noureture* possède plusieurs significations : 1. « action d'élever », « éducation », « culture » ; 2. « enfant qu'on élève » ; 3. « ensemble des personnes élevées au même endroit », « famille » ; 4. « alimentation ». C'est ce dernier sens qu'il a conservé à notre époque.

v. 258, *letres*. Du latin *littera* (au singulier « lettre de l'alphabet » et au pluriel « missive », « littérature »), le mot *letre(s)* revêt plusieurs acceptions : 1. « signe graphique », « caractère d'écriture », d'où les expressions : *mettre a letre(s)* = « envoyer à l'école » ; *aprendre letres* = « faire des études » ; *aprendre a letres* = « enseigner la lecture, les lettres » ; 2. au singulier collectif et plus souvent au pluriel, « message écrit », « missive » ; 3. « texte », « livre » ; 4. « inscription » ; 5. « écriture » ; 6. « savoir contenu dans les ouvrages écrits », « connaissances littéraires », « culture » ; 7. « interprétation », « sens littéral ».

25. Érec et Énide (v. 2430-2463)

Ce texte est établi à partir du manuscrit BNF fr. 1376 et de *Érec et Énide*, éd. bilingue par J.-M. Fritz, Le Livre de Poche, « Lettres gothiques », 1992, p. 200-203.

C'est l'amour démesuré (*trop l'amoit assez*, v. 2441) qu'Érec éprouve pour son épouse qui est la cause unique de son renoncement à la chevalerie et à ses pratiques. Les propositions négatives (v. 2431-2433 et 2457) suggèrent les activités qu'il accomplissait habituellement avant son mariage avec Énide, notamment les tournois auxquels participent toujours ses compagnons, mais à présent sans lui (v. 2449-2454). L'opposition de deux verbes à l'infinitif, placés à la rime, résume bien cette situation nouvelle : désormais le héros préfère *dosnoier* plutôt que *tornoier* (v. 2433-2434). Ce choix est douloureux pour les chevaliers lucides de son entourage, comme l'expriment les termes *duel* (v. 2439 et 2456), *se dementoient* (v. 2440) et *domages* (v. 2456). Ils condamnent le comportement tourné uniquement vers les plaisirs érotiques (v. 2436-2438) de la part d'Érec qui, loin d'être un « baron » digne de ce nom, n'est plus qu'un *recreanz* (v. 2462) ! En revanche le héros a conservé l'une des qualités majeures de la courtoisie, à savoir la largesse, puisqu'il ne cesse de donner à ses compagnons armes, destriers, vêtements et argent (v. 2446-2448 et 2452).

v. 2452, *Destriers*. Ce substantif tire son origine du mot *destre*, issu du latin *dextera* et signifiant « main droite ». En effet, l'écuyer menait de la main gauche son propre cheval, un *roncin*, monture subalterne, et simultanément conduisait de la main droite le *destrier* de son seigneur, quand ce dernier montait un *palefroi* durant le voyage. Le *destrier* est un cheval de combat, vigoureux et fougueux.

v. 2453, *tornoier* et *joster*. Par ces deux verbes, Chrétien de Troyes semble représenter les deux genres d'affrontements caractéristiques d'un tournoi : d'une part avec *tornoier* (fréquentatif de *torner*) la bataille collective opposant deux troupes de chevaliers, habiles à manier la lance et l'épée dans des mêlées souvent acharnées et confuses, d'autre part avec *joster* (du bas latin **juxtare* exprimant la proximité) la lutte individuelle ou joute au cours de laquelle deux adversaires tentent de se désarçonner en employant surtout la lance.

v. 2461, *recreanz*. Il s'agit à l'origine du participe présent de *recroire* du latin tardif *recredere* (« se rendre ») formé lui-même sur *credere* (« croire »). Le verbe *recroire* revêt plusieurs acceptions ; en emploi transitif : 1. « confier », « remettre » ; 2. « abandonner », « restituer » ; 3. « délivrer » ; 4. « avouer » ; 5. « vaincre » ; en emploi

intransitif : 6. « renoncer », « s'arrêter » ; 7. et en particulier :
« renoncer à la lutte », « s'avouer vaincu » ; 8. « se fatiguer »,
« s'épuiser », « faiblir » ; 9. « être parjure », « se dédire », « abjurer sa
foi » ; en emploi pronominal : 10. « se conduire en lâche ». Adjectif
et substantif, *recreant* définit : 1. « celui qui se déclare vaincu » ;
2. « celui qui renonce aux armes et à la chevalerie », le « lâche », le
« pleutre » ; 3. « celui qui est lassé, épuisé, à bout de forces » ;
4. « celui qui est veule, indigne, misérable ».

26. Le Chevalier au lion (v. 2484-2534)

Ce texte est établi à partir du manuscrit BNF fr. 1433 et du
Chevalier au lion, éd. bilingue par D.F. Hult, Le Livre de Poche,
1994, p. 246-251.

Selon Gauvain, un chevalier amoureux ne doit pas rêvasser
(v. 2503 et 2507), mais s'illustrer dans les tournois pour
accroître sa renommée. Il oppose ainsi le verbe *amender*
(v. 2489) au verbe *empirier*, repris trois fois (v. 2488, 2494 et
2498) afin de souligner le péril qu'encourrait Yvain s'il se can-
tonnait chez lui. Son abandon des armes risquerait de nuire à
l'amour de son épouse (v. 2491-2498) et à leur compagnonnage
(v. 2510-2512). Jean Frappier remarque avec justesse que son
discours allie « le goût de l'énergie chevaleresque et le dilettan-
tisme amoureux ». En effet, « après l'avoir mis en garde contre
les dangers de l'inaction et du bonheur conjugal », il lui recommande de différer le plaisir pour mieux l'augmenter : « Gauvain, l'épicurien courtois, s'est fait un art de vivre : avec un rien
de cynisme, il vante à son ami, plus ingénu que lui, son écono-
mie du plaisir amoureux et des délices sentimentales. Il joue à
la fois le rôle d'un conseiller et celui d'un tentateur. C'est qu'il
se méfie des engagements éternels, bien qu'il en ait peut-être
une légère nostalgie, car, en terminant son propos, sur un sourire, il laisse entendre, très galamment, que s'il avait rencontré
une Laudine sur son chemin, il n'aurait pas agi autrement
qu'Yvain. Au fond, on peut le croire, ce dilettante met l'amitié
à un très haut prix, au-dessus même de l'amour » (*Étude sur*

Yvain ou le Chevalier au lion de Chrétien de Troyes, SEDES, 1969, p. 145-146).

v. 2485, *mesire*. Ce titre honorifique et prestigieux, réservé d'abord aux saints, s'est appliqué ensuite à des êtres exceptionnels par leur naissance, leurs qualités ou leurs fonctions. Dans les romans de Chrétien de Troyes, cette marque de haute estime est attribuée à Yvain, au sénéchal Keu (peut-être avec une nuance d'ironie malicieuse de la part du trouvère champenois) et surtout à Gauvain, le neveu du roi Arthur et le parangon de la chevalerie courtoise. Voir Alfred Foulet, « Sire, Messire », *Romania*, t. LXXI, 1950, p. 1-48 et 180-221.

v. 2503, *songier*. Du latin *somniare* (« avoir un songe », « voir en rêve »), le verbe *songier* a développé les valeurs de son étymon : 1. « rêver » ; 2. « rêvasser », « s'abandonner à la rêverie » ; 3. « réfléchir », « imaginer » ; 4. « être oisif » ; 5. « tarder », « hésiter », « attendre ».

v. 2511, *compains*. Dérivé du latin tardif *companio/companionem* (« celui avec qui l'on mange son pain »), le terme *compains* au cas sujet, *compagnon* au cas régime, désigne : 1. « celui qui partage les occupations d'une autre personne » ; 2. « celui qui voyage avec une autre personne, qui l'accompagne » ; 3. « ami », « camarade », « compagnon d'armes » ; 4. « associé », « complice » ; 5. « adversaire dans un combat » ; 6. « mari », « amant » ; 7. « confrère », « artisan ». Au pluriel, le mot *compagnons* définit les membres d'une petite société réunie autour d'un roi ou d'un illustre personnage (par exemple, « les compagnons de la Table ronde »).

v. 2511, *compagnie*. Du latin populaire **companiam*, le vocable *compagnie* offre diverses significations : 1. « présence d'une personne auprès d'une autre », « amitié », « compagnonnage » ; 2. « association », « communauté » ; 3. « groupe de personnes », « suite d'un prince ou d'un grand seigneur », « escorte » ; 4. « troupe de gens armés », « armée » ; 5. « multitude », « foule » ; 6. « aide », « assistance » ; 7. par spécialisation, « commerce sexuel ».

27. Floriant et Florette (v. 6668-6697)

Ce texte est établi à partir du manuscrit de la Public Library de New York sous la cote DE RICCI 122 et de *Floriant et Florete*, éd. bilingue par A. Combes et R. Trachsler, Champion Classiques, 2003, p. 400-403.

Contrairement à Érec qui veut que son épouse lui tienne compagnie sur les chemins périlleux qu'il va emprunter, Floriant, désireux lui aussi de reconquérir sa renommée, souhaite partir seul afin de préserver Florette des difficultés de la route que, selon lui, elle ne pourrait supporter (v. 6684-6687). Mais, pour Florette, le pire serait d'être séparée de son époux, de rester seule dans le foyer conjugal (les trois occurrences du verbe *demorer*, v. 6692, 6695 et 6697, traduisent bien sa hantise), car elle ne peut vivre sans lui. Elle insiste sur cet état de dépendance sentimentale en menaçant de se suicider au cas où il ne l'emmènerait pas (v. 6676) et en répétant presque la même formule : *Quar sans vous ne porroie vivre* (v. 6677) et *Que je ne pourroie pas vivre* (v. 6693). On se souvient qu'Aliénor d'Aquitaine accompagna Louis VII lors de la deuxième croisade et que Marguerite de Provence suivit Louis IX lors de la septième.

v. 6688, *couvenir*. Venant du latin *convenire* (« venir ensemble », « s'accorder avec »), le verbe *couvenir* revêt plusieurs acceptions : 1. « se rassembler », « se réunir » ; 2. « parlementer », « décider », « faire une chose selon son désir », d'où les locutions *metre au couvenir* = « laisser la décision à » et *laissier couvenir* = « laisser agir selon sa volonté, à sa guise » ; 3. en tournure impersonnelle : « falloir », « être nécessaire ».

v. 6696, *otroie*. Rattaché au latin classique *auctorare* (« engager », « garantir »), le verbe *otroier* présente différents sens : 1. « accorder », « consentir à » ; 2. « admettre », « permettre », « autoriser » ; 3. « donner » ; 4. « garantir » ; 5. en emploi pronominal : « se donner à », « se dévouer à », « se consacrer à ».

v. 6697, *demorer*. Issu du latin poulaire **demorare* à partir du latin classique *demorari* (« tarder », « retenir »), ce verbe offre diverses significations : 1. « tarder », « s'attarder » ; 2. « attendre » ; 3. « rester », « séjourner » ; 4. « habiter », « résider » ; 5. « ne pas avoir lieu », « cesser », « finir ».

28. Le Lai de Lanval (v. 107-150)

Ce texte est établi à partir du manuscrit du British Museum ms. Harley 978 et des *Lais de Marie de France*, éd. bilingue par A. Micha, GF-Flammarion, 1994, p. 150-153.

Selon le schéma mélusinien, c'est bien la fée qui a quitté son domaine et s'est mise en quête du chevalier (v. 111-112), dont elle s'est éprise sans l'avoir jamais rencontré, mais dont elle connaît le nom et devine les qualités (v. 110 et 113). Cet « amour de loin » devenu lors de ce premier rendez-vous un « amour de près » s'écarte de l'« amour courtois » traditionnel dans la mesure où c'est la jeune fille qui déclare sa flamme la première (v. 116). De plus, dès qu'elle a entendu l'engagement d'obéissance vassalique de Lanval (v. 124-127), elle se donne à lui sans respecter les différentes étapes du rituel courtois. Cependant en promettant au protagoniste de lui fournir or et argent, elle permet à son amant de pratiquer la largesse, cette vertu primordiale de la courtoisie (v. 136-139). D'autre part la condition qu'elle impose à Lanval est analogue à l'une des règles essentielles de la *fine amor* : l'amant doit absolument garder le secret sur sa relation amoureuse. Le caractère impératif de ce pacte est marqué par trois verbes : *chasti* (v. 143), *comant* (v. 144), *pri* (v. 144) et par des locutions intensives : *a nul humme* (v. 145), *a tuz jurs* (v. 147), *jamés* (v. 149).

v. 108, *pucele*. Dérivé du bas latin **pullicellam*, diminutif de *pulla* (« petit d'un animal ») ou proche du latin *puella*, le terme *pucele* s'applique à une jeune fille célibataire, noble ou roturière, sans spécification d'ordre social. Dès le XIIᵉ siècle, il dénomme aussi une vierge. Il peut aussi définir une suivante, une demoiselle de compagnie, voire une servante. À partir du XVIᵉ siècle, le sème de virginité devient essentiel et le mot est employé de manière plaisante ou ironique.

v. 143, *chasti*. Le verbe *chastier* provient du latin *castigare* (« réprimander », « corriger »), dérivé lui-même de *castus* (« pur, intègre »). Il possède dans l'ancienne langue diverses valeurs : 1. « instruire, enseigner », « avertir », « mettre en garde » ; 2. « recommander » ; 3. « empêcher », « interdire » ; 4. « amender », « corriger », « réprimander », « faire des remontrances ».

29. Le Chevalier au lion (v. 2010-2039)

Ce texte est établi à partir du manuscrit BNF fr. 1433 et du *Chevalier au lion*, éd. bilingue par D.F. Hult, Le Livre de Poche, 1994, p. 208-213.

Laudine, en dame souveraine et coquette, mène le jeu et soumet son interlocuteur à un véritable interrogatoire. Par les multiples questions, faussement naïves, qu'elle lui pose, sur un rythme de plus en plus rapide avec des interrogations privées de verbe (v. 2020-2026), elle cherche à le mener à l'aveu souhaité. Les réponses d'Yvain sont au demeurant conformes au code de l'amour courtois et retracent à rebours l'itinéraire du sentiment amoureux : le cœur, les yeux, la beauté de la dame. Ce dialogue haché qui fragmente l'octosyllabe en plusieurs répliques rappelle celui du *Roman d'Énéas* entre Lavine et sa mère (v. 8541-8558). Il contraste avec la belle envolée lyrique d'Yvain, marquée par l'anaphore *En tel que* (v. 2027-2033), lorsqu'il avoue à Laudine son amour exclusif pour elle. Puisque le chevalier se donne entièrement à elle et se déclare prêt à tout, la dame, restée maîtresse d'elle-même, profite de l'état d'exaltation de son soupirant pour lui demander s'il est disposé à défendre la fontaine. Le narrateur observe d'un regard amusé le comportement de ses personnages, comme le montre l'ajout d'un adverbe à la reprise du verbe scellant leur accord : *acordez sommes* (v. 2038), *s'acorderent briement* (v. 2039). Il prend ses distances envers Laudine passée en peu de temps de la haine à la réconciliation.

v. 2013, *contredit*. Participe passé substantivé du verbe *contredire*, ce terme définit la contradiction, l'opposition et, dans le domaine juridique, l'affirmation contradictoire de la partie adverse. La locution *sanz contredit* se traduit selon le contexte par : « sans opposition », « sans réserve » ; « sans recours », « irrémédiablement » ; « immédiatement » ; « assurément ».

v. 2036, *fontaine*. Du latin *fontana*, ce substantif féminin garde la valeur de son étymon : « source », « eau vive surgissant de la terre ». À partir du XIVᵉ siècle, par extension, il définit en outre la « construction aménagée pour l'écoulement de l'eau ». La fontaine est, au Moyen Âge, un lieu de régénération, d'initiation ou de purification. Liée dans les lais et les romans à l'apparition de l'aventure féerique, elle symbolise aussi la vie, l'immortalité, le perpétuel rajeunissement (cf. « la fontaine de jouvence »).

30. Chanson *de Thibaut de Champagne*

Ce texte est établi à partir du manuscrit Paris, Arsenal, 5198 et de l'édition de A. Wallensköld, *Les Chansons de Thibaut de Champagne*, Honoré Champion, 1925, chanson XXXI, p. 111-116.

Composée de cinq neuvains d'octosyllabes et d'un envoi (un tercet d'octosyllabes) et formée de *coblas doblas* (avec un changement de rimes toutes les deux strophes selon le schéma abbaccbdd), cette chanson reprend des images et des motifs traditionnels de la poésie lyrique courtoise : la mort d'amour (v. 7-8), le cœur captif, séparé du corps (v. 13-15), l'oxymore *douce chartre* (v. 15) exprimant l'ambiguïté de ce prisonnier heureux de l'être, les combats menés et les souffrances endurées (v. 28-35), et l'appel à la pitié (*merci*, v. 36 et 47). La comparaison initiale entre le poète et la licorne, tous deux capturés car victimes de leur ravissement, et la métaphore de la prison amoureuse, développée en allégorie, avec les personnifications d'Amour et de ses trois geôliers (*Beau Semblant* et *Beauté*, curieusement associés à l'infâme *Dangier*, qualifié de six termes péjoratifs : *ort felon vilain puant, maus et pautoniers*, v. 24-25), donnent une teinte mélancolique au poème. Voir Marcel Faure, « *Aussi com l'unicorne sui*, ou le désir d'amour et le désir de mort dans une chanson de Thibaut de Champagne », *Poètes du XIIIᵉ siècle*, *Revue des langues romanes*, t. LXXXVIII, 1984, p. 15-21.

v. 1, *unicorne*. Issu du latin chrétien *unicornis*, calque du grec *monokéros* (« qui a une seule corne »), le terme *unicorne* apparaît en langue française avant le substantif *licorne*, attesté pour la première fois en 1349 dans le *Roman de la Dame à la licorne et du Beau chevalier au lion*, emprunt à l'italien *l'alicorno* avec mauvaise coupure de l'article défini élidé. Pour la capture de l'animal, la tactique adoptée est décrite ainsi par Pierre de Beauvais : « les chasseurs conduisent une jeune fille vierge à l'endroit où demeure la licorne, et ils la laissent assise sur un siège, seule dans le bois. Aussitôt que la licorne voit la jeune fille, elle vient s'endormir sur ses genoux. C'est de cette manière que les

chasseurs peuvent s'emparer d'elle et la conduire dans les palais des
rois » (*Bestiaires du Moyen Âge*, trad. G. Bianciotto, Stock, 1980,
p. 38-39).

v. 15, *chartre*. Provenant du latin classique *carcerem* (« prison », cf. *incar-cérer*), ce substantif désigne le « lieu de captivité » : « prison »,
« geôle », « cachot », avant d'être éliminé par *prison* au XVe siècle.

v. 15 et 45, *prison*. Dérivé du bas latin **pre(n)sionem* pour le latin
classique *prehensionem* (« action d'appréhender quelqu'un au
corps »), le vocable, devenu *prison* sous l'influence du participe passé
pris, offre trois acceptions principales : 1. « le fait de prendre »,
« incarcération », « emprisonnement », « captivité » ; 2. « lieu de
détention » ; 3. « personne détenue », « prisonnier », seule valeur dis-parue de nos jours.

v. 35, *estor*. Du germanique *sturm* (« tempête »), *estor* présente plu-sieurs significations : 1. « grand bruit », « tumulte » ; 2. « mêlée »,
« bataille acharnée », « dur combat » ; 3. « attaque », « charge » ;
4. « tournoi » ; 5. « lutte », « émeute ».

31. Lancelot en prose (§ 596-598)

Ce texte est établi à partir du manuscrit S 526, Universitäts
und Landesbibliothek Bonn, et du *Livre du Graal*, II, *Lancelot
en prose*, *La Marche de Gaule*, éd. bilingue par E. Hicks et
A. Berthelot, NRF, Gallimard, 2003, p. 580-583.

Après avoir arrangé la rencontre entre Guenièvre et Lance-lot, Galehaut va plus loin et supplée son ami défaillant et trop
craintif en présence de la reine et des dames de sa suite pour
exprimer ce qu'il désire au plus profond de son cœur (dans cette
scène, il ne prononce d'ailleurs que trois mots : « *Dame, grans
mercis* ! »). L'entremetteur devenu substitut parle donc en lieu
et place de son compagnon (« *je vous em proi pour lui* ») : il
souligne d'abord l'amour ardent que Lancelot éprouve pour
Guenièvre et le rôle essentiel que ce dernier a joué pour établir
la paix entre lui-même et le roi Arthur ; puis il prie son interlo-cutrice d'avoir pitié de Lancelot (« *aiiés merci* »), de lui accorder
son amour pour toujours (« *devenés sa loial dame a tous les
jours de vostre vie* ») et de lui donner un baiser *par conmence-ment d'amour vraie*. Afin de rassurer Guenièvre soucieuse de

garder le secret et de préserver sa réputation, il propose que
tous les trois se rapprochent pour éviter les regards indiscrets.
Comme le chevalier manque d'audace, c'est la reine qui prend
l'initiative de ce long baiser dont Galehaut est le témoin privilégié. Voir Anne Martineau, « Un entremetteur courtois : le
prince Galehaut », *Entremetteurs et entremetteuses dans la littérature de l'Antiquité à nos jours*, Université Jean Moulin-Lyon
3, CEDIC, 2007, p. 87-95.

l. 1, *Galehols*. Galehaut, fils de la Belle Géante, géant lui-même, seigneur des Étranges Îles et des Îles Lointaines, est d'abord le farouche
   adversaire d'Arthur qu'il est sur le point de vaincre. Mais, fasciné
   par Lancelot, le meilleur chevalier du monde, dont il veut être l'ami,
   il fait la paix, à la demande de ce dernier, avec Arthur auquel il se
   soumet avant de l'aider dans ses guerres. Cherchant avant tout le
   bonheur de son compagnon, il favorise les amours de Lancelot et de
   Guenièvre et devient l'amant de la dame de Malehaut. Lorsqu'il croit
   son ami mort, Galehaut, déjà affaibli par une blessure, se laisse dépé-
   rir et ne tarde pas à trépasser. Lancelot le fait enterrer à la Joyeuse
   Garde. Quelques années plus tard, il sera lui-même enseveli dans la
   même tombe que le fidèle et dévoué Galehaut.
l. 62, *la dame de Malohalt*. Vassale lige d'Arthur, la dame de Malehaut
   est amoureuse de Lancelot, mais, comme elle n'est pas payée de
   retour, elle devient la confidente de Guenièvre ainsi que l'amante de
   Galehaut.

32. Le Roman de la rose *de Guillaume de Lorris* (v. 3440-3490)

Ce texte est établi à partir du manuscrit BNF fr. 25523 et du
Roman de la rose, éd. bilingue par J. Dufournet, GF-Flammarion, 1999, p. 220-223.

C'est Vénus, personnification du désir charnel, qui s'efforce
de convaincre Bel Accueil d'autoriser l'Amant à donner un
baiser à la rose. Dans ce but, la déesse vante les qualités
morales et physiques du héros : sa loyauté en amour, sa beauté,
son élégance, sa grâce, sa générosité, sa jeunesse, la senteur de

son haleine, l'agrément de sa bouche et de ses lèvres, la propreté
de ses dents. Bel Accueil, incarnant les dispositions favorables
de la dame, impressionné par cet éloge et plus encore par le
brandon, ce tison enflammé, lui accorde ce baiser tant désiré
(on relève cinq occurrences du terme, v. 3444, 3459, 3469, 3475
et 3478). On note que tous les sens sont sollicités, notamment
le toucher (*senti l'aer*, v. 3473), le goût (*dous et savoré*, v. 3478
et *sade*, v. 3487) et l'odorat (*douce alainne*, v. 3461, *odor*, v. 3481
et *bien olent*, v. 3487). Le narrateur précise que ce premier
baiser lui apporta sur le moment une grande joie et que son
souvenir même continue à lui en procurer : les vocables *joie*
(v. 3480) et *aaise* (v. 3485) trouvent un écho à la fin du texte :
Tous plains de solas et de joie (v. 3490).

v. 3443, *dangerous*. Dérivé de *dangier*, l'adjectif *dangerous* offre les significations suivantes : 1. « difficile à satisfaire », « sévère » ; 2. « réti-
cent », « rebelle » ; 3. « craintif » ; 4. « faible », « sans défense » ; en
moyen français il prend le sens de « périlleux ».

v. 3454, *enfés*. Du latin *infans/infantem* (« qui ne parle pas »), le terme
enfés au cas sujet singulier, *enfant* au cas régime, dénomme un
« enfant en bas âge », un « garçonnet » ou un « adolescent », un
« jeune homme ».

v. 3456 et 3462 : *vilainne*. Venant du bas latin *villanum* (« habitant de
la campagne »), lui-même dérivé du latin classique *villa* (« ferme »),
le terme *vilain* désigne un « paysan libre » par rapport au serf, un
« manant », un « rustre ». Suite au mépris dans lequel la société aristocratique tenait les paysans et à un rapprochement abusif avec
l'adjectif *vil* du latin *vilem* (« de peu de valeur »), l'adjectif signifiant
à l'origine : 1. « roturier », « non noble » se charge de connotations
péjoratives : 2. laideur physique : « déplaisant », « repoussant »,
« dégoûtant », « affreux », « horrible » ; 3. laideur morale : « vil »,
« abject », « méprisable », « mauvais », « ignoble » ; 4. « détestable »
par son comportement : « grossier », « discourtois », « méchant »,
« cruel », « atroce ».

v. 3483-3484 : Guillaume de Lorris reprend à la rime le calembour entre
amer (*amare*) et *amer* (*amarum*). On sait que le triple jeu de mots sur
l'amer, l'infinitif substantivé du verbe, l'adjectif *amer* et le substantif
la mer (*mare*) était très apprécié des clercs et des auteurs du
Moyen Âge. Cf. Thomas, *Le Roman de Tristan*, *op. cit.*, v. 33-35, 40-
43, 48-52 ; Chrétien de Troyes, *Cligès*, *op. cit.*, v. 549-563 ; Gautier

d'Arras, *Éracle, op. cit.*, v. 3913-3914 ; Renaut, *Galeran de Bretagne, op. cit.*, v. 2229-2230, 2733-2734 ; *Sone de Nansay, op. cit.*, v. 5412-5415, 6452-6460, 6467-6469, 8141-8142 et 16618-16619.

33. Chanson *de Gace Brulé*

Ce texte est établi à partir des manuscrits BNF fr. 20050 et BNF fr. 844, et de Holger Petersen Dyggve, *Gace Brulé, trouvère champenois. Édition des chansons et étude historique*, Helsinki, 1951, chanson I, p. 12-14.

Cette chanson composée de cinq dizains hétérométriques est formée de *coblas doblas* (les mêmes rimes se répètent dans deux strophes consécutives selon le schéma suivant : ab'ab'aaaab'a).

Le chant des oisillons entendus en Bretagne suscite des sentiments contradictoires dans le cœur du poète : d'un côté, il ressent la nostalgie de sa terre natale, la Champagne (v. 4), et la tristesse d'être séparé de sa bien-aimée ; de l'autre, par un phénomène de mémoire involontaire, cette agréable audition lui évoque un instant de bonheur passé. En outre, le souvenir de cet unique baiser accordé par la dame (v. 21 et 31) l'enchante puisqu'il le sent encore sur ses lèvres, en même temps qu'il le désespère, dans la mesure où il se languit d'attendre le prochain (*longe atente*, v. 11 et 39) et se meurt de désir (v. 37, 38 et 42) pour une dame sans *merci* (v. 30), et de jalousie envers ses faux soupirants qui ont tout loisir de lui parler et de le dénigrer auprès d'elle (v. 47-48).

v. 15, *ententis*. Dérivé du verbe *entendre*, cet adjectif en a conservé la valeur étymologique : « celui qui met toute son attention à », « attentif », « concentré » ; « celui qui consacre toute son énergie à » ; « celui qui s'applique à », « occupé », « absorbé ». Concurrencé par *attentif*, *ententis* disparaît au XVIIe siècle, d'autant plus facilement que le verbe *entendre* perd à cette époque son sens de « s'appliquer à ».

v. 21, *toli*. Issu du latin *tollere* (« soulever », « enlever »), le verbe *tolir* revêt les acceptions suivantes : 1. « prendre », « enlever », ôter » ; 2. « arracher », « dérober », « voler » ; 3. « priver de » ; 4. + *a* + infinitif : « empêcher de », « interdire de ». Encore vivant jusqu'au

XVIᵉ siècle, ce verbe n'a laissé de nos jours que le terme *tollé* (« clameur de protestation »).

v. 32, *entente*. Ce déverbal d'*entendre* présente diverses significations : 1. « préoccupation », « attention » ; 2. « application », « soin », « souci » ; 3. « pensée », « désir », « intention » ; 4. « projet », « but », « objectif », « dessein » ; 5. « intelligence », « compréhension » ; 6. « sens », « interprétation » ; 7. « concorde ».

v. 43, *comparer*. Du latin *comparare* (« procurer »), ce verbe possède trois sens principaux : 1. « acheter », « gagner », « acquérir » ; 2. « payer », « expier une faute, une mauvaise action », « être puni pour » ; 3. « mériter ».

34. Le Livre du voir dit (v. 3656-3713)

Ce texte est établi à partir du manuscrit BNF fr. 22545 et du *Livre du voir dit*, éd. bilingue par P. Imbs, introduction et révision par J. Cerquiglini-Toulet, Le Livre de Poche, « Lettres gothiques », 1999, p. 336-341.

Lors de la foire du Lendit règne une atmosphère joyeuse, érotique, propice aux transgressions et aux renversements des tabous sexuels. Cet aspect spontané et naturel, cette sensualité débridée, la présence de plusieurs diminutifs (*compaignette*, v. 3661, *Guillemette*, v. 3662, *doucettement*, v. 3702, *bassettement*, v. 3703) sont des traits caractéristiques de la pastourelle. En fait les rôles traditionnels de l'homme et de la femme sont ici inversés. Ce sont en effet les jeunes filles qui entraînent de force le poète dans leur lit. Ce dernier, timoré et passif, adopte un comportement de vierge effarouchée (*pucelle*, v. 3690), criant même au viol (« On m'efforce ! », v. 3678). Tout en affirmant aussi sa virilité avec l'expression du hennissement de cheval (v. 3682) qui désigne le désir sexuel (*mon plus tresgrant desir*, v. 3680, *desiroie*, v. 3681), Guillaume parvient à maîtriser ses instincts, respectant le sommeil de Toute Belle et se contentant à son réveil d'une timide étreinte qui suffit pourtant à le ravir (v. 3712-3713).

v. 3673, *rusant*. Du latin *recusare* (« repousser », « refuser »), le verbe *ruser* offre des sens variés : 1. en emploi transitif, « faire reculer »,

« repousser », « rejeter » ; 2. « écarter », « éloigner » ; 3. en emploi
intransitif ou pronominal, « reculer », « s'éloigner », « se retirer » ;
4. « tergiverser », « tarder » ; 5. « plaisanter », « badiner » ; 6. en
vénerie, « faire des détours pour mettre les chiens en défaut » ;
7. « user de finesse », « tromper ». On notera que le glossaire de l'édition traduit *en rusant* par « en tapinois », tandis que l'éditeur du texte
propose « en rechignant ». Nous avons préféré « à reculons » qui respecte la valeur principale du verbe.

v. 3682, *D'autre avaine ne hanissoie*. Comme l'explique Jacqueline Cerquiglini-Toulet dans *« Le Livre du voir dit »*, *Un art d'aimer, un art
d'écrire*, la locution « hennir pour une autre avoine » provient peut-
être du fabliau *La dame qui aveine demandoit pour Morel sa provende
avoir* (« La dame qui demandait de l'avoine pour que Morel – nom
traditionnel d'un destrier noir – ait sa provision de vivres », SEDES,
2001, p. 52). Dans ce conte à rire, le mari propose à son épouse de
l'informer de son désir amoureux par la formule suivante : *Faites
Moriax ait de l'avainne* (« Faites en sorte que Morel ait de l'avoine »).
À force de répéter cette phrase qui sollicite son mari, la dame finit
par l'épuiser.

v. 3683, *sergens*. Venant de *servientem*, participe présent du latin *servire*
(« servir »), le *sergent* désigne un « serviteur » de condition inférieure
au *valet*, si celui-ci est noble, mais supérieure au *garçon*. Auxiliaire
du chevalier, le *sergent* exerce surtout des fonctions militaires et participe de plus en plus souvent à la bataille. Il est donc un « homme
d'armes », un « soldat », avant de devenir, au XVe siècle, un fonctionnaire royal chargé des missions de police et, dès le XVIe siècle, un
sous-officier, responsable notamment de l'enrôlement et de l'instruc-
tion des recrues.

v. 3694, *maistrie*. Appartenant au paradigme morphologique de
maistre, ce terme revêt plusieurs acceptions : 1. « puissance », « autorité », « domination » ; 2. « habileté », « savoir-faire », « talent »,
« art » ; 3. « artifice », « enchantement », « supercherie ».

35. Le Livre du voir dit (v. 3988-4027)

Ce texte est établi à partir du manuscrit BNF fr. 22545 et du
Livre du voir dit, éd. bilingue par P. Imbs, introduction et révision par J. Cerquiglini-Toulet, Le Livre de Poche, « Lettres
gothiques », 1999, p. 356-359.

Cet épisode est très ambigu. Quel est le miracle opéré par Vénus ? Quel témoignage d'amour échangent les deux amis ? S'agit-il d'un simple baiser de paix, comme le souhaitait le poète dans la prière adressée à la déesse (v. 3968-3971) ou de l'union charnelle, récompense accordée par la dame à Guillaume après sa réussite dans l'épreuve de l'*asag*, ultime étape avant l'acte sexuel (voir texte 34) ? La sensualité de la scène, suggérée par des termes tels que *joie* (v. 4000), *desirs* (v. 4001), *desiroie* (v. 4003), *fremy et trembla* (v. 4014), *esmeüe* (v. 4016), *troublee* (v. 4017), est atténuée par cette *nue obscure* (v. 4022) qui voile pudiquement la nudité de la dame. De surcroît, le narrateur sublime et spiritualise cet accouplement par tout un lexique relatif au religieux et au divin : *priere* (v. 3988), *deesse* (v. 3993, 4004, 4007 et 4013), *manne* et *bausme* (v. 3996), *encense et enbausme* (v. 3997), *miracles* (v. 3998, 4005, 4006, 4008 et 4021). Toutefois la présence de Vénus, l'affirmation du poète selon laquelle son désir fut satisfait (v. 4001), la progression narrative par rapport à la séquence de la foire du Lendit, et la phase de désamour et de désunion qui succède à cet acmé de leur liaison sont autant d'indices convergents suggérant que leurs retrouvailles matinales furent intimes et sexuelles.

v. 3998, *miracles*. Du latin *miraculum*, dérivé lui-même de *mirari* (« s'étonner »), le substantif *miracle* est « une spécification de la *merveille* ». S'il peut signifier, à l'instar de son étymon, un « acte extraordinaire », un « prodige », une « chose singulière qui étonne ou suscite l'admiration », le plus souvent il qualifie un « événement surnaturel », attribué à une intervention divine. Dans le théâtre médiéval, il désigne aussi un genre dramatique mettant en scène les miracles de la Vierge et des saints.

v. 3999, *appertes*. Issu du latin *apertum*, l'adjectif *appert* présente des sens variés : 1. valeur étymologique, « ouvert », « découvert » ; 2. « visible », « manifeste », « évident » ; 3. pour le visage et le regard, « franc » ; 4. « remarquable », « excellent » ; 5. « alerte », « de belle prestance ».

36. Traité de l'amour courtois (livre I)

Ce texte est établi à partir de la traduction d'André Le Chapelain, in Claude Buridant, *Traité de l'amour courtois*, Klincksieck, 1974, livre I, chap. VI, p. 124-125.

L'amour analysé par André le Chapelain, pur ou physique, se situe hors du mariage. L'amour pur semble une réminiscence de l'*asag* cher aux troubadours (cf. texte 34, p. 224) : en effet, si l'homme peut avoir des gestes tendres et sensuels envers son *amante nue*, il refuse l'acte sexuel. Cet amour mesuré croît dans la durée, devient source de vertus, ménage la réputation de la personne chérie, qu'elle soit jeune fille, veuve ou femme mariée, et ne constitue qu'un péché véniel. Au contraire, l'amour physique, éphémère et dangereux, est une offense à autrui et à Dieu. La préférence de l'auteur pour l'amour pur résulte de sa condition de clerc soucieux de ne pas déshonorer la dame ou la demoiselle et surtout de ne pas risquer son salut éternel. Lorsque Guillaume de Machaut, chanoine de Notre-Dame de Reims, évoque le « miracle de Vénus », il nous semble métamorphoser, grâce à la virtuosité de sa poésie, un *amor mixtus* en un *amor purus* (cf. texte 35, p. 228).

l. 1, *Je veux aussi vous révéler*. C'est au cours d'un dialogue entre un grand seigneur et une dame de haute noblesse que l'homme, porte-parole de l'auteur, expose sa théorie des deux espèces d'amour.

l. 26, *amour physique*. Claude Buridant traduit *amor mixtus* par « amour physique » et le définit ainsi : « un amour qui, non acquis par l'argent, cherche sa satisfaction dans les plaisirs des sens et trouve sa fin dans la possession » (p. 240).

l. 29, *œuvre de Vénus*. Déesse de la mythologie latine, Vénus incarne le désir physique et l'amour charnel. Dans *Le Roman de la rose* de Guillaume de Lorris, elle ne cesse de guerroyer contre Chasteté (v. 3420-3423).

37. Traité de l'amour courtois (livre II)

Ce texte est établi à partir de la traduction d'André Le Chapelain, in Claude Buridant, *Traité de l'amour courtois*, Klincksieck, 1974, livre II, chap. VIII, p. 182-183.

Ces trente et une règles mêlent plusieurs éléments : d'une part les conditions nécessaires pour aimer, telles que l'âge minimum requis (VI), le délai imposé en cas de mort (VII) ou les vertus féminines qui inspirent ce sentiment (XI, XVIII), d'autre part les qualités courtoises dont doit faire preuve un *fin amant* digne de ce nom, à savoir la loyauté (III, XII), la générosité (X, XXVI), la mesure (XXVII, XXIX). L'auteur indique aussi les symptômes de l'amour comme le blêmissement du teint (XV), le tressaillement du cœur (XVI), la crainte (XX), la perte d'appétit et de sommeil (XXIII), la pensée obsessionnelle de l'amant pour la dame aimée (XXIV, XXV, XXX). Il précise enfin que la discrétion (XIII), la jalousie (II, XXI, XXII, XXVIII) et les difficultés de la conquête (XIV) constituent les meilleurs moyens de prolonger et d'augmenter cet amour exclusif.

l. 2, *la Charte*. Le chevalier breton remarque un manuscrit attaché par une chaînette d'or au perchoir sur lequel se trouve l'épervier recherché. On lui précise que « cette charte consigne par écrit les règles d'amour que le Roi d'Amour lui-même a édictées de sa propre bouche à l'intention des amants » (p. 181).

l. 59, *Rien n'empêche une femme d'être aimée par deux hommes et un homme d'être aimé par deux femmes*. Si on ne peut aimer deux personnes à la fois (précepte III), en revanche il n'est pas interdit d'être aimé simultanément par deux êtres. On se souvient d'Orable/ Guibourc aimée par le Sarrasin Tibaut et Guillaume d'Orange, Yseut la Blonde aimée par Marc et Tristan, ou Guenièvre aimée par Arthur et Lancelot ; de même Tristan est aimé d'Yseut la Blonde et d'Yseut aux Blanches Mains, tandis que Lancelot est aimé par Guenièvre et la demoiselle d'Escalot notamment. Sone de Nansay, pour sa part, est aimé par cinq personnages féminins : Luciane, la fille du comte de Saintois, Yde de Donchery, Odée, la princesse norvégienne qu'il épousera, la reine d'Irlande, et la comtesse de Champagne. De son côté, Marie de France montre dans le lai du *Chaitivel* une dame chérie par quatre chevaliers : « Tous quatre aimaient la dame et s'efforçaient de se distinguer ; pour la mériter et obtenir son amour, chacun faisait de son mieux » (*op. cit.*, v. 41-46). Incapable de distinguer le meilleur prétendant des quatre et flattée d'être aimée par des barons de haut mérite, la coquette décide de n'en choisir aucun mais d'encourager chacun par des présents et des messages. Son refus d'en élire un parmi eux provoque le drame, car, soucieux de briller aux yeux de leur bien-aimée, ils prennent tous les risques lors d'un tournoi ; trois sont tués et le quatrième est grièvement blessé.

l. 63, *le faucon*. Parce que la longue éducation et l'entretien d'un faucon coûtent cher, la possession de ce rapace est réservée aux seigneurs, aux dames et aux puissants chevaliers ; elle est un signe de haut statut social, de noblesse et de richesse. Chasser avec un faucon est au demeurant le divertissement préféré de la classe aristocratique. Apprécié pour sa distinction, sa majesté, sa puissance, sa rapidité et son efficacité, le faucon est plus cher à son maître que son destrier ou ses chiens. Il constitue aussi un précieux cadeau et parfois la récompense offerte au vainqueur d'un tournoi.

l. 64, *il avait couru de si grands dangers*. André Le Chapelain connaît bien la matière de Bretagne et notamment deux romans de Chrétien de Troyes : *Érec et Énide* et *Le Chevalier de la charrette*. En effet, la dame, dont est épris le chevalier breton, lui a promis de lui accorder son amour s'il lui rapportait l'épervier invincible qui se tient sur un perchoir d'or à la cour d'Arthur. À l'entrée d'un pont se dresse un gardien farouche que l'amoureux transperce d'un violent coup de lance. Sur l'autre rive un géant fait osciller le pont si fort qu'il disparaît souvent sous les flots. Le Breton réussit cependant à le traverser et noie le malfaisant. Se dresse ensuite sur sa route le portier du palais royal, un géant armé d'une massue de cuivre, auquel il tranche la main droite avant de saisir le gantelet destiné à l'épervier. Arrivé dans la salle d'apparat, il aperçoit le roi Arthur assis sur un trône d'or et le perchoir portant le rapace. Le défenseur de l'oiseau de proie est vaincu à son tour et le Breton peut alors s'emparer de l'épervier et de la charte.

38. Le Roman de la rose *de Guillaume de Lorris* (v. 2211-2250)

Ce texte est établi à partir du manuscrit BNF fr. 25523 et du *Roman de la rose*, éd. bilingue par J. Dufournet, GF-Flammarion, 1999, p. 158-161.

Amour se comporte en maître autoritaire envers son disciple, comme l'attestent les subjonctifs d'injonction (*gart*, v. 2219, *tiengne*, v. 2231, *soit*, v. 2232), les impératifs de défense et d'ordre (*Ne te fai*, v. 2211, *pense*, v. 2236, *membre*, v. 2237, *garde*, v. 2250), la fréquence de verbes d'obligation (*doit*, v. 2223 et 2230) et de commandement (*commans*, v. 2240, *vuel*, v. 2225, 2240 et 2249). Le dieu se montre aussi un bon pédagogue. Ainsi, pour son dixième et dernier précepte, il évoque le vice à fuir, l'avarice (v. 2211), avant d'insister sur la vertu opposée, la largesse, par la reprise du verbe *donner* (v. 2214, 2217, 2222, 2224). Puis, soucieux que son allocutaire retienne la leçon, il la résume en soulignant les cinq qualités essentielles du *fin amant* : la courtoisie, la modestie, l'élégance, la gaieté et la générosité. De surcroît, dans un but didactique il a recours aux formules sentencieuses (v. 2229-2232 et 2245-2246). Par son enseignement il prône enfin la fidélité et la loyauté de l'amant courtois qui se donne entièrement à un seul amour (v. 2241 et 2249), auquel il ne cessera jamais de penser.

v. 2224, *Donner son amour a bandon*. Le manuscrit BNF fr. 12786 propose une autre leçon intéressante : *Doner l'avoir tout a bandon* (« donner sa richesse sans retenue »), proche de celle du manuscrit BNF fr. 1573 : *Doner ce qu'il a a bandon* (« donner ce qu'il possède sans réserve »).

v. 2225, *recorder*. Issu du bas latin *recordare*, à partir du latin classique *recordari* (« se rappeler », « se représenter »), le verbe *recorder* revêt diverses acceptions : 1. « rappeler à son esprit », « se souvenir » ; 2. « relater », « déclarer », « rapporter », « raconter » ; 3. « répéter » ; 4. « confirmer », « reconnaître ».

v. 2229, *mestre*. Du latin *magistrum* (« celui qui commande »), ce mot est tantôt adjectif au sens de « principal, important », tantôt substantif dénommant alors : 1. « celui qui exerce son autorité sur des personnes », « chef », « capitaine » (d'un bateau), « guide » ; 2. « celui qui sait apprendre aux autres », « professeur » ; 3. « celui qui est reçu dans un corps de métier après avoir été apprenti et avoir réalisé son chef-d'œuvre ». Il désigne aussi diverses professions : « médecin », « sorcier », « enchanteur », « bourreau », « geôlier ». En moyen français, il s'applique à un « grade universitaire et un titre donné aux gens de robe ».

39. Le Roman de la rose *de Guillaume de Lorris* (v. 45-83)

Ce texte est établi à partir du manuscrit BNF fr. 25523 et du *Roman de la rose*, éd. bilingue par J. Dufournet, GF-Flammarion, 1999, p. 50-53.

On retrouve dans ce prélude les motifs traditionnels de la reverdie, cette célébration lyrique de l'avènement du printemps, une saison propice à la naissance de l'amour et à la création poétique. Après un hiver rigoureux (v. 54, 58 et 69), autour du mois de mai (v. 45, 47, 51, 70 et 81), le narrateur dépeint le renouveau de la nature à l'aide de notations visuelles et auditives : les arbres se couvrent de feuilles, les fleurs s'épanouissent et retentissent les trilles des oiseaux. Le poète pratique l'*amplificatio* pour décrire non seulement la parure printanière de ce décor naturel avec la répétition du terme *robe* (*novele robe*, v. 60, *cointe robe*, v. 61, *la robe que je devise*, v. 65) et la variété des couleurs (*fueille*, v. 52, *verdure*, v. 53, *erbes, flors indes et perses*, v. 63), mais aussi les chants des oiseaux (v. 71, 73, 75, 82, 83) dont trois espèces différentes sont citées, le rossignol, le perroquet et l'alouette, sur un rythme binaire (v. 75-77 et 79-80). Cette atmosphère légère et joyeuse, rendue par des vocables tels que *joie* (v. 48 et 72), *s'esgaie* (v. 49), *gais* (v. 79), *lié* (v. 71) et *se renvoise* (v. 76), incite tous les jeunes gens à l'amour (*amorous*, v. 48, 79 et *aime*, v. 81).

v. 63, *indes*. Issu du latin *indicum* (« Indien »), cet adjectif caractérise une « couleur venue de l'Inde », la « couleur indigo », c'est-à-dire un bleu foncé.

v. 63, *perses*. Lucien Foulet précise que « cet adjectif a plusieurs sens assez distincts l'un de l'autre : 1. Il indique une couleur agréable à l'œil, difficile à déterminer exactement ; selon les uns c'est le violet [...], selon les autres une nuance du bleu. [...] 2. *Pers* indique d'autre part une couleur moins attrayante [...], en relation avec le sang versé dans un combat, un rouge foncé, cramoisi, tirant parfois sur le noir. [...] 3. Enfin *pers* a souvent dans les textes du Moyen Âge un troisième sens, le moins plaisant de tous, celui de violacé, pâle, livide » (*Glossary of the First Continuation*, *op. cit.*, p. 225-226).

v. 75, *noise*. Issu sans doute du latin *nausea* (« mal de mer », « nausée »,
puis « dégoût »), le terme *noise* offre plusieurs acceptions regroupées
autour de deux notions majeures, le bruit et la discorde : 1. « bruit »,
« tapage », « vacarme » ; « clameur », « rumeur » ; « joie bruyante et
tumultueuse » ; 2. « dispute », « querelle », « conflit » ; « accusation », « reproche » ; « agressivité », « insolence » ; « perturbation »,
« incommodité », « désagrément ». Archaïque en français classique,
il n'est conservé à notre époque que dans la locution *chercher noise*
(« quereller »).

v. 77, *calandre*. Emprunté à l'ancien provençal *calandra*, la *calandre* est
« une espèce d'alouette méditerranéenne à calotte rousse et gros bec
jaune ».

v. 83, *piteus*. Provenant du latin médiéval *pietosus* (« plein de compassion »), dérivé lui-même de *pietas* (« piété », « bonté »), l'adjectif
piteus possède des sens actifs hérités de son étymon : 1. « qui éprouve
de la pitié », « compatissant » « miséricordieux » ; 2. « pieux » ;
3. « touché », « ému » ; et des sens passifs : 4. « qui suscite la pitié »,
« déplorable », « navrant » ; 5. « touchant », « émouvant ».

40. Cligès (v. 6382-6411)

Ce texte est établi à partir de la copie de Guiot, manuscrit
BNF fr. 794, et de *Cligès*, éd. bilingue par L. Harf-Lancner,
Champion Classiques, 2006, p. 402-405.

L'agrément de ce verger (v. 6382-6383) tient à divers éléments : d'abord entouré de hauts murs (v. 6403-6404), il préserve ses occupants des dangers extérieurs et des regards
indiscrets ; le lieu est en outre très beau, verdoyant et fleuri
(*flors*, v. 6385 et 6410, *bien foillue*, v. 6385, *fuelle*, v. 6410, *praiax*,
v. 6393) ; enfin, Jehan a agencé avec art (*conpasser*, v. 6398) la
nature luxuriante en taillant les arbres et en disposant les
branches de telle sorte qu'il a créé un endroit ombragé, à l'abri
des rayons du soleil et de la chaleur estivale (v. 6395-6397). On
comprend le bonheur de Fénice quand elle découvre ce jardin
si propice aux plaisirs, comme le révèle la variété du champ
lexical correspondant : *plest et atalante* (v. 6383), *delitables*
(v. 6394), *deduire* (v. 6400), *joie* et *delit* (v. 6402), *eise* (v. 6407).

v. 6384, *ante*. Déverbal de *enter*, du latin vulgaire **imputare* (« greffer »), le mot *antelente* désigne la « greffe », le jeune arbre, nouvellement greffé, souvent fruitier. On apprend quelques vers plus loin (v. 6448) qu'il s'agit d'un poirier. Or « dans la littérature médiévale, la poire est souvent un symbole sexuel, voire obscène, et cela non seulement dans les fabliaux, mais aussi dans la poésie et dans les romans » (Lucie Polak, « Cligès, Fénice et l'arbre d'amour », *Romania*, t. XCIII, 1972, p. 303-316, la citation se trouve p. 312). Dans *Joufroi de Poitiers* (éd. P.B. Fay et J.L. Grigsby, Genève, Droz, 1972, v. 836-839), le héros éponyme s'installe sous un poirier, lieu de divertissements et de plaisirs, où sa prouesse et sa magnificence attirent l'attention d'une dame prisonnière de son mari jaloux, Agnès de Tonnerre.

v. 6398. *Jehanz*. Jean est le serviteur loyal et dévoué de Cligès. Artiste et architecte de talent, il a édifié une tour confortable et luxueuse où son maître et Fénice pourront vivre leur amour en toute discrétion, et a préparé le cercueil douillet où doit être déposée la fausse morte.

v. 6398, *conpasser*. Du latin populaire **compassare* (« mesurer avec le pas »), le verbe *conpasser* offre plusieurs significations : 1. « mesurer au compas » ; 2. « ordonner d'une manière régulière, symétrique », « disposer avec art », « aménager parfaitement » ; 3. « concevoir de façon ingénieuse » ; 4. « bâtir », « construire » selon un plan ; 5. « régler ».

41. Le Lai de l'ombre (v. 878-941)

Ce texte est établi à partir du manuscrit BNF fr. 837 et de Jean Renart, *Le Lai de l'ombre*, in *Nouvelles courtoises*, éd. bilingue par M.-F. Notz-Grob, Le Livre de Poche, « Lettres gothiques », 1997, p. 626-631.

Un chevalier valeureux, follement épris d'une dame de grand mérite, lui rend visite dans son château. Il lui déclare sa flamme en termes choisis et requiert en vain son amour à plusieurs reprises. Profitant d'un moment où elle est absorbée dans ses pensées, il lui glisse son anneau au doigt avant de se retirer. Lorsqu'elle reprend ses esprits, la belle remarque la bague et dépêche aussitôt un écuyer afin de ramener le chevalier auprès d'elle. Elle le reçoit dans la cour, près du puits, et lui rend son anneau. Il le reprend et intrigue, voire inquiète la dame (v. 888-889 et 892), en affirmant qu'il va donner le joyau à celle qu'il aime le plus après elle (v. 887) ; puis, s'accoudant à la margelle, il se penche au-dessus de l'eau qui réfléchit l'image de sa bien-aimée (le terme *ombre* revient cinq fois, v. 882, 893, 900, 922 et 935) et laisse choir l'anneau pour l'offrir au reflet de son amie. Charmée par cet acte empreint de *cortoisie* (v. 909, 915 et 920), la dame passe aussitôt de l'indifférence à l'amour (à la rime s'opposent *si loing* et *si pres*, v. 916-917), et en « guerredon », elle lui accorde son anneau et son cœur.

v. 879, *toise*. Dérivé du latin *tensa* (participe passé substantivé de *tendere* au sens d'« étendue »), le mot *toise* est une mesure de longueur valant six pieds, soit presque deux mètres.

v. 881, *aigue*. Issu du latin *aqua*, le terme *aigue* a gardé la valeur essentielle de son étymon : « eau ». Il désigne aussi un « cours d'eau », une « rivière », une « boisson », des « larmes », un « abreuvoir ». Il existe d'autres formes phonétiques provenant du latin *aqua* : *eve* (voir l'*évier*) et *eau*. La forme *aigue*, disparue vers le XVe siècle, survit dans des mots provençaux comme *aigue-marine*, *aiguière*, et dans quelques toponymes, tels que : *Aigues-Mortes* ou *Chaudes-Aigues*.

v. 882, *ombre*. Du latin *umbra* (« ombre produite par un corps interposé entre la lumière et la terre »), le vocable *ombre* revêt diverses acceptions : 1. « figure sombre projetée par un corps qui intercepte la lumière » ; 2. « ombrage » ; 3. « protection » ; 4. « abri protecteur », « poste d'observation » ; 5. « reflet », « image », « apparence » ; 6. au figuré, « prétexte ».

42. Ballade XIX *de Charles d'Orléans*

Ce texte est établi à partir du manuscrit BNF fr. 25458 et de l'édition de Charles d'Orléans, *Poésies*, par Pierre Champion, t. I, Honoré Champion, 1971, p. 37.

Cette ballade XIX de type archaïque comporte trois huitains à refrain de décasyllabes selon le schéma suivant : a'ba'bbc'bc', mais est dépourvue d'envoi.

Charles d'Orléans suit la tradition lyrique des troubadours et des trouvères dont il reprend plusieurs topiques : l'éloge de la dame avec quatre adjectifs laudatifs (v. 1), le don total de sa personne (v. 10), le service du vassal (v. 11), les souffrances dues à la séparation avec la bien-aimée. Il souligne les douleurs éprouvées par l'emploi de termes variés appartenant à ce registre, tels que *mal* (v. 7), *maint doloreux tourment* (v. 12), *dolent* (v. 20), *ennuieux martire* (v. 22), et par la présence de *Dangier*, personnification cruelle, hostile et sans aucune compassion. L'écriture de cette ballade offre au poète une légère consolation face à l'absence prolongée de sa dame. Il confie dans la ballade XXI, p. 39, v. 1-10 : *Loué soit cellui qui trouva* (inventa)/ *Premier la maniere d'escrire ;/ En ce, grant confort ordonna* (il établit un grand réconfort)/ *Pour amans qui sont en martire ;/ Car quant ne peuent* (peuvent) *aler dire/ A leurs dames leur grief* (pénible) *tourment,/ Ce leur est moult d'alegement* (un grand soulagement pour eux)/ *Quant par escript peuent mander* (faire connaître)/ *Les maulx qu'ilz portent humblement* (qu'ils endurent avec humilité)/ *Pour bien et loyaument amer* (parce qu'ils aiment avec ardeur et loyauté).

v. 3, *balade.* Emprunté à l'ancien provençal *ballada* (« chanson à danse »), à rapprocher du latin *ballare* (« danser »), le substantif a d'abord désigné une « chanson à danser » à la forme métrique variable. C'est au XIVe siècle que la ballade adopte une forme fixe : une structure tripartite, trois strophes à refrain suivies plus tard d'un *envoi* rappelant la *cobla* des *cansos* des troubadours.

v. 17, *Dangier.* Si ce personnage désagréable est dans *Le Roman de la rose* de Guillaume de Lorris (v. 2825 sq.) un opposant à l'amour (soit le gardien et l'espion chargé de surveiller jalousement la personne désirée, soit la pudeur, les réticences et les refus de celle-ci), dans cette ballade il représente vraisemblablement les Anglais qui ont capturé le poète et, le retenant prisonnier, l'empêchent de voir sa dame.

43. Le Livre du voir dit (v. 7665-7716)

Ce texte est établi à partir du manuscrit BNF fr. 22545 et du *Livre du voir dit*, éd. bilingue par P. Imbs, introduction et révision par J. Cerquiglini-Toulet, Le Livre de Poche, « Lettres gothiques », 1999, p. 682-687.

Le poète rêve que l'image de sa dame est bouleversée par sa captivité dans les coffres ; son trouble se manifeste par le désordre de sa chevelure, les pleurs et les soupirs (v. 7668-7670). Elle se plaint de cette injuste détention et dégage toute responsabilité dans le comportement de Toute Belle au moyen de questions oratoires : *qu'en puis je mais ? Li fais je faire ?* (v. 7679-7680), et *Le doi je pour ce comparer ?* (v. 7689). Elle ne doit pas payer pour une autre (*comparer* figure aussi au v. 7695), puisqu'elle n'a fait aucune faute (v. 7696-7698). Puis, sans préjuger de l'innocence ou de la culpabilité de la dame (v. 7687-7688), elle la défend et accuse le poète de commettre un grave péché (v. 7700 et 7715-7716) en condamnant son amie sans l'entendre et en prêtant attention aux calomnies que colportent les *losengiers*. Ce songe qui montre le portrait capable de parler en son nom propre, de raisonner et d'exprimer ses sentiments, par conséquent d'affirmer son indépendance témoigne pour Guillaume de Machaut de l'autonomie de l'œuvre d'art qui échappe à son modèle et à son créateur.

v. 7693. *dras*. Issu d'un mot gaulois latinisé tardivement en **drappum*, le substantif *drap* veut dire tout d'abord : « tissu », « étoffe », puis, par métonymie et en général au pluriel, « vêtements, habits ». Remplaçant le terme *linceul*, il désigne enfin « la pièce de toile qui garnit le lit ».

v. 7703, *muser*. Formé sur *mus* (« museau »), le verbe *muser* présente plusieurs sens : 1. « rester le museau en l'air » ; 2. « regarder fixement », « contempler » ; 3 « se perdre dans ses pensées », « rêver », « rêvasser » ; 4. « perdre son temps », « flâner », « musarder », « s'attarder » ; 5. « attendre » le plus souvent en vain ; 6. « amuser » ; 7. « s'amuser ».

v. 7715, *croire*. Provenant du latin classique *credere* (« confier », « tenir pour vrai »), le verbe *croire* signifie : 1. « avoir foi », « avoir confiance en » ; 2. « tenir pour véritable », « considérer comme certain » ; 3. « affirmer avec certitude », « penser », « juger », « estimer » ; 4. « faire crédit à ».

44. Le Roman de la rose ou de Guillaume de Dole
(v. 3159-3199)

Ce texte est établi à partir du manuscrit de la Bibliothèque du Vatican (fonds de la reine Christine de Suède, sous la cote Reg. 1725) et du *Roman de la rose ou de Guillaume de Dole*, éd. bilingue par J. Dufournet, Champion Classiques, 2008, p. 262-265.

La perfidie et l'acharnement du sénéchal de l'empereur sont rendus par la comparaison avec Keu, par les divers intensifs : *toz les jors de sa vie* (v. 3163), *assez plus* (v. 3164), *adés* (v. 3165), *tant* (v. 3169), et par les verbes synonymes : *engignier* et *deçoivre* (v. 3166), *porchacié* et *porquis* (v. 3199). Espionnant les faits et gestes de l'empereur Conrad et de son ami Guillaume puis surprenant leurs propos, le sénéchal comprend le secret amoureux du souverain, surtout au moment où il interprète dans un verger (v. 3176), lieu traditionnel des confidences, une chanson courtoise, composée de deux huitains de sept décasyllabes et d'un tétrasyllabe. Cette chanson classique, inconnue par ailleurs et due peut-être à Jean Renart lui-même, comprend plusieurs topiques de la lyrique courtoise : la reverdie avec une nature verdoyante et fleurie ainsi que le chant du rossignol (cf. texte 39), le désarroi (v. 3184) et les tourments (v. 3188) de l'amant, le service du vassal (v. 3190-3191), la présence des *losengiers* (v. 3189 et 3192-3193), le pouvoir de la dame, seule apte à secourir son soupirant (vers refrain 3187 et 3195), et les locutions conventionnelles *fine amors* (v. 3188) et *bone amor* (v. 3194). Cette chanson s'intègre parfaitement au récit puisque Conrad annonce, à son insu, les médisances du félon sénéchal dont seule Liénor parviendra à dévoiler la traîtrise.

v. 3160, *Keu le seneschal*. Provenant du francique **siniskalk* (« serviteur le plus âgé »), le terme *seneschal* désigne soit un officier chargé de l'intendance de la maison d'un souverain ou d'un prince, en particulier du service du ravitaillement, soit un haut dignitaire attaché à la cour d'un roi ou d'un grand seigneur, et dont la fonction consiste à s'occuper de toute l'administration domaniale, de la justice, voire de la guerre, commandant ainsi l'armée en l'absence du roi. Par son office, Keu est l'un des personnages les plus importants de la cour d'Arthur ; il en est aussi le plus désagréable et le plus discourtois. Violent, impulsif, batailleur, jaloux des autres chevaliers de la Table ronde, il représente le guerrier impétueux, incapable de maîtriser sa *furor* et sa langue. Il accable chacun de ses railleries cinglantes et de son ironie mordante. Arthur le garde à ses côtés parce qu'il se sent redevable envers lui : en effet, la mère de Keu a laissé son fils à une nourrice de basse condition pour allaiter le jeune Arthur que lui a confié Merlin juste après sa naissance.

v. 3166, *engignier*. Provenant du bas latin **ingeniare* formé sur *ingenium*, le verbe *engignier* possède deux valeurs principales : 1. positive : « trouver », « inventer », « imaginer » ; « fabriquer avec art » ; 2. négative : « obtenir par ruse », « attraper » ; « enchanter », « tromper », « duper », « abuser ».

v. 3166, *deçoivre*. Issu du latin classique *decipere*, le verbe *deçoivre/decevoir* a élargi les sens de son étymon : 1. « surprendre » ; 2. « tromper », « abuser », « duper », « trahir » ; 3. « fasciner », « subjuguer », « séduire » ; 4. « désappointer ». Seule cette dernière signification qui s'est imposée à partir du XVIIe siècle s'est maintenue de nos jours.

v. 3172, *ora*. Du latin *orare* (« parler », « implorer »), le verbe *orer* veut dire : 1. « prier », « solliciter », « demander » ; 2. « adorer » ; 3. « souhaiter » ; 4. « discourir », « haranguer ».

v. 3195, *Ne riens fors li ne me puet geter d'ire*. Ce vers contient l'anagramme de *Lienors* (lettres en gras), aveu discret et délicat de la part de Conrad envers la dame de ses pensées, seule capable de soulager ses peines. Voir Claude Lachet, « Présence de Liénor dans *Le Roman de la rose* de Jean Renart », *Et c'est la fin pourquoi sommes ensemble. Hommage à J. Dufournet*, Honoré Champion, 1993, t. II, p. 822.

45. La Belle Dame sans mercy (v. 233-304)

Ce texte est établi à partir du manuscrit BNF fr. 1131 et du *Cycle de la Belle Dame sans mercy*, éd. bilingue par D.F. Hult et J.E. McRae, Champion Classiques, 2003, p. 34-41.

La dame remet en question les conventions et les clichés de l'amour courtois. Ainsi ne se sent-elle aucunement coupable si ses yeux, traditionnellement jugés responsables de la naissance de l'amour en permettant de contempler la beauté, ont regardé celui qui prétend l'aimer ; pour elle, les yeux, loin d'être un symbole, ne sont qu'un simple organe (v. 233-240). De même, elle ne se sent pas contrainte d'avoir le moindre sentiment pour quelqu'un sous prétexte qu'il souffre de son indifférence (v. 249-256). Elle conteste la vérité des plaintes du malheureux s'avouant proche de la mort, un état qu'elle n'a au demeurant nulle envie de connaître (v. 265-272) ; elle refuse ainsi de céder au désir de l'amant, et préfère affirmer hautement sa liberté (*Je suis france et france veul estre*, v. 286) et rester maîtresse de son cœur. Autant l'amant se révèle prisonnier des schémas courtois et rejette la responsabilité de son infortune sur la puissance d'Amour qui a réparti les rôles entre les hommes serviteurs et les femmes suzeraines et donc sur la souveraineté de la dame, autant celle-ci, indépendante et lucide, se méfie des propos masculins enjôleurs : les *belles parolles* (v. 300) et le *beau parler* (v. 304) ne sont que *plaisans bourdes* (v. 299) !

v. 243, *par droicture*. Dérivé de *droit*, le substantif *droi(c)ture* offre les significations suivantes : 1. « direction en ligne droite », d'où la locution *a droiture* = « tout droit », « directement » ; « immédiatement » ; « comme il se doit » ; « exactement », « en parfaite conformité » ; 2. « règle » ; 3. « droit », « justice » « équité », d'où l'expression *par droiture*, c'est-à-dire « en droit », « en toute justice », « légitimement » ; 4. « jugement » ; 5. au pluriel : « les droits (au sens juridique et moral) », en particulier « les droits que l'on a sur un fief ou un bien » ; 6. « taxe », « redevance » ; 7. « accessoires de table » ; 8. « nécessaire » ; 9. « rituel » ; 10. « sacrements de l'Église », « service religieux dû aux mourants et aux morts ».

v. 245, *Fortune*. Il s'agit d'une personnification allégorique. La déesse Fortune, mystérieuse et capricieuse, préside aux aléas de la destinée humaine. Accompagnée de sa roue qui tourne continuellement sans qu'on puisse l'arrêter, aveugle ou les yeux bandés, elle reste silencieuse, « ne donnant aucune explication de son comportement, sourde aux accusations comme aux supplications de ses victimes, indifférente aux mérites et aux actes des hommes, toute-puissante sur les pauvres comme sur les riches » (J. Dufournet, *Adam de La Halle à la recherche de lui-même ou le Jeu dramatique de la Feuillée*, SEDES, 1974, p. 188).

v. 299, *bourdes*. D'origine obscure, ce substantif désigne : 1. une « plaisanterie », une « raillerie » ; 2. un « mensonge », une « histoire inventée pour abuser de la crédulité d'une personne », une « baliverne ».

46. Le Roman de Renart (Ia, v. 1829-1866)

Ce texte est établi à partir du manuscrit de Cangé (BNF fr. 371) et du *Roman de Renart*, Première branche, éd. M. Roques, Honoré Champion, 1974, p. 62-63.

Assiégé dans son château de Maupertuis, Renart en sort et se venge du roi Noble en violant son épouse, la reine Fière (le verbe *foutoit* est cité deux fois, v. 1854 et 1863). Pour accomplir ce que l'auteur considère comme un acte extraordinaire (*grant mervoille*, v. 1846 et 1853) et particulièrement diabolique (*gran deablie* est renforcée par deux intensifs *mout par*, v. 1843), Renart, très opportuniste, profite pleinement de circonstances favorables : l'obscurité de la nuit (du soir, v. 1829, à l'aube, v. 1857), l'extrême fatigue des assaillants plongés dans un profond sommeil (v. 1829-1832), la colère de la reine envers son mari telle qu'elle ne dort pas avec lui (v. 1833-1835), la présence sur le terrain de multiples arbres autour desquels le goupil pourra attacher ses adversaires (v. 1839-1840), le quiproquo (quand Renart se glisse auprès de Fière, celle-ci croit à tort (*quidoit*, v. 1851) qu'il s'agit de Noble, désireux de se réconcilier avec elle). Plusieurs échos montrent les réactions de la victime et des assiégeants réveillés : à la stupéfaction et aux cris de la reine (*s'escrïa come esbahie*, v. 1856) correspondent la stupeur (*s'esbahirent*, v. 1861) et les hurlements (*S'escrïent*, v. 1865) des témoins de la scène.

v. 1836, *Atant es vo(i)s*. Cette locution, formée de l'adverbe *atant* (« alors »), du présentatif *es* (du latin *ecce*, « voici ») et du datif éthique *vos*, usuelle dans les chansons de geste, insiste habituellement sur la soudaineté de l'apparition du ou des personnages qu'elle introduit. L'auteur attire ainsi l'attention du public en provoquant un effet de surprise.

v. 1836, *issu*. Du latin *exire* (« aller hors de »), le verbe *issir*, dont *issu*
est le participe passé, possède plusieurs sens : 1. « sortir », « quitter
un lieu », « partir », « s'écarter » ; 2. « provenir », « naître de », « des-
cendre de », en particulier pour le lignage ; 3. « éclore » ; 4. « se désis-
ter », « renoncer à » ; 5. « s'opposer à », « ne pas respecter » ; 6. « se
terminer », « finir ».

v. 1851, *ber*. L'origine de ce terme est double : d'une part le francique
sacebaro, qui désigne d'abord un « fonctionnaire subordonné au
comte » puis à partir du IXe siècle un « grand personnage », d'autre
part le germanique **baro* qui dénomme le « mari » par rapport à la
« femme ». Le vocable *ber* au cas sujet et *baron* au cas régime revêt
quatre acceptions principales : 1. « noble de rang élevé », « puissant
seigneur féodal, proche conseiller du roi » ; 2. « guerrier de valeur »,
« vaillant chevalier » ; 3. « homme vénéré aux qualités éminentes »,
« saint » ; 4. « mari ». Quand il est employé comme adjectif, le mot
veut dire : « vaillant ».

47. Aloul (v. 35-65)

Ce texte est établi à partir du manuscrit BNF fr. 837 et du
Nouveau Recueil complet des fabliaux (NRCF), éd. W. Noomen
et N. Van den Boogaard, t. III, Assen, Van Gorcum, 1986,
Aloul, p. 21.

Étroitement surveillée par Aloul, son mari soupçonneux et
jaloux, sa femme est à tel point tourmentée par cette injuste
séquestration qu'elle en perd le sommeil (v. 35, 40, 49). Éprouvant de la haine pour son geôlier, elle aspire à se venger. Le
retour du printemps va lui en fournir l'occasion. L'auteur
reprend les éléments traditionnels de la reverdie : le mois d'avril
(v. 42), la douceur du temps soulignée par un chiasme entre les
vers 43 : *Que li tens est souez et douz* et 59 : *Douz et souez estoit
li tens*, le chant du rossignol (v. 45-46), le verger (v. 50), *locus
amoenus* : tout cela incite à l'amour (*amorouz*, v. 44 et *amer*,
v. 47). La discordance avec ce début courtois résulte de l'arrivée, non du beau jeune homme espéré, en amant potentiel, mais
d'un prêtre lubrique, sensible au physique de la dame (v. 61) et
attiré par les plaisirs charnels, comme l'attestent les expressions

plest (v. 62), *face son talent* (v. 65) et la locution grivoise : *fiert de la crupe* (v. 63). Voir à ce sujet Per Nykrog, *Les Fabliaux*, nouvelle édition, Genève, Droz, 1973, p. 72-73.

v. 57, *n'avoit c'une selve*. Telle est la leçon du manuscrit. Le substantif (*selve*, « bois », « forêt ») ne convient ni par le sens ni par la rime. L'éditeur propose de corriger en *essele* (« clôture de planches », « palissade »), un mot que nous avons adopté.

v. 63, *fiert de la crupe*. Provenant du francique **kruppa*, le terme *crupe/croupe* désigne « la partie postérieure de certains animaux ». Dès le XIIe siècle, il prend le sens ironique de « derrière humain rebondi » avec des connotations érotiques. L'expression *ferir de la crupe* signifie « faire l'amour ». Cf. *Le Roman de Renart*, éd. bilingue par J. Dufournet et A. Méline, GF-Flammarion, 1985, br. Ib, v. 3104-3105 : « *Quant vos soffristes mon baron/ Qu'il vos bati cel ort crepon* » (« lorsque vous avez laissé mon mari vous battre votre sale croupe. ») ; br. VI, (Isengrin s'adressant à Renart), v. 565-566 : « *Voiant moi, ou vousisse o non,/ Li batistes bien le crepon* » (« sous mes yeux, sans me demander mon avis, tu l'as bel et bien baisée. ») ; br. VII, (Renart parle), v. 371 : « *Si ai la crope trop legiere.* »

v. 64, *jupe*. Emprunté à l'italien *jupa*, dérivé lui-même de l'arabe *gubba* (« veste de dessous »), le vocable *jupe* désignait au Moyen Âge un vêtement masculin aussi bien que féminin, une sorte de tunique que les guerriers portaient, comme une cotte, au-dessus de l'armure et que l'on mettait au-dessus de la chemise dans la vie quotidienne. Au XVIIe siècle, il change de valeur pour dénommer un vêtement féminin descendant de la ceinture aux pieds. Vu le contexte, nous avons traduit par « froc ».

48. Sotte chanson 3

Ce texte est établi à partir du manuscrit Oxford, Bodleian Library, Douce 308, et de l'ouvrage « *Sottes chansons contre Amours* » : parodie et burlesque au Moyen Âge, éd. bilingue par E. Doss-Quinby, M.-G. Grossel et S. N. Rosenberg, Honoré Champion, 2014, p. 130-133.

La langue « est un amalgame des formes caractéristiques du francien et de celles typiques de l'aire dialectale lorraine, le tout assaisonné de caractères picards » (introduction, p. 94). On relève les particularités graphiques et morphologiques suivantes : *ai* = *a* (*Lais*, v. 9, *Jai*, v. 18) ; *x* en position initiale = *esch* (*Xadeit*, v. 36) ; *x* en position intervocalique = *s* ou *ss* (*plaixans*, v. 7, *dexire*, v. 28, *fuxiés*, v. 40) ; *ait* = *a* (3e p. de l'indicatif présent du verbe *avoir*, v. 3, 16, 19, 23) ; *ju* = *je* (v. 2) ; *dou* = *du* (v. 11) ; *lou* = *le* (v. 36).

Composée de cinq *coblas unisonanz*, soit cinq huitains de décasyllabes à rimes identiques, quatre croisées puis quatre plates, selon le schéma ab'ab'ccd'd', cette chanson reprend le lexique et les clichés de la rhétorique courtoise : *Amors graci* (v. 1), *amer* (v. 2, 16, 17, 29, 33, 37), *amor* (v. 4, 12, 35), *biauteit* (v. 10), *chant* (v. 5), *dame* (v. 3, 15, 33), *mercit* (v. 33), le service de l'amant vassal (v. 9), le don de son cœur (v. 20), son désir (v. 18), sa jalousie (v. 6), ses prières (v. 21) et ses souffrances (*duel*, v. 28, *poinne, dolor ne plaie*, v. 34). Mais la louange courtoise de la dame est complètement renversée : elle offre ainsi non une bouche incitant au baiser mais une gueule édentée, béante (v. 3 et 7) ; prénommée Hersant (v. 19) comme la louve du *Roman de Renart*, elle paraît folle (v. 11 et 32), acariâtre (*maltalant*, v. 27) et volage (v. 30) : elle vante les mérites d'un berger vigoureux (v. 22-24) ; elle aboie après le poète comme une chienne (v. 26) ; son visage tout ridé (v. 39) prouve qu'elle est très âgée (v. 31). L'auteur, qui passe de l'abstrait au concret (l'amour est si ardent qu'il brûle la couverture, v. 35-36), procède sur un ton ironique par inversions, exagérations, animalisations et effets de dissonance d'un hémistiche à l'autre (v. 7, 12, 18 et 19).

v. 8, *buer*. Issu du latin *bona hora*, l'adverbe *buer* signifie : « à la bonne heure », « pour mon (ton, son,...) bonheur », « heureusement », « favorablement », « sous d'heureux auspices », « avec chance » ; plus rarement : « avec raison », « à propos ».

v. 8, *danree*. Dérivé de *denier* qui provient du latin *denarium* (« pièce de monnaie qui à l'origine valait dix as »), le substantif *danree/denree* possède plusieurs sens : 1. « valeur d'un denier » ; 2. « prix » ; 3. « quantité de marchandises que l'on pouvait avoir pour un denier », « petite quantité en général », « morceau » ; 4. « marchandise », « produit destiné à la consommation ». Le sens est ici grivois. Cf. *La mort Renart*, in *Le Roman de Renart*, éd. bilingue par G. Bianciotto, Le Livre de Poche, « Lettres gothiques », br. 31, v. 938 : (Hermeline) *Jamés n'avra de bien denree.* (« Jamais plus elle ne connaîtra le moindre bonheur »).

v. 15, *garsonee*. Le verbe *garsoner*, qui appartient au paradigme morphologique de *garçon*, veut dire : 1. « maltraiter » ; 2. « traiter avec mépris », « injurier » ; 3. « outrager », « violer », « baiser ». Cf. *Le Roman de Renart*, éd. bilingue par J. Dufournet et A. Méline, GF-Flammarion, 1985, t. II, br. VII, v. 485-486 : « *Qu'il n'a jusqu'a la Mer Betee/ Garçon qui ne l'ait garçonee* » (« il n'y a pas jusqu'à la Mer gelée truand qui ne l'ait tringlée »).

v. 19, *Hersant*. Dans *Le Roman de Renart*, Hersent est la femme d'Isengrin. Par son nom, la dame chantée est ainsi assimilée à la louve lubrique. Voir aussi la sotte chanson 20, p. 180, où le même nom apparaît au vers 29.

v. 23, *Nostre bergier c'ait la teste plumee*. Dans la société aristocratique du Moyen Âge, les bergers ont mauvaise réputation : ils sont souvent considérés comme ignorants, naïfs, grossiers, vantards, couards et surtout stupides. Que la dame préfère le berger au poète n'est donc guère flatteur pour ce dernier. Les éditeurs du texte expliquent que « le berger déplumé […] n'est qu'un avatar du sot amant qui s'arrache les cheveux par la faute du mal d'amour » (« *Sottes chansons contre Amours…* », *op. cit.*, p. 41). Ajoutons que la calvitie passe aussi pour une conséquence d'une sexualité débridée.

v. 24, *m'estordit ma büee*. La locution *estordre ma büee* signifie littéralement « essorer ma lessive » ; c'est une métaphore pour « faire l'amour ». Cf. la sotte chanson 2, p. 126, v. 3 : *Mais ma dame qui est trop mal büee* (« mais ma dame qui est bien mal lessivée »).

49. Le Roman de la rose *de Jean de Meun* (v. 4290-4337)

Ce texte est établi à partir du manuscrit BNF fr. 378 et du *Roman de la rose*, éd. bilingue par A. Strubel, Le Livre de Poche, « Lettres gothiques », 1992, p. 280-285. Nous l'avons corrigé au v. 4307 où nous avons remplacé la leçon du ms. BNF fr. 378 (*Yvrece qui touz jours enyvre*) par celle du ms. BNF fr. 1573, manuscrit de base de l'édition de Félix Lecoy

(v. 4280) : *Yvrece qui de soif s'enyvre*. De même, au v. 4333,
nous avons préféré corriger *nus* par *nul*, suivant l'édition Lecoy
(v. 4306).

Pour cette longue définition de l'amour, Jean de Meun
recourt à un procédé rhétorique traditionnel dans la lyrique
courtoise, l'oxymore dont il offre toute une brillante série.
L'octosyllabe contient tantôt un syntagme antithétique : *C'est
paours toute asseüree* (v. 4294), *C'est esperance desesperee*
(v. 4295) ; tantôt deux : *Force enferme, enfermeté fors* (v. 4318),
C'est fous sens, c'est sage folie (v. 4320). Plusieurs fois (v. 4302-
4303, 4306-4307, 4308-4309, 4312-4313, 4324-4325) ces
alliances de termes contradictoires fonctionnent par distiques
en se répondant et s'opposant d'un vers à l'autre : *C'est loiautez
la desloiaus,/ Ce est desloiautez loiaus* (v. 4292-4293) ; *C'est raisons toute forsenable,/ C'est forsenerie raisnable* (v. 4296-4297).
Il convient de noter dans ces deux derniers exemples le double
chiasme de sens et de nature : le substantif devient adjectif pour
le premier terme, et pour l'antonyme l'adjectif devient substantif. Par ces multiples antithèses, Raison souligne les variations,
les paradoxes, l'incertitude et l'instabilité de l'amour si puissant
qu'il domine chacun, aussi noble, sage, fort ou hardi soit-il
(v. 4332-4337).

v. 4297, *forsenerie*. Composé de la préposition *fors* (« hors de ») et du
  substantif *sen* (« raison », « intelligence », « bon sens »), le verbe *for-
  sener* signifie : « être hors de sens », « devenir fou », « enrager ». Son
  déverbal *forsenerie* désigne une « folie furieuse », un « délire », un
  acte de dément. À notre époque seul subsiste le terme *forcené*.
v. 4300, *Caripdis*. Il s'agit du gouffre de Charybde, situé dans le détroit
  de Messine, en face du rocher de Scylla. Ce tourbillon et ce récif
  étaient fort redoutés par les marins. Pour éviter le premier, ils précipi-
  taient souvent leur bateau sur le second, d'où l'expression proverb-
  iale : *tomber de Charybde en Scylla* (« n'échapper à un mal que pour
  tomber dans un autre pire encore »).
v. 4315, *felonnie*. Dérivé de *felon*, ce substantif offre les valeurs suivantes : 1. « cruauté », « méchanceté » ; 2. « traîtrise », « déloyauté »,
  « perfidie » ; 3. « parole ou acte odieux » ; 4. « emportement »,
  « ardeur », « violence ».

v. 4319, *esmuet*. Du latin vulgaire *exmovere, à partir du latin classique *emovere* (« déplacer », « remuer »), le verbe *esmovoir* (dont *esmuet* est la 3ᵉ p. du singulier du présent de l'indicatif) offre des acceptions variées. En emploi transitif : 1. sens concret : « mettre en mouvement », « bouger », « agiter » ; 2. sens psychologique : « faire impression sur l'âme », « troubler », mais aussi « inciter », « exciter », « stimuler » ; 3. sens abstrait : « susciter », « causer », « provoquer ». En emploi intransitif ou pronominal : 4. « se mettre en route », « partir » ; 5. « se troubler » ; 6. « être touché dans sa sensibilité ».

v. 4329, *pourpres*. Du latin *purpura* (« coquillage qui fournit la pourpre »), le terme *pourpre* signifie : 1. « matière colorante d'un rouge variant de l'écarlate au violet, tirée du murex » ; 2. « couleur d'un rouge éclatant » ; 3. « étoffe de cette couleur ou d'une couleur indéterminée » ; 4. « vêtement riche et précieux », parfois « vêtement impérial ou royal ».

v. 4329, *buriaus*. Dérivé sans doute de *bure* (du latin *burra* = « bourre »), le substantif *buriaus*/*bureau* désigne une « sorte de bure », une « étoffe de laine brune grossière » puis un vêtement de cette étoffe. Dès le XIVᵉ siècle, il s'applique à un tapis de table, puis à la table elle-même.

50. Le Roman de la rose *de Jean de Meun*
(v. 21623-21663)

Ce texte est établi à partir du manuscrit BNF fr. 378 et du *Roman de la rose*, éd. bilingue par A. Strubel, Le Livre de Poche, « Lettres gothiques », 1992, p. 1236-1239. Nous avons corrigé au v. 21633 : *Qui trestouz* en *Que trestouz* d'après l'édition de Lecoy, v. 21599.

Jean de Meun assimile avec humour l'acte sexuel, qu'il juge très éprouvant (quatre occurrences de « trois fois », v. 21627-21629, *paine et travaill*, v. 21631), à un exercice chevaleresque (*bohourder*, v. 21623) puis à un exploit herculéen (v. 21625 et 21636), avant d'évoquer, de façon plus grivoise que voilée, le dépucelage d'une vierge. En effet, pour décrire la défloration métaphorique mais explicite de la Rose, image de la bien-aimée, il emploie un vocabulaire équivoque. Tandis que les attributs masculins sont représentés par des objets caractéristiques du

pèlerin : le *bourdon* (v. 21644 et 21650) et l'*escharpe* (v. 21652),
la besace munie de ses « petits marteaux qui pendillent », l'ana-
tomie féminine l'est grâce à divers éléments empruntés à l'archi-
tecture d'une forteresse : *porte* (v. 21627), *paliz* (v. 21634, 21640
et 21644) et *archiere* (v. 21645). La pénétration est rendue par
la répétition de termes tels que *hurter* (v. 21628, 21637), *entrer*
(21646-21647), *estroite* (v. 21638, 21642, 21656) et surtout par
un polyptote autour de *pas* (v. 21658-21659), *passage* (v. 21643
et 21656) et le verbe *passer* avec des variations de modes et de
temps (v. 21639, 21650, 21651, 21660 et 21661), sans oublier
trespassasse (v. 21658).

v. 21623, *bohourder*. Provenant du francique *bihordon (« enclore »), ce
    verbe *bohourder/behourder* signifie principalement : « lutter », « com-
    battre à la lance », « jouter », « se livrer au jeu de la quintaine ». Le
    sens est ici grivois.
v. 21625-21626, *Ercules* et *Cacus*. Fils de Vulcain, Cacus vivait dans
    une grotte de l'Aventin. Il déroba quelques bêtes du troupeau de
    bœufs qu'Hercule avait ramenés de son expédition dans l'Occident
    méditerranéen et les dissimula dans sa caverne. Partant à la recherche
    des animaux volés, Hercule, attiré par les meuglements ou renseigné
    par la sœur de Cacus, découvrit la cachette et combattit le brigand
    qui avait trois têtes et soufflait le feu par ses trois bouches. Armé de
    sa massue, Hercule le tua. Virgile narre ce combat dans le livre VIII
    de l'*Énéide*.
v. 21644, *bourdon*. Issu du latin classique *burdonem* (« mulet » et au
    XIe siècle « support », « baguette »), ce vocable désigne le « long
    bâton du pèlerin, surmonté d'un ornement en forme de pomme ».
    Dans ce contexte il représente le membre viril.
v. 21652, *escharpe*. Rattaché au francique *skirpa (« panier de jonc »),
    le mot *escharpe* dénomme une « sacoche », une « aumônière », une
    « besace » que les pèlerins portaient en bandoulière, « en écharpe ».
    Dans ce passage, il évoque les bourses.

51. Les Quinze Joies de mariage (La Cinquième Joie)

Ce texte est établi à partir du manuscrit R de la Bibliothèque
municipale de Rouen (n° 1052) et des *Quinze Joies de mariage*,
éd. J. Rychner, Genève, Droz, 1967, p. 36-37.

La mésentente conjugale s'exprime dès le début de cet extrait, où s'opposent le mari qui désire faire l'amour et sa femme qui ne le souhaite pas (*son mari s'i veult prendre et elle ne le veult pas*), car elle réserve les plaisirs érotiques à son amant. À son époux qui demande par deux fois à la dame : « *tournez vous devers moy* », celle-ci réplique : « *lessés moy ester* », « *si vous me lessés ester* ». Elle qui a différé l'acte sexuel jusqu'au lendemain matin y échappe de deux manières. Soit elle se lève à l'aube avant son mari qu'elle laisse dormir et s'occupe du ménage, soit elle reste au lit en prétendant qu'elle a des règles douloureuses. Si la femme apparaît rouée (*fait semblant*), menteuse (*si grant mal… que c'est merveilles*), volage (elle prend un nouvel amant en cas d'absence de l'habitué), lascive (elle songe beaucoup à son *amy* cité à quatre reprises) et malicieuse (elle rit du bon tour qu'elle a joué), son mari se révèle *bon homme*, à la fois brave et naïf. Non seulement il « gobe » tout ce qu'elle lui dit, mais se montre aux petits soins pour elle (*la couvre bien*). Et s'il accomplit bien la *besongne*, ce n'est pas celle qu'il désirait la veille au soir !

l. 5, *ester*. Issu du latin *stare*, le verbe *ester* présente d'abord le sens de son étymon : 1. « se tenir debout », « se présenter », puis d'autres valeurs : 2. « (s')arrêter » ; 3. « rester », « demeurer », « séjourner », « se trouver » ; 4. précédé de *laissier* : « laisser faire », « laisser tranquille », « renoncer à », « ne plus parler de », et la locution *laisser ester la parole* ou *le parler* = « cesser de parler » ; en emploi pronominal : 5. se dresser, se tenir debout ; 6. rester immobile ; 7. gérondif : *en estant* = « debout ».

l. 10, *bon homme*. Que le syntagme soit agglutiné ou non, le terme *bonhomme* désigne selon le contexte : 1. « celui qui possède des qualités humaines et morales », un « homme de bien », un « homme vertueux », un « saint homme », souvent un ermite ; 2. un « homme modeste et aimable », un « brave homme » ; 3. un « homme simple d'esprit, crédule ou niais » ; 4. un « roturier ».

l. 20, *aguet*. Ce déverbal d'*agaitier* (« épier », « guetter »), rattaché au francique **wahta* (« le guet »), revêt les acceptions suivantes : 1. « observation vigilante », « guet » ; 2. « soldats qui font le guet » ; 3. « embuscade », « guet-apens » ; 4. « ruse », « fraude », « piège », « disposition ingénieuse » ; la locution *en aguet* se traduit par « en

cachette », « en secret » ou « à l'affût », tandis que l'expression
d'aguet offre diverses significations : « de propos délibéré », « à dessein », « en choisissant son moment » ; « avec précaution », « avec
prudence ». Le mot survit dans le tour : « être aux aguets ».

l. 34, besongne. Issu du francique *bisunnia (« soin », « souci »),
beso(n)gne est un substantif polysémique : 1. « affaire », « situation » ; 2. « activité », « travail », « tâche », « occupation » ;
3. « besoin », « nécessité » ; 4. « pauvreté », « détresse » ; 5. « acte
sexuel » ; 6. « bataille », « combat » ; 7. au pluriel : « affaires »,
« objets », « effets ».

52. Jehan de Saintré (chap. LXVIII et LXIX)

Ce texte est établi à partir du manuscrit Barrois (BNF,
nouv. acq. fr. 10057) et de Saintré, éd. M. Eusebi, Honoré
Champion, 1993, t. II, chap. LXVIII et LXIX, p. 413-417 ;
trad. R. Dubuis, Honoré Champion, 1995. Voir aussi Antoine
de la Sale, Jehan de Saintré, éd. bilingue par J. Blanchard et
M. Quereuil, Le Livre de Poche, « Lettres gothiques », 1995.

Les deux hommes s'opposent par leur statut social (un abbé
et un chevalier), leur physique (le religieux est assimilé à une
bête : grosses et blances cuisses, pellues et vellues comme ung
ours, alors que Jehan de Saintré se révèle élégant avec ses
chausses ainssy richement de grosses perles brodees) et leur comportement (la gaieté et l'assurance de l'ecclésiastique
contrastent avec la tristesse (la tres amere dolleur ou son cuer
estoit) et l'embarras du héros). Les deux affrontements succes-
sifs, l'un au sujet de la satire de la chevalerie, l'autre pour déterminer qui des deux rivaux aime la dame le plus loyalement,
donnent lieu à une scène de comédie ainsi qu'en témoignent les
vocables mocquerie, farce, sousriant, joye, rire, riant. L'abbé joue
au modeste (veez cy ung simple et foible moisne) ; il feint de
craindre son adversaire (voir son insistance rendue par les cinq
occurrences du verbe recommander) puis se moque de lui en
vantant ironiquement sa force après sa première défaite. Au
terme de luttes où les combattants s'empoignent et se font des
crocs-en-jambe (trousse) comme des rustres, Jehan est vaincu,

ridiculisé et méprisé par la dame des Belles Cousines qui doute de la loyauté et de la vaillance de son ancien protégé.

l. 1, *damps*. Du latin *dominus* (« maître », « souverain »), *damps* est un titre de courtoisie et de dignité qui le plus souvent s'emploie devant le nom d'une personne qu'on veut honorer, en particulier pour les religieux.

l. 1, *pourpoint*. Suite à la substantivation de l'adjectif *porpoint* (« piqué », « brodé »), le *pourpoint* désigne un vêtement civil masculin, court et serré à la taille, fait en général dans un tissu très riche, en usage du XIIIe au XVIIe siècle ; couvrant le corps depuis le cou jusqu'au bas des reins, il sert de support aux chausses. Les chevaliers plaçaient parfois un pourpoint sous leur haubert pour éviter le frottement de l'armure contre leur corps.

l. 28, *trousse*. Déverbal de *trousser* (« charger », « soulever de terre »), lui-même issu du latin populaire *torsare rattaché à *torquere* (« tordre »), le substantif *trousse* se traduit dans cet extrait par « attaque », et plus précisément par « croc-en-jambe ».

l. 71, *foullé*. Du latin populaire *fullare (« fouler une étoffe »), le verbe *foul(l)er* signifie dans la langue médiévale : 1. « fouler aux pieds de son destrier », « passer les sabots de son cheval sur un corps », « piétiner » ; 2. « écraser », « opprimer », « accabler » ; « renverser », « vaincre », « battre » ; 3. « malmener », « traiter avec mépris ».

l. 73, *desconffis*. Tiré de *confire* du latin *conficere* (« achever »), le verbe *desconf(f)ire* présente diverses acceptions : 1. « battre », « vaincre », « défaire » ; 2. « mettre en déroute » ; 3. « briser », « abattre », « détruire » ; 4. « décourager », « rebuter ». Le participe passé *desconfit* offre les sens suivants : 1. « battu », « défait » ; 2. « désemparé », « anéanti », « consterné », « déconcerté », « décontenancé ».

53. Les Cent Nouvelles nouvelles (XLVIIIe nouvelle)

Ce texte est établi à partir du manuscrit de l'Université de Glasgow (fonds Hunter, n° 252) et des *Cent Nouvelles nouvelles*, éd. F.P.S. Sweetser, Genève, Droz, 1966, p. 315-318. Voir aussi la traduction de R. Dubuis, Honoré Champion, 2005, et *Le Lexique des Cent Nouvelles nouvelles* par Roger Dubuis, Klincksieck, 1996.

La conquête (*queste*) de la dame s'accomplit en plusieurs étapes : la première entrevue rend le soupirant *trescontent* de l'accueil favorable reçu ; lors de la deuxième, il est partagé entre la joie et le doute après le refus du baiser ; au cours du troisième rendez-vous, il lui tient des propos intimes mais ne réussit pas à l'embrasser ; à la quatrième rencontre, elle se donne à lui mais lui refuse sa bouche. Ne comprenant pas cette attitude paradoxale qui consiste à tout accorder à l'exception d'*ung seul baiser, un pouvre baiser, un petit baiser* (le verbe *finer* avec *baiser* pour complément est nié quatre fois), l'amant demande une explication. La dame lui répond, avec une logique apparente qui fait fi de la morale, que seule la bouche est responsable du serment fait à son mari, mais que le reste du corps (*le surplus*) n'y a pas pris part (*mon derriere ne luy a rien promis ne juré*) ; l'amant peut donc en disposer à son gré. Dans son commentaire, le narrateur souligne avec humour l'avantage de l'époux sur l'amant, puisqu'il peut de temps à autre emprunter les *aultres membres* mais bénéficie de l'usage exclusif de la bouche.

Il est possible que l'auteur se soit inspiré du fabliau *Connebert* de Gautier le Leu. Un prêtre nommé Richard a des relations sexuelles avec de nombreuses femmes mariées de la ville de Colchester et notamment avec Mahaut, la jolie épouse du forgeron Tiebaut : « *Le prêtre baise la dame sur la bouche puis il lui demande : "Douce amie, n'êtes-vous pas toute à moi ?" Elle lui répond : "J'en prends Dieu à témoin, mon cœur est à vous, mon corps est à vous, à l'intérieur et à l'extérieur, mais le cul est à mon mari que j'ai souvent affligé !" – "Dame, réplique le prêtre, que le cul soit à lui et que le reste du corps soit à moi"* » (*Nouveau Recueil complet des fabliaux* [NRCF], éd. W. Noomen et N. Van den Boogaard, t. VII, Assen, Van Gorcum, 1993, *Connebert*, v. 172-181).

Monseigneur de la Roche : il s'agit de Philippe Pot, seigneur de La Roche-Nolay, familier du duc de Bourgogne. C'est le narrateur qui présente le plus grand nombre de nouvelles, quinze au total (nouvelles 3, 8, 10, 12, 15, 18, 34, 36, 37, 41, 44, 45, 47, 48 et 52).

l. 22, *courtoisie*. Étudiant « La courtoisie dans les *Cent Nouvelles nouvelles* », Roger Dubuis écrit : « d'une nouvelle à l'autre, d'une aventure à l'autre, le mot a perdu sa consistance et la notion même est devenue objet de dérision » (*Et c'est la fin pour quoy sommes ensemble. Hommage à J. Dufournet*, Honoré Champion, 1993, t. I, p. 479-489, citation p. 489).

l. 26, *finer*. Rattaché à *fin*, le verbe *finer* possède plusieurs sens : en emploi transitif : 1. « achever », « terminer » ; 2. « payer », « s'acquitter », « se procurer » ; 3. « finir par obtenir » ; en emploi intransitif : 4. « cesser », « se terminer » ; 5. « périr », « mourir » ; 6. « réussir à obtenir quelque chose et en disposer ».

l. 41, *chere*. Venant du bas latin *cara*, lui-même emprunté au grec *kara*, le substantif *chiere/chere* conserve tout d'abord sa valeur étymologique de « visage », « face », « tête ». Par glissement sémantique, il définit aussi « l'expression du visage, la physionomie, la mine ». Puis, par extension, il revêt le sens d'« accueil », en particulier dans des expressions telles que : *bele chiere* = « mine réjouie », « accueil chaleureux » ; *faire bele/bonne chiere* (« faire bon visage », « faire bon accueil »). Le vocable *chère* désigne en outre le repas servi par l'hôte à son visiteur, cette évolution étant sans doute favorisée par l'homonymie avec *chair* (du latin *carnem*).

l. 55, *gohettes*. Dérivé de l'ancien français *gogue* (« plaisanterie », « liesse ») d'origine incertaine, *gohette/goguette* offre plusieurs significations : 1. « gaieté », « joyeuse humeur » ; 2. « réjouissances », « fêtes » ; 3. « propos joyeux » ; 4. « repas plantureux », « festin ». Dans la locution « être en goguette », le mot veut dire « partie fine ».

CHAMP LEXICAL
DE L'AMOUR COURTOIS

Sont rassemblés ici les termes relatifs à l'amour courtois, à ses gestes, ses manifestations, ses sentiments (plaisirs, craintes et souffrances) et aux qualités de ses adeptes.

aaise/aise : du latin *adjacens*, participe présent du verbe *adjacere* (« être situé auprès »), ce mot est à la fois un substantif et un adjectif. Le premier désigne outre la « demeure » et la « liberté », la « situation agréable », le « confort », le « bien-être », le « plaisir ». Quant à l'adjectif, il signifie : « satisfait », « content », « heureux ».

acointance : déverbal d'*acointier*, ce terme revêt diverses acceptions : 1. le « fait de faire connaissance avec quelqu'un », la « rencontre » ; 2. le « fait de se lier avec quelqu'un », la « fréquentation », la « familiarité », l'« amitié », l'« intimité » ; 3. en particulier : la « relation de type amoureux », le « commerce amoureux ».

acointier : du latin oral **accognitare* formé sur *accognitus*, le participe passé de *accognoscere* (« reconnaître »), ce verbe se traduit par : « faire connaissance de », « entrer en relation avec », « avoir une relation intime avec ».

acoler/accoler : formé sur *col*, le verbe signifie : « jeter les bras autour du cou », « serrer dans ses bras ».

ami(e) : ce vocable a gardé les valeurs de son étymon latin *amicus (amica)*, à savoir « personne liée d'amitié à une autre personne » ; « amant », « maîtresse ».

amor/amour : du latin *amorem*, le terme recouvre tous les degrés de l'affectivité, de l'amitié à l'amour le plus ardent. 1. Pourvu d'une majuscule, il représente une divinité ou une personnification ; 2. il peut désigner la foi, l'attachement pour Dieu ; 3. il caractérise le lien passionnel entre deux personnes (époux, amants), d'où l'expression *amer d'amors/ par amors* (« aimer d'un amour ardent ») ; 4. l'attachement entre les membres d'une même famille : « affection », « tendresse » ; 5. la relation extérieure à la parenté : « amitié », « sollicitude », « bonne entente » ; 6. la manifestation de cet attachement : « bonté », « bienveillance », « gentillesse », « amabilité » ; 7. la relation entre un supérieur et un inférieur : « bonne disposition », « faveur », « grâce » (du premier envers le second), « égard », « considération », « estime » (du second envers le premier) ; 8. « charité », « amour du prochain » ; 9. la locution *par amors* signifie : « par amitié », « par faveur », ou devient une simple formule de politesse : « s'il vous plaît », « je vous en prie ». Voir Jean Frappier, « *D'amors, par amors* », *Romania*, t. LXXXVIII, 1967, p. 433-474, repris dans *Amour courtois et Table ronde*, p. 97-128.

anguisse/angoisse : provenant du latin *angustiam* (« étroitesse », « passage étroit »), le mot offre plusieurs acceptions : 1. « lieu resserré », « défilé » ; 2. « étreinte », « oppression », « étouffement » ; 3. douleur physique intense, « souffrance » ; 4. douleur morale qui serre le cœur et la gorge, « tourment », « peine », « inquiétude profonde », « anxiété », affliction mêlée de crainte, parfois de dépit ou de colère.

asag/assag : ce terme de langue d'oc signifiant « essai » définit une épreuve amoureuse que la dame impose à son soupirant. Ce dernier couché nu auprès de sa bien-aimée doit maîtriser ses instincts et observer la continence.

atalanter : Dérivé du substantif *talent*, ce verbe signifie : 1. « plaire », « être agréable à » ; 2. « inspirer le désir ».

aventure : ce substantif vient du latin populaire *adventura* (« les choses qui doivent arriver »), participe futur au pluriel neutre du verbe *advenire* (« se produire »). Il désigne tout événement qui surprend par son aspect soudain et exceptionnel, et peut être favorable ou défavorable : si la locution *bone aventure* signifie : « succès », « bonheur », à l'inverse *male aventure* veut dire : « accident », « malheur ». Par extension, *aventure* désigne la « chance », la « fortune », le « destin », le « sort » d'où l'expression *par aventure* (« par hasard »). Le terme insiste aussi sur le « péril », d'où les sens de « risque », « danger » et la formule *se metre en aventure* (« prendre le risque de », « se mettre en danger »). Dans les romans, l'*aventure* évoque souvent une action extraordinaire, hasardeuse et angoissante, une épreuve probatoire et redoutable pour le chevalier errant en quête de gloire. L'amour constitue une aventure à la fois merveilleuse et périlleuse.

baisier/baiser : ce verbe garde tout d'abord le sens de son étymon latin *basiare* : « donner un baiser », « embrasser » ; il signifie ensuite : « copuler », « faire l'amour ».

biaus/beau : de *bellus* (« charmant », « en bonne santé »), cet adjectif exprime le degré supérieur de la beauté physique et morale : « beau », « aimable », « gentil » ; il dénote aussi l'idée d'excellence et de perfection : « bon », « excellent ». Appliqué à une chose, il prend le sens de : « considérable », « important », « avantageux », « favorable ». Enfin, en terme d'adresse, il signifie l'affection ou le respect : « cher ».

buen : du latin *bonum*, ce substantif signifie : 1. « volonté », « bon plaisir » ; 2. en particulier : le « plaisir sexuel », les « faveurs accordées par une femme ».

chaitius/chétif : dérivé du latin vulgaire **cactivus*, résultat du croisement du latin classique *captivus* et du gaulois **cactos*, le terme offre les significations suivantes : 1. « captif », « prisonnier » ; 2. « malheureux », « infortuné » ; il qualifie souvent le poète qui aime sans être aimé ; 3. « mauvais », « méchant » ; 4. « misérable », « méprisable » ; 5. « de peu de valeur ou d'importance », « dérisoire » ; 6. « de faible constitution », « frêle ».

chevalerie : ce nom offre diverses significations : 1. « condition de chevalier » ; 2. « ordre chevaleresque », « institution militaire » ; 3. « ensemble des guerriers à cheval » ou « troupe de cavaliers » ; 4. « qualités propres à un chevalier », en particulier « vaillance », « bravoure » ; 5. « prouesse », « exploit » ; 6. « gloire ».

chevalier : du latin tardif *caballarium*, formé sur *caballum* (« cheval »), le *chevalier* est un cavalier possédant des armes spécifiques, défensives (écu, haubert, heaume) et offensives (lance et épée). Doué de qualités physiques (force, endurance, habileté) et morales (vaillance, hardiesse, sagesse, foi, loyauté, piété), il est par sa fonction un guerrier professionnel. La chevalerie constitue d'abord une corporation dans laquelle l'apprenti (nommé *escuier* ou *valet*) entre, au terme d'une cérémonie appelée « adoubement » : d'ordinaire, à la fin du XIIᵉ siècle, le jeune postulant reçoit les armes de son « parrain » qui lui ceint l'épée, lui chausse l'éperon droit et lui donne la *colee*, un coup de paume sur la nuque ; le rituel s'accompagne parfois de souhaits ou de recommandations.

cointe : issu du latin *cognitum* (« qui est connu »), l'adjectif *cointe* est polysémique : 1. « prudent », « habile », « ingénieux » ; 2. « sage », « avisé » ; 3. « joli », « gracieux », « aimable » ; 4. « vaillant ».

confort : ce déverbal de *conforter*, provenant lui-même du latin ecclésiastique *confortare* (« renforcer le courage », « consoler »), s'applique à ce qui donne de la force, procure un mieux-être moral, d'où les sens de : 1. « secours », « aide », « encouragement » ;   2.   « consolation »,   « réconfort » ; 3. « courage ».

conjoïr : composé de *joïr*, le verbe *conjoïr* signifie en emploi transitif : 1. « réserver un accueil chaleureux à quelqu'un », « faire fête à quelqu'un », « accueillir avec joie » ; 2. en particulier lors d'un rapport sexuel : *soi laissier conjoïr a* = « s'abandonner à » ; 3. « jouir de » ; 4. en emploi intransitif ou pronominal : « se réjouir ».

cor(r)ociez/courroucé : à l'origine participe passé de *cor(r)ocier* (qui provient lui-même du latin vulgaire *corruptiare* et signifie : « altérer », « gâter », puis par glissement sémantique « irriter », ou « chagriner ») cet adjectif signifie : 1. « irrité », « fâché », « courroucé » ; 2. « affligé », « peiné », « triste » ; 3. « contrarié », « préoccupé », « sombre ».

cor(r)oz/courroux : ce déverbal de *cor(r)ocier* présente deux valeurs principales : « colère » et « chagrin ».

courage : formé par suffixation (**aticum*) sur *cor* (« cœur »), ce substantif désigne : 1. le « cœur », le « siège des sentiments » ; 2. par métonymie, il peut aussi s'appliquer aux dispositions de l'âme ou de l'esprit, d'où le sens de : « sentiments » et notamment « sentiment amoureux » ; 3. « opinion », « pensée » ; 4. « intention », « envie », « désir » ; 5. « humeur ».

courtois : provenant du substantif *cort*, ce vocable qualifie d'abord celui qui vit à la cour, de même que le *bourgeois* est l'habitant du *bourg* et le *vilain* celui qui travaille dans la *villa*, la ferme, autrement dit le paysan. Selon les contextes, l'accent peut être mis sur la haute naissance (« noble »), sur la beauté physique (« gracieux », « charmant »), sur les qualités guerrières (« valeureux », « vaillant »), sur les vertus morales (« loyal », « généreux ») ou sur les relations mondaines (« raffiné », « délicat ») ; enfin il désigne la personne qui possède « de bonnes manières » et respecte les bienséances. À partir du XVIe siècle où apparaît le terme *courtisan*, *courtois* s'affaiblit, ne qualifiant plus que des êtres polis, civils ou affables.

courtoisie : dérivé de *courtois*, ce terme définit la société aristocratique vivant à la cour, une communauté raffinée et cultivée, prônant la beauté, l'élégance, le luxe et les arts. Il dénomme aussi une éthique fondée sur la mesure, la largesse, la délicatesse, un véritable art de vivre et d'aimer. Il signifie aussi une « action noble », un « service rendu avec élégance », une « politesse raffinée ». Enfin par un emploi antiphrastique il veut dire : « légèreté », « sensualité » et même « acte sexuel » dans les locutions *faire la courtoisie, demander la courtoisie.*

cuer/cœur : ce substantif a d'abord conservé les valeurs de son étymon latin *cor* : « organe situé entre les deux poumons », « siège des sentiments », avant de prendre diverses acceptions : « sentiment », « intention », « désir », puis « courage ».

dame : du latin *domina* (« maîtresse », « épouse », « impératrice »), *dame* désigne la suzeraine, puis une femme mariée d'un haut rang social. Équivalent féminin de *sire/seignor*, le vocable est souvent employé comme terme d'adresse. Si, dans le lexique courtois, le terme qualifie la femme noble dont s'est épris le *fin amant*, en vassal soumis et fidèle, dans le vocabulaire religieux, il s'applique à la Vierge Marie.

damoiselle : provenant de **dominicella*, diminutif de *domina*, le substantif *damoiselle* désigne une jeune fille de rang social élevé, la fille d'un roi ou d'un grand baron, puis une suivante. Si, à l'instar de *dame*, le terme peut être utilisé comme appellatif, il s'applique parfois, dès le XIIIᵉ siècle, à une épouse de petite noblesse ou à une femme noble, mariée à un bourgeois.

dangier/danger : issu du latin populaire **dominiarium* employé pour *dominium* (« propriété, droit de propriété »), le substantif présente plusieurs sens : 1. « pouvoir », « puissance », « domination » ; 2. « volonté », « libre arbitre » ; 3. « orgueil », « prétention », « morgue » ; 4. « refus », « résistance ». Dans *Le Roman de la rose* de Guillaume de Lorris, *Danger*, opposé à *Bel Accueil*, personnifie ainsi la résistance à l'amour, le refus de la dame aimée qui, par pudeur, s'effarouche des audaces de l'amant et le repousse avec rudesse.

deboneire/ débonnaire : cet adjectif qui résulte de la soudure de trois termes (la préposition *de*, l'adjectif *bon* et le substantif *aire*), revêt diverses significations : 1. valeur étymologique : « bien né », « de bonne souche », « noble » ; 2. par glissement sémantique : « valeureux », « vaillant » ; 3. « généreux »,

« bon », « bienveillant », « compatissant » ; 4. par affaiblissement : « doux », « gentil », « affable », « aimable ».

deduit : participe passé substantivé du verbe *deduire* (du latin *deducere* au sens de : « emmener », « éloigner »), le terme désigne le divertissement actif et concret, l'occupation procurant du plaisir, notamment le plaisir de la chasse, celui du jeu d'échecs et surtout le plaisir charnel.

delit : déverbal de *delitier* (du latin *delectare*), ce substantif désigne l'agrément, la joie en général ou le plaisir physique de l'amour, la jouissance.

delitable : dérivé de *delit*, l'adjectif veut dire : 1. « plaisant », « agréable » ; 2. « délicieux » ; 3. « divertissant ».

dementer : issu du latin *dementare* (« rendre fou »), ce verbe pronominal signifie : 1. « devenir fou de douleur » ; 2. « s'abandonner à la tristesse », « manifester sa douleur » ; 3. « se désoler », « se lamenter », « se plaindre », « gémir » ; 4. « se tourmenter ».

deport : dérivé de *deporter* (« amuser », « divertir », « réjouir »), *deport* conserve les valeurs précitées du verbe : 1. « divertissement » ; 2. « joie », « plaisir » et en particulier « plaisir sexuel » ; 3. le terme dénote aussi un comportement et notamment la « conduite de l'amant courtois à l'égard de la dame ».

destraindre : issu du latin *distringere* (« lier d'un côté et d'un autre »), ce verbe offre plusieurs acceptions : 1. « agripper », « serrer » ; 2. « poursuivre », « harceler » ; 3. « contraindre » ; 4. « accabler », « oppresser », « tourmenter ». Il est conventionnel pour exprimer les tortures que l'Amour impérieux inflige au *fin amant*.

destroit : provenant de l'adjectif latin *districtum*, formé sur *strictum* (« étroit ») ou dérivé du participe passé de *distringere*, *destroit* possède divers sens : 1. concret : « serré », « étroit », « pressé » ; 2. figuré : « rigoureux », « strict » ; 3. « accablé physiquement et moralement », « tourmenté », « affligé », « angoissé », « triste », « inquiet », puis « malheureux ».

dolent : issu du latin *dolentem*, participe présent du verbe *dolere*, cet adjectif signifie : 1. « affligé », « triste », « peiné » ; 2. « contrarié », « désolé » ; 3. « malheureux » ; 4. comme d'autres termes relevant du sème de la douleur morale, il peut aussi équivaloir parfois à : « irrité », « courroucé ».

doloir : du latin *dolere*, le verbe dénote la douleur physique ou psychologique ; en emploi transitif indirect, il veut dire : « faire mal à » ; en emploi intransitif, il signifie : « souffrir ».

donoi : ce déverbal de *donoier* veut dire : « divertissement », « plaisir », en particulier « plaisir amoureux ».

donoier : ce verbe provient de *done*, autre forme de *dame*. Il évoque plusieurs attitudes de l'amour courtois : 1. « faire la cour », « courtiser » ; 2. « parler d'amour », « conter fleurette » ; 3. « faire l'amour », « avoir des relations sexuelles », « se livrer aux jeux de l'amour ».

douter : du latin *dubitare* (« balancer entre deux choses », « être indécis »), le verbe signifie en ancien français : 1. « craindre », « redouter », « avoir peur » ; 2. « ne pas avoir confiance en », « se méfier de » ; 3. « avoir des doutes sur », « être dans l'expectative pour » ; 4. « hésiter ». Si le sème de crainte, non attesté en latin, domine durant tout le Moyen Âge, il est éliminé au XVIIᵉ siècle au profit du sème d'incertitude.

dru : issu d'un terme gaulois *druto* (« fort », « robuste »), l'adjectif *dru* garde tout d'abord le sème de « vigueur » propre à son étymon : « vigoureux », « gaillard », « vif » ; selon qu'il s'applique à des animaux, à la végétation, à des villes ou à un domaine, il se traduit de diverses manières : « gras », « luxuriant », « riche », « opulent » ; adjectif ou substantif, il qualifie, dans le domaine de la féodalité, le vassal familier du roi, son « confident », son « favori » ; puis, transposé dans le registre courtois, il désigne l'ami intime, l'amant fidèle.

drüerie : dérivé de l'adjectif *dru*, ce substantif désigne : 1. les « rapports amoureux », le « plaisir sexuel » la « volupté » ; 2. l'« amitié », l'« affection », la « tendresse », l'« amour », le plus souvent hors du cadre conjugal ; 3. une « intrigue amoureuse » ; 4. le « gage d'amour », le « cadeau galant ».

duel/deuil : du bas latin *dolum*, le vocable désigne l'affliction, la douleur. Il s'agit d'une souffrance très vive, plus morale que physique, provoquée par la maladie, la séparation ou la mort d'un être cher. Par spécialisation sémantique, le terme s'applique ensuite uniquement au chagrin causé par le décès d'un parent ou d'un ami.

embracier : dérivé du terme *braz*, le verbe signifie : « prendre et serrer entre ses bras ». Il ne prend le sens de « donner un baiser » qu'à partir du XVIIe siècle.

enui/ennui : déverbal d'*enuier*, lequel vient du bas latin *inodiare*, formé sur la locution *in odio esse* (« être un objet de haine »), le substantif possède au Moyen Âge des sens beaucoup plus forts qu'à notre époque, car l'idée de souffrance physique ou morale prédomine : 1. « peine très vive », « tourment intolérable », « mal » ; 2. « inquiétude », « angoisse » ; 3. « profonde tristesse », « violent chagrin » ; 4. « grave difficulté », « malheur », « désagrément » ; 5. « dommage ».

esmaier : issu du latin vulgaire **exmagare* (« priver quelqu'un de ses forces »), ce verbe signifie « troubler », « inquiéter », « effrayer ». Employé pronominalement, il prend le sens de « s'inquiéter », « craindre », « se tourmenter », « se désoler ».

essil/exil : issu du latin *exsilium* (« bannissement », « lieu d'exil »), ce substantif a gardé sa valeur étymologique d'« exil », seule conservée de nos jours, mais présente aussi par élargissement sémantique d'autres acceptions : « destruction », « massacre » ; « ruine », « dommage » ; « tourment », « détresse ».

ferir : issu du latin *ferire*, le verbe garde tout d'abord sa valeur étymologique : « frapper, donner des coups » ; c'est Cupidon qui *fiert* ses victimes de ses flèches. *Ferir* n'est conservé aujourd'hui que dans la locution figée : *sans coup férir* et dans le participe passé *féru* : « frappé », « blessé », puis

« blessé d'amour », enfin, d'une manière plus générale, « passionné », « épris ».

fin amant : cette expression désigne l'amant parfait, le vassal discret, loyal et dévoué, qui se consacre entièrement au service de sa dame.

fine amor : cette locution définit l'amour parfait, absolu, délicat et fidèle que le troubadour, le trouvère ou le chevalier éprouve pour sa dame.

fole amor : il s'agit de l'amour adultère insensé, coupable sur le plan moral et religieux, unissant par exemple Tristan et Yseut la Blonde, ou Lancelot et Guenièvre.

foutre : provenant du latin *futuere* (« avoir des rapports avec une femme »), ce verbe trivial signifie : « posséder charnellement », « forniquer ».

franc : ce mot, issu du francique **frank*, ne possède à l'origine qu'une valeur ethnique (*le peuple franc*), mais, à la fin du VIe siècle, il désigne un homme libre avant de définir celui qui est noble par sa naissance. Cette signification sociale s'enrichit d'acceptions chevaleresques : « vaillant », « valeureux », et morales : « généreux », « bon », « affable » ; puis, par spécialisation, l'adjectif qualifie « celui qui dit ouvertement ce qu'il pense », un être « sincère ».

franchise : dérivé de *franc*, ce substantif offre divers sens : 1. « condition libre », « liberté », « indépendance » ; 2. « noblesse », « vaillance », « générosité » ; 3. « courtoisie », « obligeance » ; 4. « acte généreux ».

gente : du participe passé latin *genitum* (« né », puis « bien né ») du verbe *gignere* (« engendrer »), cet adjectif est laudatif dans l'ancienne langue. Il indique la haute naissance (« noble »), la beauté physique et morale (« jolie », « gracieuse », « aimable »), la richesse et l'élégance de la toilette (« élégante », « distinguée »), la convenance (« bienséant »).

gentil : du latin *gentilem* (« propre à la race, à la famille »), dérivé lui-même de *gens/gentis*, l'adjectif *gentil* possède plusieurs significations : 1. « noble de naissance », « bien né » ;

2. « noble de caractère », « vaillant », « généreux » ;
3. « noble de manières », « gracieux », « joli », « aimable ».

gesir : venant du latin *jacere* (« être étendu », « être situé »), ce verbe, intransitif ou pronominal, présente diverses acceptions : 1. « se coucher », « être couché » ; 2. « passer la nuit », « demeurer » « faire étape » ; 3. « coucher avec quelqu'un(e) », « avoir des relations sexuelles », « jouir » ; 4. « accoucher » ; 5. « être alité » pour un malade ou un blessé ; 6. « reposer mort dans un tombeau », « être enterré ».

gré : issu de l'adjectif latin *gratum* (« agréable », « reconnaissant »), le substantif offre quatre sens majeurs : 1. « consentement », « permission » ; 2. « plaisir », « satisfaction », « agrément » ; 3. « volonté », « désir », d'où les expressions : *a gré* (« à souhait »), *de gré* (« volontiers »), *outre son gré* (« malgré lui »), *mal gré* « contre la volonté », « mécontentement », « irritation » ; 4. « gratitude », « reconnaissance », « remerciement », avec des syntagmes tels que : *savoir (bon) gré a* (= « être reconnaissant envers »), *savoir mal gré a* (= « tenir rigueur à »).

grever : issu du latin *gravare* (« alourdir », « aggraver »), ce verbe revêt plusieurs valeurs : 1. « accabler », « tourmenter », « malmener », « nuire à » ; 2. « blesser » ; 3. « blâmer sévèrement » ; 4. pronominal : « se donner de la peine » ; 5. impersonnel : « gêner », « contrarier ».

grief : provenant du latin vulgaire **grevem*, altération du latin classique *gravem* (« lourd », « grave ») à partir de son antonyme *levem*, l'adjectif offre les significations suivantes : 1. « lourd » ; 2. « pénible », « douloureux » ; 3. « triste », « malheureux » ; 4. « rude », « difficile », « terrible ».

guerredon : issu du croisement du francique **widarlôn* (« récompense ») et du latin *donum*, le substantif *guerredon* définit « ce que l'on accorde en contrepartie d'un don » : 1. le « prix d'un service ou d'une bonne action », d'où : « salaire », « récompense » ; 2. le témoignage de reconnaissance : « don », « cadeau », et notamment les « faveurs » accordées par la dame à son amant.

guerredoner : dérivé du terme précédent, le verbe se traduit par : « récompenser », « donner une récompense ». Pour son dévouement, sa fidélité, sa discrétion, sa persévérance et la qualité de son service, la dame peut récompenser son amant par le don physique de sa personne.

hom(m)age : venant de *hom(m)e*, le substantif désigne l'« engagement solennel » d'un vassal envers son suzerain. Lors de cette cérémonie rituelle, le vassal place ses mains dans celles de son seigneur, lui jure dévouement et fidélité avant d'échanger avec lui un baiser. Dans le contexte de la *fine amor*, le terme définit le serment de loyauté ainsi que l'acte de service courtois de l'amant envers sa dame.

hom(m)e : du latin *hominem*, ce vocable revêt, outre ses sens étymologiques : 1. « être humain » ; 2. par restriction : « individu mâle », d'autres acceptions : 3. par spécialisation, dans le contexte féodal : « vassal ». 4. le *fin amant* soumis à la dame ; 5. « mari » ; 6. « guerrier », « homme d'armes ».

ire : provenant du latin *ira* (« colère »), le substantif *ire* est ambigu. En effet, il dénote autant le courroux (avec plusieurs nuances : « mécontentement », « indignation », « fureur ») que la douleur morale avec les acceptions suivantes : « peine », « chagrin », « tristesse », « rancœur », « ressentiment », « amertume ».

irié : comme le substantif *ire* auquel il se rattache, cet adjectif est ambivalent, dénotant soit la colère, soit la douleur : 1. « irrité », « furieux » ; 2. « troublé », « contrarié », « fâché » ; 3. « affligé », « triste », « chagrin ».

joie : issu du latin classique *gaudia*, pluriel neutre de *gaudium* (« contentement », « plaisir »), le terme *joie* désigne d'une part la « jouissance physique », la « volupté », d'autre part la « gaieté », l'« allégresse », le bonheur intense d'aimer et d'être aimé. Dans la préface de son *Anthologie de la poésie lyrique française des XIIe et XIIIe siècles*, Jean Dufournet définit ainsi la *joie* en contexte amoureux : « la jouissance spirituelle de l'union des âmes, plénitude extatique fragile et toujours menacée, allégresse qui exalte l'être au-dessus de lui-même et qui n'empêche pas le bonheur physique – mélange subtil, pour reprendre les termes des troubadours, du *joi*, plus spirituel, plus actif, et du *gauc*, plus physique, plus passif » (p. 29).

joïr/jouir : du latin populaire *gaudire*, à partir de *gaudere* (« se réjouir »), ce verbe signifie : « accueillir chaleureusement, avec plaisir », « faire fête à », « tirer plaisir sur le plan sexuel ».

joli : issu de l'ancien norrois *jôl*, nom d'une grande fête païenne hivernale, ou d'un latin populaire **gaudivus* rattaché à *gaudere*, l'adjectif revêt diverses acceptions : 1. « gai », « joyeux », « enjoué » ; 2. « amoureux », « tendre », « ardent », 3. « lascif », « voluptueux » ; 4. « vigoureux », « hardi » ; 5. à partir du moyen français : « beau », « plaisant ».

joliété/joliveté : dérivé du précédent, ce substantif offre les sens suivants : « gaieté », « entrain » ; « plaisir » et en particulier « plaisir d'amour », « volupté ».

justisier : dérivé du latin *justitia* (« justice »), le verbe possède diverses significations : 1. « rendre la justice », « juger » ; 2. « commander », « dominer » ; 3. « dompter » ; 4. « gouverner » ; 5. « tourmenter ». Il est conventionnel pour exprimer le caractère impérieux de l'Amour.

lié : du latin *laetum*, cet adjectif a conservé les deux valeurs principales de son étymon : 1. « content », « gai », « joyeux », « heureux » ; 2. « plaisant », « agréable ».

lige : d'origine incertaine, cet adjectif qualifie « celui qui a promis à son seigneur une fidélité sans restriction, qui a fait serment d'allégeance », d'où le sens de : « entier », « total », « absolu ». Un chevalier pouvant être le vassal de plusieurs seigneurs, lorsqu'il est l'*home lige* de l'un d'eux, il s'engage à le servir en priorité sans réserve, parce qu'il est lié à lui plus étroitement qu'aux autres. Dans le contexte de l'amour courtois, il souligne l'attachement exclusif du *fin amant* envers sa dame.

losenges : dérivé du mot *los* (« louange », « réputation », « gloire ») qui provient lui-même du latin *laus* (« éloge », « honneur »), *losenge* peut définir : 1. l'« éloge », le « compliment », la « cajolerie » ; 2. mais il est le plus souvent péjoratif puisqu'il désigne surtout : la « fausse louange », l'« éloge trompeur », la « flatterie insidieuse », la « flagornerie » ; la « tromperie », la « ruse », la « supercherie ».

losengier [substantif] : rattaché à *losenge*, ce substantif veut dire : 1. « flatteur », « enjôleur » ; 2. « trompeur » ; 3. « suborneur ». Dans le contexte de la *fine amor*, il désigne les médisants, envieux, déloyaux et cruels qui espionnent et calomnient les amants dont ils cherchent à détruire l'amour.

losengier [verbe] : ce verbe est ambivalent :1. soit de sens positif : « rendre honneur », « traiter avec égard », 2. soit de sens négatif : « cajoler », « flatter » ; 3. « tromper ».

maltalant : dérivé de *talent*, ce terme désigne la « mauvaise intention » et la « mauvaise humeur » ; puis, selon les contextes, il peut qualifier l'« animosité », la « colère », le « mécontentement », le « dépit », le « ressentiment » et la « rancune ».

mas : issu peut-être du latin vulgaire *matum* (« ivre ») et d'un croisement avec l'arabe *mât* (« mort »), l'adjectif présente plusieurs acceptions : 1. « affaibli », « épuisé » ; 2. « abattu », « accablé » ; 3. « affligé », « triste » ; 4. « vaincu ».

mehaing : d'origine obscure, ce mot possède diverses significations : 1. « grave blessure », « mutilation », « estropiement » ; 2. « maladie » « indisposition » ; 3. « mal », « malheur », « dommage », « tort » ; 4. « empêchement » ; 5. « défaut » relatif à une chose.

merci : venant du latin *mercedem* (« salaire », « récompense »), ce substantif a pour sens principal : 1. « grâce », « pitié », « miséricorde », d'où les locutions *crier/prier merci de* =

« demander pardon de », *aler a merci/soi metre en la merci de* = « s'avouer vaincu », « se rendre à ». Il signifie aussi : 2. « bon vouloir », « discrétion » ; 3. « faveur(s) en particulier de la dame », « cadeau ». La « dame sans merci » qualifie dans la poésie et le roman courtois une femme impitoyable qui refuse d'accorder à son soupirant la moindre récompense. 4. Enfin le vocable exprime la gratitude pour une faveur déjà accordée ou seulement sollicitée. Depuis le XVIe siècle, les deux valeurs essentielles du mot sont distinguées par le genre : alors que le substantif féminin signifie « grâce », le masculin exprime le remerciement.

mesaise : cet antonyme d'*aise* veut dire : 1. « malheur », « maladie » ; 2. « souffrance », « tourment » ; 3. « chagrin », « peine » ; 4. « malaise », « gêne ».

mescroire : antonyme de *croire*, ce verbe porteur du préfixe privatif *mes-* offre les sens suivants : 1. « ne pas croire » ; 2. « soupçonner », « mettre en doute la parole de » ; 3. suivi de la préposition *de* : « être méfiant à l'égard de ».

mignoter : dérivé du radical expressif *mign-* qui traduit la gentillesse, ce verbe signifie en emploi transitif : 1. « rendre joli » ; 2. « traiter avec douceur », « dorloter », « cajoler » ; 3. en emploi intransitif : « faire des mines doucereuses et langoureuses », « prendre un air languissant ».

oublier (s') : ce verbe veut dire dans l'ancienne langue : « perdre son temps », « se distraire », « manquer à ses devoirs », « omettre ce qu'on doit faire », « relâcher son attention », « perdre conscience ». Celui qui s'oublie, en général amoureux, est absorbé dans ses pensées au point d'oublier tout le reste. Un proverbe souligne la folie d'un tel être : *Fous est qui se oublie* (*Proverbes français antérieurs au XVe siècle*, éd. J. Morawski, Honoré Champion, 2006, n° 780). Comme l'explique Philippe Ménard, « *s'oublier*, c'est être plongé dans une sorte d'état second où l'esprit et les sens sont obnubilés. Pour les auteurs courtois, il est dangereux de s'abstraire ainsi du monde extérieur. Le verbe *s'oublier* suggère donc un léger reproche. Il implique que l'on ne se surveille plus, que l'on perd le contrôle de soi-même, que l'on manque à ses devoirs » (*Le Rire et le sourire dans le roman courtois en France [1150-1250]*, Genève, Droz, 1969, p. 465-466).

panser/penser : ce verbe, qui apparaît sous une double graphie au Moyen Âge, possède la même origine que le verbe *peser*. Emprunt au latin *pensare*, fréquentatif de *pendere*, signifiant « peser » au propre et au figuré, *penser* se réfère à une activité intellectuelle et/ou matérielle, selon ses emplois : 1. quand il est intransitif, le sens est purement intellectuel : « méditer », « réfléchir », être agité de pensées (souvent pénibles), être absorbé par la pensée de sa dame, comme c'est le cas du *fin amant* ; 2. lorsqu'il est transitif indirect, construit avec les prépositions *a* ou *de*, il offre une double acception : intellectuelle, « avoir l'esprit tourné vers », « songer à », et matérielle, « prendre soin de », « s'occuper de », « veiller à » ; « soigner ». 3. transitif direct, il conserve sa double valeur : d'un côté « songer », « juger », « estimer », de l'autre « prendre soin de ». 4. en tant que réfléchi, il ne garde que sa signification intellectuelle : « réfléchir », avec la conjonction *que* : « décider », « croire ». Depuis le XVIIe siècle, la graphie sépare les deux sèmes, *penser* assumant le sens intellectuel et *panser* le sens matériel.

pener : rattaché à *peine*, le verbe signifie : 1. transitif : « maltraiter », « tourmenter », « martyriser » ; 2. « souffrir » ; 3. intransitif : « faire des efforts » ; 4. pronominal : « s'efforcer » ; 5. « se fatiguer ».

peser : Possédant le même étymon latin que *penser*, *peser* présente deux valeurs principales : 1. transitif : « mesurer le poids de », et intransitif : « être lourd » ; 2. transitif : « affliger » et en construction impersonnelle : « causer du chagrin, de la peine à », « être pénible à », « contrarier ».

priveté : dérivé de l'adjectif *privé*, ce nom offre différentes significations : 1. « affaire cachée », « secret » ; 2. « vie intime », « sentiments privés », « familiarité » ; 3. « confidence » ; 4. « endroit secret » ; 5. « liaison intime » ; 6. « charmes secrets » au sens érotique.

querre/quérir : issu du latin classique *quaerere* (« chercher », « chercher à obtenir, à savoir »), ce verbe revêt plusieurs acceptions : 1. « chercher » ; 2. « conquérir » ; 3. « désirer », « vouloir » ; 4. « réclamer ».

requerre/requérir : ce synonyme de *querre* offre des valeurs similaires : 1. « rechercher » ; 2. « demander », « prier » ; 3. en particulier : « solliciter l'amour de », « courtiser une femme », « la demander en mariage ».

rossignol : emprunté à l'ancien provençal *rossinhol*, du latin vulgaire **lusciniolus*, dérivé du latin classique *lusciniola* (« petit rossignol »), diminutif de *luscinia* (« rossignol »), le rossignol exprime la joie du printemps et de l'amour. Il est souvent la figure du poète lyrique.

saisine : ce déverbal de *saisir*, appartenant au vocabulaire féodal, désigne la prise de possession légale. Ainsi le vassal entre-t-il en possession du fief que lui a concédé son seigneur. Le terme est transposé dans le registre de l'amour courtois par les poètes, qui soulignent ainsi le lien de dépendance et de soumission unissant l'amant et sa dame.

saisir : de l'ancien haut allemand **sazjan*, le verbe est un terme de droit féodal : si le complément d'objet direct désigne une personne, il signifie : « mettre quelqu'un en possession d'une terre ou d'un objet », « investir », tandis qu'il veut dire : « entrer en possession de », « s'emparer de », « s'approprier », si le complément d'objet direct désigne une chose. Comme *saisine*, ce vocable est utilisé dans le contexte de la *fine amor*.

sentir : du latin *sentire* (« percevoir par les sens ou par l'intelligence »), le verbe offre les acceptions suivantes : 1. « percevoir une impression par la vue, l'ouïe ou l'odorat » ; 2. « avoir des relations charnelles avec autrui », « étreindre charnellement », « jouir sexuellement » ; 3. « examiner », « ausculter » ; 4. « ressentir », « éprouver un sentiment ».

solacier : dérivé de *solaz*, ce verbe a trois valeurs principales : 1. « consoler », « soulager » ; 2. « réjouir », « amuser » ;

3. dans le domaine érotique : « caresser », « prendre du plaisir ».

solaz/soulas : provenant du latin *solacium* (« soulagement », « adoucissement »), ce substantif conserve sa valeur étymologique de « consolation », « réconfort » avant d'acquérir plusieurs acceptions relevant du vocabulaire de la joie : « gaieté », « réjouissance », « plaisir de l'acte sexuel », puis « divertissement », « distraction » et en particulier celle procurée par l'agréable compagnie féminine.

sorplus/surplus : composé du préfixe *sor/sur-* et de l'adverbe *plus*, ce terme définit : 1. « ce qui est en plus », l'« excédent » ; 2. le « reste » ; 3. par euphémisme : les « relations charnelles ».

talent : du latin *talentum* (« poids qui fait pencher la balance, d'où décision qui emporte la volonté »), le substantif signifie : 1. « disposition d'esprit », « humeur », « caractère » ; 2. « inclination », « envie », « désir », « volonté », d'où *a son talent* (« à son gré »), *avoir talent de* (« désirer », « souhaiter ») ; 3. « avis », « pensée ».

travail : déverbal de *travailler*, ce terme offre divers sens : 1. « torture », « souffrance », « tourment » de l'amant malheureux ; 2. « peine », « effort » ; 3. « fatigue », « épuisement » ; 4. « labeur », « activité productive ».

travailler : provenant du latin populaire **tripaliare*, formé sur *tripalium* (« instrument de torture à trois pieux »), ce verbe subit un affaiblissement sémantique, quel que soit son emploi : 1. transitif : « torturer », « tourmenter » ; puis : « fatiguer » ; 2. intransitif : « souffrir » ; « enfanter » ; « chevaucher », « voyager » ; 3. pronominal : « se tourmenter » ; puis : « s'efforcer de », « s'acharner ».

RÉPERTOIRE DES AUTEURS

Alain Chartier

Né à Bayeux vers 1385, Alain Chartier, secrétaire du dauphin puis du roi Charles VII, est chargé de plusieurs missions diplomatiques en Europe ; ordonné prêtre en 1426, chanoine à Tours et curé de Saint-Lambert-des-Levées, il meurt en Avignon en 1430. Outre ses œuvres en latin, il compose notamment un texte satirique et politique en prose, *Le Quadrilogue invectif*, et *Le Livre de l'espérance*, où il évoque sa révolte devant les malheurs de son pays déchiré par la guerre et son désir de fonder la politique sur la morale. Ses écrits poétiques, ballades, rondeaux et dits relèvent de la littérature courtoise, même s'il dénonce les conventions et les leurres de cette idéologie, comme dans *La Belle Dame sans mercy*, où un débat oppose un amant-martyr à une dame indifférente.

André Le Chapelain

Ce clerc, qui a vécu dans la seconde moitié du XIIᵉ siècle et au début du XIIIᵉ siècle, a fréquenté soit la cour royale auprès d'Aliénor d'Aquitaine, soit la cour de Champagne auprès de Marie de France. Il est l'auteur d'un traité latin intitulé *De Amore* ou *De Arte honeste amandi*, inspiré de *L'Art d'aimer* et des *Remèdes à l'amour* d'Ovide. Si les deux premiers livres fixent les règles et les principes de l'amour courtois, le troisième, d'inspiration misogyne, recommande de s'abstenir d'aimer.

Antoine de la Sale

Appartenant à la petite noblesse gasconne, Antoine de la Sale, né dans la région d'Arles vers 1385, entre au service des ducs d'Anjou et devient le précepteur de Jean de Calabre, le fils aîné de René d'Anjou, pour lequel il écrit *La Salade*, un ouvrage didactique. C'est à la cour de Louis de Luxembourg qu'il rédige vers 1456-1457 *Jehan de Saintré*, un roman d'apprentissage et une histoire d'amour, où il brosse un tableau ironique d'une société aristocratique, fidèle à un idéal désuet, fondé sur la courtoisie et la prouesse, et incapable d'évoluer vers plus de réalisme.

Bernard de Ventadour

Ce poète limousin du XIIe siècle est souvent considéré comme le plus grand des troubadours. D'origine humble, il est né au château du vicomte de Ventadour (en Corrèze), Ebles II, dit « le chanteur ». Il se serait épris de Marguerite de Turenne, la femme d'Ebles III, qui l'aurait chassé de Ventadour. Il aurait suivi Aliénor d'Aquitaine en Angleterre avant de se retirer à la cour de Raymond V, comte de Toulouse. Sa production littéraire comprend une quarantaine de chansons sur la *fin'amors* dont les lieux communs sont régénérés par un ton mélancolique émouvant et par la sincérité des sentiments exprimés.

Béroul

Poète d'origine normande, Béroul compose vers 1180 un roman qui se rattache à la « version dite commune » de la légende archaïque de Tristan et Yseut, et dont il ne reste plus qu'un fragment de 4 485 vers. Les deux amants, pris en flagrant délit (épisode de la fleur de farine répandue par le nain Frocin), parviennent à se réfugier dans la forêt du Morois où ils mènent une vie rude. Au bout de trois ans, l'affaiblissement du pouvoir du philtre les incite à réintégrer la vie sociale et transforme leur amour « contraint et subi » en un amour « volontaire et construit ».

Charles d'Orléans

Né le 14 novembre 1394 et mort le 4 janvier 1465, Charles d'Orléans est le fils du duc Louis d'Orléans et donc le neveu du roi Charles VI. En lutte contre les Bourguignons, il est fait prisonnier à la bataille d'Azincourt (1415) et reste en captivité en Angleterre pendant vingt-cinq années. De retour en France, il épouse Marie de Clèves dont il aura trois enfants, parmi lesquels le futur roi Louis XII. Sa poésie (ballades, chansons, rondeaux et complaintes), raffinée, parfois précieuse, marquée par la nostalgie et la mélancolie, renouvelle la tradition courtoise par la confrontation d'une fine sensibilité et de la vie quotidienne.

Châtelain de Coucy

Le chevalier Guy de Thourotte a vécu dans la seconde moitié du XIIe siècle. Châtelain, autrement dit gouverneur du château de Coucy (dans l'Oise), il participe à la troisième et à la quatrième croisade au cours de laquelle il meurt en 1203. On attribue à ce trouvère lyrique une quinzaine de chansons d'amour d'une grâce tendre et mélancolique, non dépourvue d'ingénuité et d'une sincérité apparente. Il devient le héros légendaire du *Roman du châtelain de Coucy et de la dame de Fayel*.

Chrétien de Troyes

Cet auteur champenois du XIIe siècle est considéré comme le plus grand romancier du Moyen Âge. Son activité littéraire s'est exercée à la cour de Marie de Champagne puis à celle de Philippe d'Alsace, comte de Flandre, entre 1160 et 1185. Outre deux chansons courtoises, il a composé plusieurs adaptations en français (hélas disparues) d'ouvrages d'Ovide, telles que *L'Art d'amors*, et un récit (perdu lui aussi), *Del roi Marc et d'Ysalt la Blonde*. S'il a dépeint la *fine amor* qui unit Lancelot et la reine Guenièvre dans *Le Chevalier de la charrette* et s'il a conçu une réplique au *Tristan* avec *Cligès*, il préconise plutôt l'amour conjugal dans *Érec et Énide* et *Le Chevalier au lion*, avant de suggérer dans son dernier roman, *Le Conte du graal*, que l'amour courtois est la « porte étroite » qui permet d'accéder à l'amour divin.

Conon de Béthune

Né vers le milieu du XIIe siècle dans une noble famille artésienne, Conon de Béthune est à la fois un homme de guerre et un trouvère lyrique. « *Bons chevaliers et sages [...] et bien parlanz* », selon Geoffroy de Villehardouin, il participe à la troisième croisade mais joue surtout un rôle prépondérant lors de la quatrième dans les opérations militaires et les négociations. Sénéchal puis régent du royaume franc, il meurt le 17 décembre 1219. En tant que poète, il a fréquenté la cour de Marie de Champagne et a exercé son activité littéraire vers 1180. On lui attribue une dizaine de chansons courtoises d'amour et de croisade, d'un ton assez mordant et ironique.

Gace Brulé

Chevalier champenois de petite noblesse, né vers 1159 et mort après 1212, le trouvère lyrique le plus célèbre de son époque bénéficie de la protection de Marie, comtesse de Champagne, et de son demi-frère, Geoffroy Plantagenêt, comte de Bretagne. Il est l'auteur d'environ soixante-dix chansons. Chantre de la *fine amor*, il se complaît dans sa mélancolie et se présente volontiers comme un soupirant timide et pensif, un martyr de l'Amour tyrannique, oscillant constamment entre joie et tristesse, espoir et désespoir.

Guillaume de Lorris

Guillaume de Lorris (en Gâtinais) a écrit *Le Roman de la rose* (un peu plus de 4 000 vers) entre 1225 et 1230. Pour l'analyse des sentiments amoureux, il recourt à l'allégorie qu'il adapte au domaine profane et courtois. Manuel d'éducation du *fin amant*, récit d'une quête amoureuse et art d'aimer, le roman demeure apparemment inachevé, à moins que l'auteur ne veuille suggérer ainsi que seul l'inassouvissement du désir est source de création.

Guillaume de Machaut

Né sans doute aux environs de 1300 dans la ville de Machaut en Champagne, ce clerc lettré entre au service de Jean de Luxembourg, roi de Bohême, comme aumônier puis secrétaire. Chanoine de Notre-Dame de Reims en 1337, il sert ensuite, tour à tour, Bonne, la fille de Jean de Luxembourg, Charles, roi de Navarre, et le duc de Berry auquel il dédie *La Fontaine amoureuse*. Il meurt en avril 1377. Il est le dernier écrivain lyrique à avoir associé la poésie et la musique. Son œuvre comprend non seulement quelque 400 pièces lyriques (235 ballades, 76 rondeaux, 39 virelais, 24 lais, 10 complaintes et 7 chansons royales), la plupart d'inspiration courtoise, mais aussi des textes narratifs en octosyllabes, appelés *dits* tels que le *Dit dou vergier*, qui puise dans la tradition du *Roman de la rose* de Guillaume de Lorris, *Le Remede de fortune,* le *Dit dou Lyon*, le *Dit de l'Alerion ou des quatre oiseaux*. Le *Voir dit* constitue son chef-d'œuvre : ce récit autobiographique de 9 009 vers, dans lequel s'insèrent soixante pièces lyriques et quarante-six lettres en prose, relate l'histoire d'amour entre le poète vieillissant et une jeune admiratrice. Art d'aimer et d'écrire, ce texte est surtout un hymne à la poésie, la « Toute Belle », le seul vrai objet d'amour de Guillaume de Machaut.

Jakemés

L'acrostiche de l'épilogue du *Roman du châtelain de Coucy et de la dame de Fayel* (fin du XIIIᵉ siècle), récit rattaché à la légende du cœur mangé, en attribue la composition à un certain Jakemés, inconnu par ailleurs. Il serait originaire du nord de la France, peut-être du Hainaut. À l'instar de Jean Renart dans son *Roman de la rose ou de Guillaume de Dole*, Jakemés insère dans la narration sept poèmes : cinq du châtelain de Coucy, une chanson de Gace Brulé et un virelai qu'il a sans doute composé lui-même.

Jaufré Rudel

Ce troubadour du XIIᵉ siècle dont l'activité poétique se situe entre 1130 et 1170 est qualifié de « Prince de Blaye » (en

Gironde) par la *Vida* qui lui est consacrée. Il part pour la deuxième croisade en 1147 en compagnie de Louis VII et n'en est probablement pas revenu. Son amour lointain (*amor de lonh*) pour la comtesse de Tripoli est sans doute légendaire mais il définit bien le caractère inaccessible et douloureux de la *fin'amors*.

Jean de Meun

Clerc de la seconde moitié du XIIIe siècle, Jean de Meun (dans le Loiret) a écrit notamment un *Testament* et un *Codicille*, des traductions d'œuvres latines comme *Le Livre de chevalerie* de Végèce et *La Consolation de philosophie* de Boèce. Il a surtout composé, entre 1270 et 1275, une longue continuation de près de 18 000 vers du *Roman de la rose* de Guillaume de Lorris. Il y remet en cause la vision idéalisée de l'amour courtois que proposait son devancier et y prône un amour libéré des conventions et tourné vers la procréation.

Jean Renart

Jean Renart, qui a composé, au début du XIIIe siècle, deux romans, *L'Escoufle* et *Le Roman de la rose ou de Guillaume de Dole*, d'inspiration à la fois courtoise et réaliste, ainsi que *Le Lai de l'ombre*, pourrait être le pseudonyme d'Hugues II de Pierrepont, premier prince-évêque de la principauté de Liège qui régna de 1200 à 1229. Son souci de vérité et l'insertion dans le récit d'une laisse épique et de 46 pièces lyriques (rondets de carole, chansons de toile, pastourelles et seize chansons courtoises dont trois provençales) font de lui l'un des romanciers les plus novateurs du Moyen Âge.

Marie de France

Auteur du XIIe siècle, Marie de France a sans doute vécu en Grande-Bretagne, à la cour royale d'Henri II Plantagenêt et d'Aliénor d'Aquitaine. Outre un recueil de fables françaises, surtout animalières, un récit didactique, *L'Espurgatoire saint Patrice*, et une traduction du *Tractatus de Purgatorio sancti*

Patricii d'Henri de Saltrey, elle a composé entre 1160 et 1170 douze *Lais*, des contes en octosyllabes relatant des histoires d'amour réciproque mais contrarié. Prenant ses distances avec les idéologies féodale, religieuse et courtoise de son époque, la poétesse prône un amour naturel, victorieux des préjugés, de la séparation, de la fuite du temps et de la mort.

Philippe de Rémy

Né vers 1205 et mort vers 1265, Philippe de Rémy (dans le Beauvaisis) a été bailli du Gâtinais pour Robert d'Artois, le frère de Louis IX. Son œuvre littéraire est variée : entre 1230 et 1240, il a composé deux romans, *La Manekine* et *Jehan et Blonde* ; il est aussi l'auteur de plusieurs poèmes courtois (*Li Salus d'Amours*, *Le Conte d'Amour*, *Le Lai d'Amour*), de onze chansons, d'un fabliau (*Le Conte de fole larguece*), des *Oiseuses* et des *Fatrasies* qui relèvent de la poésie du non-sens.

Robert d'Orbigny

Clerc tourangeau, Robert d'Orbigny (commune d'Indre-et-Loire) est l'auteur présumé du *Conte de Floire et Blanchefleur*, type du roman idyllique narrant l'histoire de deux enfants qui, épris l'un de l'autre, éduqués ensemble, puis cruellement séparés, finissent par se retrouver et se marier.

Thibaut de Champagne

Né en 1201, mort en 1253 à Pampelune, Thibaut IV de Champagne, petit-fils de Marie de Champagne, passe une partie de son enfance à la cour du souverain Philippe Auguste. Allié tantôt au pouvoir royal, tantôt aux grands feudataires, il devient roi de Navarre en 1234. Il dirige en 1239 une croisade en Terre sainte qui est un échec. S'il se révèle un prince versatile, il est un trouvère très estimé. On lui attribue plus de 70 pièces lyriques : chansons d'amour, pastourelles, jeux-partis, débats, chansons de croisade et chansons en l'honneur de la Vierge. Sa poésie, délicate et ingénieuse, réussit à rénover les clichés de la *fine amor* par un ton humoristique, voire malicieux.

Thomas

Thomas est probablement un clerc vivant en Angleterre, à la
cour d'Henri II Plantagenêt. Il compose, vers 1172-1176, une
version de Tristan et Yseut dite « courtoise » ou « lyrique ». De
son roman, il ne reste plus que six fragments représentant un
peu plus de 3 000 vers, dont la relation du mariage de Tristan
avec Yseut aux Blanches Mains et le récit de la mort des
amants. Thomas transforme quelque peu la légende, déplaçant
l'action de Cornouailles en Angleterre, à une époque postérieure au règne d'Arthur, et faisant du philtre, dont la durée est
désormais illimitée, non plus la cause de la passion fatale mais
son emblème. Le romancier intègre aussi le mythe dans le cadre
de la *fine amor* pour mieux dénoncer les dangers du désir
d'amour qui ne peut conduire qu'à la mort.

CHRONOLOGIE

1095 : appel du pape Urbain II ; *Panormia* d'Yves de Chartres.

1096-1099 : première croisade.

1096-1132 : Vézelay, église de la Madeleine.

vers 1097 : tapisserie de Bayeux.

1099 : prise de Jérusalem par les croisés.

vers 1100 : *La Chanson de Roland*.

1100-1127 : chansons de Guilhem IX de Poitiers.

1108-1137 : règne de Louis VI le Gros.

1118-1122 : Héloïse et Abélard.

1130-1170 : activité poétique de Jaufré Rudel.

1132-1144 : reconstruction de Saint-Denis par Suger ; début du gothique.

1137-1180 : règne de Louis VII le Jeune, qui épouse en 1137 Aliénor d'Aquitaine.

1138 : *Historia regum Britanniae* de Geoffroy de Monmouth.

1145 : saint Bernard prêche la deuxième croisade à Vézelay.

1147-1149 : deuxième croisade.

1147-1170 : activité poétique de Bernard de Ventadour.

1148 : échec de la deuxième croisade devant Damas.

1150 : *Le Roman de Thèbes* ; *Le Conte de Floire et Blanchefleur* de Robert d'Orbigny.

1150-1180 : activité poétique de Peire d'Alvernhe.

1150-1200 : *Aiol*.

1152 : Aliénor d'Aquitaine, répudiée par Louis VII, épouse Henri Plantagenêt.

1154-1189 : Henri II, roi d'Angleterre.

1155 : *Le Roman de Brut* de Wace.

1155-1158 : *Sentences* de Pierre Lombard.

1160 : *Le Roman d'Énéas*.

1160-1170 : *Lais* de Marie de France.

1163-1268 : construction de Notre-Dame de Paris.

1165-1181 : *Éracle* de Gautier d'Arras ; chansons courtoises de Chrétien de Troyes.

1170 : *Érec et Énide* de Chrétien de Troyes ; *Ille et Galeron* de Gautier d'Arras.

1170-1203 : chansons du châtelain de Coucy.

1172-1176 : *Le Roman de Tristan* de Thomas.

1174-1177 : branches les plus anciennes du *Roman de Renart* (II, Va, III, IV, V, I, XIV, XV).

1176 : *Cligès* de Chrétien de Troyes ; *Ipomédon* de Hue de Rotelande.

1177-1181 : *Le Chevalier de la charrette* et *Le Chevalier au lion* de Chrétien de Troyes.

1179-1212 : activité poétique de Gace Brulé.

vers 1180 : *Le Roman de Tristan* de Béroul.

1180-1190 : *Jaufré*.

1180-1223 : règne de Philippe II Auguste.

1182-1183 : *Perceval ou le Conte du graal* de Chrétien de Troyes.

1182-1185 : *Partonopeu de Blois*.

vers 1185 : *De Amore* d'André Le Chapelain.

1187 : Saladin reprend Jérusalem.

1188 : *Florimont* d'Aimon de Varennes.

1189-1199 : Richard Ier Cœur de Lion, roi d'Angleterre.

vers 1190 : *Fierabras* ; les *Folies Tristan* d'Oxford et de Berne ; branches Ia et Ib du *Roman de Renart* ; *Guingamor*.

1190-1192 : troisième croisade.

1190-1220 : *Amadas et Ydoine*.

1190-1235 : chansons de Gautier de Dargies.

1191 : les croisés s'emparent de Saint-Jean-d'Acre.

Fin XIIe siècle-début XIIIe siècle : *La Prise d'Orange* ; *Guillaume d'Angleterre* ; *Aucassin et Nicolette* ; *Le Bel Inconnu* de Renaut de Beaujeu ; *Le Siège de Barbastre*.

vers 1200 : *Les Enfances Guillaume* ; *L'Escoufle* et *Le Lai de l'ombre* de Jean Renart ; *Le Roman de Gliglois* ; *Le Chevalier à l'épée* ; *La Vengeance Raguidel* de Raoul de Houdenc.

XIIIe siècle : *Aloul* ; *Le Chevalier qui fit sa femme confesse* ; *Le Moine sacristain* ; *La Demoiselle qui ne pouvait entendre parler de foutre* ; *La Dame qui aveine demandoit pour Morel sa provende avoir* ; *Connebert* de Gautier le Leu.

1200-1210 : *Merlin en prose* de Robert de Boron ; *Le Haut Livre du Graal* (?) ; *Bestiaire* de Pierre de Beauvais.

1200-1211 : *Bestiaire divin* de Guillaume le Clerc de Normandie.

1200-1250 : *Las Novas del papagay* d'Arnaut de Carcassès ; *De Boivin de Provins* de Boivin.

1202-1204 : quatrième croisade.

1204 : seconde prise de Constantinople par les croisés ; fondation de l'empire romain de Constantinople.

1208-1210 : *Le Roman de la rose ou de Guillaume de Dole* de Jean Renart.

1209 : début de la croisade contre les Albigeois.

1214 : bataille de Bouvines.

1215 : IVe concile de Latran : le mariage y est reconnu comme l'un des sept sacrements.

1215-1220 : *Lancelot en prose* ; *Galeran de Bretagne* de Renaut.

1218-1222 : cinquième croisade.

vers 1220 : *Guillaume de Palerme.*

1221 : *Blancandin et l'Orgueilleuse d'amour.*

1223-1226 : règne de Louis VIII le Lion.

1225-1230 : *La Quête du Saint Graal* ; *La Mort du roi Arthur* ; *Le Roman de la rose* de Guillaume de Lorris ; chansons de Thibaut IV de Champagne.

1225-1250 : *Bestiaire d'amour* de Richard de Fournival.

1226-1270 : règne de Louis IX (futur saint Louis).

1228 : sixième croisade.

1230-1240 : *Le Haut Livre du Graal* (?) ; le *Tristan en prose* ; *Jehan et Blonde* de Philippe de Rémy.

1235-1240 : *Le Tournoiement de l'Antéchrist* de Huon de Méry ; *La Suite du Roman de Merlin.*

1235-1245 : *Les Premiers Faits du roi Arthur.*

1235-1259 : poésies de Jehan Erart.

1239 : échec de la sixième croisade.

1243 : début de la construction de la Sainte-Chapelle.

1243-1255 : poésies de Raoul de Soissons.

1245-1272 : activité poétique de Jean Bretel.

1248-1254 : septième croisade.

vers 1250 : *Durmart le Gallois.*

1250-1300 : *La Vida de Jaufré Rudel.*

1255 : *La Légende dorée* de Jacques de Voragine.

1257 : Robert de Sorbon fonde la Sorbonne à Paris.

vers 1260 : *La Dame qui fit trois fois le tour de l'église* de Rutebeuf.

1260-1290 : poésies de Jacques de Cambrai.

1261 : fin de l'empire latin de Constantinople.

1265-1280 : *Sone de Nansay.*

1270 : Louis IX meurt à Tunis lors de la huitième et dernière croisade. *Le Roman de la rose* de Jean de Meun ; *Claris et Laris.*

Après 1270 : *Floriant et Florette.*

1270-1285 : règne de Philippe III le Hardi.

1275-début du XIVe siècle : sottes chansons.

1276 : *Le Jeu de la feuillée* d'Adam de la Halle.

vers 1280 : *Flamenca* ; *Joufroi de Poitiers.*

1285 : *La Châtelaine de Vergy* ; *Le Tournoi de Chauvency* de Jacques Bretel.

1285-1314 : règne de Philippe IV le Bel.

1290 : *Le Roman du châtelain de Coucy et de la dame de Fayel* de Jakemés.

1291 : chute de Saint-Jean-d'Acre et fin de la Syrie franque.

1298-1301 : *Le Livre des merveilles* de Marco Polo.

Fin du XIIIe siècle : *Le Vair palefroi* d'Huon le Roi ; *Du prêtre et d'Alison* de Guillaume le Normand.

1300-1330 : *Le Lai du blanc chevalier* de Jean de Condé.

1305-1309 : *Vie de saint Louis* de Joinville.

1307-1321 : *La Divine Comédie* de Dante Alighieri.

1308-1314 : procès et condamnation des Templiers.

1309 : la papauté s'installe en Avignon.

1314-1316 : règne de Louis X le Hutin.

1315-1317 : grande famine en Occident.

1316-1322 : règne de Philippe V le Long.

1322-1328 : règne de Charles IV le Bel.

1328-1350 : règne de Philippe VI de Valois.

1337 : début de la guerre de Cent Ans.

1346 : bataille de Crécy.

1348-1349 : la Peste noire en Europe.

vers 1350 : *Le Roman de la Dame à la licorne et du Beau Chevalier au lion.*

1350-1364 : règne de Jean II le Bon.

1351 : *Le Décaméron* de Boccace.

1356-1377 : poésies lyriques de Guillaume de Machaut.

1364-1380 : règne de Charles V le Sage.

1364 ou 1365 : *Le Livre du voir dit* de Guillaume de Machaut.

1365-1380 : *Méliador* de Jean Froissart.

1380-1422 : règne de Charles VI le Bien-Aimé.

1392 : *Mélusine* de Jean d'Arras.

1400 : *Le Dit de Poissy* et *Le Livre des trois jugemens* de Christine de Pizan ; *Les Quinze Joies de mariage.*

1400-1450 : *Le Conte du papegau.*

1401-1402 : querelle du *Roman de la rose.*

1405 : *Le Livre des trois vertus* de Christine de Pizan.

1415 : bataille d'Azincourt ; captivité de Charles d'Orléans.

1422-1461 : règne de Charles VII le Victorieux.

1424 : *La Belle Dame sans mercy* d'Alain Chartier.

1425 : *Le Débat des deux fortunés d'amours* d'Alain Chartier.

1431 : procès et condamnation de Jeanne d'Arc.

1455 : début de la guerre des Deux-Roses en Grande-Bretagne ; Gutenberg imprime la Bible.

1456 : *Jehan de Saintré* d'Antoine de la Sale ; *Le Lais* de François Villon.

1457 : *Le Cœur d'amour épris* de René d'Anjou.

1461-1462 : *Le Testament* de François Villon.

1461-1483 : règne de Louis XI.

1465 : *Les Cent Nouvelles nouvelles.*

1475 : fin de la guerre de Cent Ans.

1483-1498 : règne de Charles VIII l'Affable.

1489-1498 : *Mémoires* de Philippe de Commynes.

1492 : découverte de l'Amérique par Christophe Colomb.

BIBLIOGRAPHIE LINGUISTIQUE

ANDRIEUX-REIX, Nelly, *Ancien français. Fiches de vocabulaire*, PUF, 1987 ; rééd. 2011.

BAUMGARTNER, Emmanuèle, et MÉNARD, Philippe, *Dictionnaire étymologique et historique de la langue française*, Le Livre de Poche, « La Pochothèque », 1996.

BELLON, Roger, et QUEFFÉLEC, Ambroise, *Linguistique médiévale : l'épreuve d'ancien français aux concours*, A. Colin, 1995.

BERTRAND, Olivier, et MENEGALDO, Silvère, *Vocabulaire d'ancien français : fiches à l'usage des concours*, A. Colin, 2006 ; rééd. 2016.

BLOCH, Oscar, et WARTBURG, Walther VON, *Dictionnaire étymologique de la langue française*, PUF, 1968 ; rééd. 2008.

BURIDANT, Claude, *Grammaire nouvelle de l'ancien français*, SEDES, 2001.

Dictionnaire électronique de Chrétien de Troyes (*DÉCT*), Collaboration université d'Ottawa, Atilf, CNRS et université de Lorraine (http://www.atilf.fr/dect).

DUBUIS, Roger, *Lexique des Cent Nouvelles nouvelles*, Klincksieck, 1996.

FOULET, Lucien, *The Continuations of the Old French « Perceval » of Chretien de Troyes*, vol. 3, partie 2, *Glossary of the First Continuation*, Philadelphie, The American Philosophical Society, 1955.

GODEFROY, Frédéric, *Dictionnaire de l'ancienne langue française et de tous ses dialectes du IXe au XVe siècle*, Vieweg,

1891-1902, 10 vol. ; rééd. Genève/Paris, Slatkine Reprints, 1982.

GOUGENHEIM, Georges, *Les Mots français dans l'histoire et dans la vie*, A. Picard, 1968-1975, 3 vol.

GUILLOT, Roland, *L'Épreuve d'ancien français aux concours. Fiches de vocabulaire*, Honoré Champion, 2008.

HÉLIX, Laurence, *L'Épreuve de vocabulaire d'ancien français : fiches de sémantique*, Éditions du Temps, 1999.

LACHET, Claude, *Sone de Nansay* (éd.), Honoré Champion, 2014 (glossaire p. 927-983).

LALANDE, Denis, *Lexique des chroniqueurs français (XIVe siècle-début du XVe siècle)*, Klincksieck, 1995.

MATORÉ, Georges, *Le Vocabulaire et la société médiévale*, PUF, 1985.

MÉNARD, Philippe, *Syntaxe de l'ancien français*, 4e éd. revue, corrigée et augmentée, Bordeaux, Bière, 1994.

REY, Alain, *Dictionnaire historique de la langue française*, Le Robert, 1992, 2 vol.

ROUSSINEAU, Gilles (éd.), *La Suite du Roman de Merlin*, Genève, Droz, 2006 (glossaire p. 707-804).

TOBLER, Adolf, et LOMMATZSCH, Erhard, *Altfranzösisches Wörterbuch*, Tübingen-Wiesbaden, F. Steiner, 1925-2002, 10 vol.

WAGNER, Robert-Léon, *Les Vocabulaires français*, Didier, 1967, 2 vol.

WARTBURG, Walther VON, *Französisches etymologisches Wörterbuch :* eine Darstellung des galloromanischen Sprachschatzes, Tübingen/Bâle, Zbinden, 1922-1978, 25 vol.

BIBLIOGRAPHIE SÉLECTIVE
SUR L'AMOUR COURTOIS

ACCARIE, Maurice, *Théâtre, littérature et société au Moyen Âge*, Nice, Serre, 2004.

Amours plurielles : doctrines médiévales du rapport amoureux de Bernard de Clairvaux à Bocacce, éd. bilingue latin/italien-français, présentation et commentaires par Ruedi Imbach et Iñigo Atucha, Seuil, « Points/Essais », 2006.

BALADIER, Charles, *Érôs au Moyen Âge : amour, désir et « delectatio morosa »*, Éditions du Cerf, 1999.

–, *Aventure et discours dans l'amour courtois*, Hermann, 2010.

BALDWIN, John W., *Les Langages de l'amour dans la France de Philippe Auguste : la sexualité dans la France du Nord au tournant du XIIᵉ siècle*, Fayard, 1997.

BEZZOLA, Reto R., *Les Origines et la formation de la littérature courtoise en Occident (500-1200)*, Honoré Champion, 1944-1967, 5 vol.

–, *Le Sens de l'aventure et de l'amour : Chrétien de Troyes*, Honoré Champion, 1968.

BURGESS, Glyn-Sheridan, *Contribution à l'étude du vocabulaire pré-courtois*, Genève, Droz, 1970.

CAMILLE, Michael, *L'Art de l'amour au Moyen Âge. Objets et sujets du désir*, Cologne, Könemann, 2000 (titre original : *The Medieval Art of Love. Objects and Subjects of Desire*, Londres, 1998).

CARRÉ, Yannick, *Le Baiser sur la bouche au Moyen Âge : rites, symboles, mentalités à travers les textes et les images, XIᵉ-XVᵉ siècles*, Le Léopard d'or, 1993.

CHÊNERIE, Marie-Luce, *Le Chevalier errant dans les romans arthuriens en vers des XIIᵉ et XIIIᵉ siècles*, Genève, Droz, 1986.

COLIN-GOGUEL, Florence, *L'Image de l'amour charnel au Moyen Âge*, Seuil, 2008.

CORBELLARI, Alain, « Retour sur l'amour courtois », *Cahier de recherches médiévales*, vol. 17, 2009, p. 375-385.

DE LA CROIX, Arnaud, *L'Érotisme au Moyen Âge : le corps, le désir et l'amour*, Tallandier, 2009 ; rééd. 2013.

Le Désir : or se cante, or se conte, études réunies par Francis Dubost, Marcel Faure et Francis Gingras, *Revue des langues romanes*, vol. 118, n° 2, 2014.

DOUDET, Estelle, *L'Amour courtois et la chevalerie, des troubadours à Chrétien de Troyes* (anthologie), Éditions J'ai lu, « Librio », 2004.

DRAGONETTI, Roger, *La Technique poétique des trouvères dans la chanson courtoise : contribution à l'étude de la rhétorique médiévale*, Bruges, De Tempel, 1960 ; rééd. Genève, Slatkine Reprints, 1979.

–, *La Musique et les Lettres : études de littérature médiévale*, Genève, Droz, 1986.

DUBY, Georges, *Le Chevalier, la femme et le prêtre : le mariage dans la France féodale*, Hachette, 1981 ; rééd. Hachette, « Pluriel », 2012.

–, *Mâle Moyen Âge : de l'amour et autres essais*, Flammarion, « Nouvelle bibliothèque scientifique », 1987 ; rééd. Flammarion, « Champs », 2009.

–, « Le modèle courtois », in *Histoire des femmes en Occident*, Georges Duby et Michelle Perrot (dirs), t. II, *Le Moyen Âge*, Christiane Klapisch-Zuber (dir.), Plon, 1991, p. 261-276 ; rééd. 1997.

FRAPPIER, Jean, *Amour courtois et Table ronde*, Genève, Droz, 1973.

GALLY, Michèle, *L'Intelligence de l'amour d'Ovide à Dante : arts d'aimer et poésie au Moyen Âge*, CNRS Éditions, 2005.

GINGRAS, Francis, *Érotisme et merveilles dans le récit français des XIIᵉ et XIIIᵉ siècles*, Honoré Champion, 2002.

HARF-LANCNER, Laurence, *Les Fées au Moyen Âge. Morgane et Mélusine : la naissance des fées*, Honoré Champion, 1984.

–, *Le Monde des fées dans l'Occident médiéval*, Hachette littératures, 2003.

HUCHET, Jean-Charles, *L'Amour discourtois : la fin'amors chez les premiers troubadours*, Toulouse, Privat, 1987.

LACHET, Claude, *Sone de Nansay et le roman d'aventures en vers au XIIIᵉ siècle*, Honoré Champion, 1992, p. 268-368.

–, *Dieu, amour et chevalerie*, Villeurbanne, Aprime Éditions, 2008.

LAFITTE-HOUSSAT, Jacques, *Troubadours et cours d'amour*, PUF, 1950 ; rééd. 1979.

LAVIS, Georges, *L'Expression de l'affectivité dans la poésie lyrique française du Moyen Âge (XIIᵉ-XIIIᵉ siècles). Étude sémantique et stylistique du réseau lexical « joie-dolor »*, Les Belles Lettres, 1972.

LAZAR, Moshé, *Amour courtois et « fin'amors » dans la littérature du XIIᵉ siècle*, Klincksieck, 1964.

LOT-BORODINE, Myrrha, *La Femme et l'amour au XIIᵉ siècle d'après les poèmes de Chrétien de Troyes*, A. Picard, 1909 ; rééd. Slatkine Reprints, 2011.

–, *Le Roman idyllique au Moyen Âge*, A. Picard, 1913.

–, *De l'amour profane à l'amour sacré, études de psychologie sentimentale au Moyen Âge*, Nizet, 1961.

LOUISON, Lydie, *De Jean Renart à Jean Maillart : les romans de style gothique*, Honoré Champion, 2004, p. 798-848.

MACHABEY-BESANCENEY, Claude, *Le « Martyre d'amour » dans les romans en vers de la seconde moitié du XIIᵉ à la fin du XIIIᵉ siècle*, Honoré Champion, 2012.

MARCHELLO-NIZIA, Christiane, « Amour courtois, société masculine et figures du pouvoir », *Annales économies, sociétés, civilisations*, vol. 36, n° 6, 1981, p. 969-982.

MARKALE, Jean, *L'Amour courtois ou le Couple infernal*, Imago, 1987.

MAROL, Jean-Claude, *La Fin'amor. Chants de troubadours XIIᵉ-XIIIᵉ siècles*, Seuil, 1998.

MARTY-DUFAUT, Josy, *L'Amour au Moyen Âge, de l'amour courtois aux jeux licencieux*, Marseille, Autres Temps, 2002.

MÉLA, Charles, *Variations sur l'amour et le Graal*, Genève, Droz, 2012.

MÉNARD, Philippe, *Le Rire et le sourire dans le roman courtois en France au Moyen Âge (1150-1250)*, Genève, Droz, 1969.

–, « La déclaration amoureuse dans la littérature arthurienne au XIIe siècle », *Cahiers de civilisation médiévale*, t. XIII, n° 49, 1970, p. 33-42.

–, *Les Lais de Marie de France : contes d'amour et d'aventure au Moyen Âge*, PUF, 1979, p. 100-150 ; rééd. 1995.

–, *Les Fabliaux, contes à rire du Moyen Âge*, PUF, 1983.

MICHA, Alexandre, « Le mari jaloux dans la littérature romanesque des XIIe et XIIIe siècles », *Studi medievali*, t. XVII, n° 2, 1951, p. 303-320 ; repris dans *De la chanson de geste au roman*, Genève, Droz, 1976, p. 447-464.

NELLI, René, *L'Érotique des troubadours*, Toulouse, Privat, 1963 ; rééd. 1984.

PERNOUD, Régine, *La Femme au temps des cathédrales*, Stock, 1980.

PIERREVILLE, Corinne, *Gautier d'Arras, l'autre Chrétien*, Honoré Champion, 2001, p. 189-241.

–, « *Claris et Laris* », *somme romanesque du XIIIe siècle*, Honoré Champion, 2008, p. 99-179.

QUÉRUEL, Danielle (dir.), *Amour et chevalerie dans les romans de Chrétien de Troyes*, actes du colloque de Troyes (27-29 mars 1992), Annales littéraires de l'université de Besançon, 1995.

REY-FLAUD, Henri, *La Névrose courtoise*, Navarin, 1983.

RIBÉMONT, Bernard, *Sexe et amour au Moyen Âge*, Klincksieck, 2007.

ROSENBERG, Samuel N., DOSS-QUINBY, Eglal, et GROSSEL, Marie-Geneviève (éds), « *Sottes chansons contre amours* ». *Parodie et burlesque au XIIIe siècle*, Honoré Champion, 2010 ; rééd. 2014.

ROUGEMONT, Denis DE, *L'Amour et l'Occident*, Plon, 1939 ; rééd. 1972.

RYCHNER, Jean, *La Narration des sentiments, des pensées et des discours dans quelques œuvres des XIIe et XIIIe siècles*, Genève, Droz, 1990.

STANESCO, Michel, *D'armes et d'amours. Études de littérature arthurienne*, Orléans, Paradigme, 2002.

STENDHAL, *De l'amour*, édition revue et corrigée, et précédée d'une étude sur les œuvres de Stendhal par Sainte-Beuve, Garnier frères, 1906.

TOURY, Marie-Noëlle, *Mort et fin'amor dans la poésie d'oc et d'oïl aux XIIe et XIIIe siècles*, Honoré Champion, 2001.

VERDON, Jean, *L'Amour au Moyen Âge. La chair, le sexe et le sentiment*, Perrin, 2006.

ZINK, Michel, « Un nouvel art d'aimer », in *L'Art d'aimer au Moyen Âge*, Michel Cazenave, Daniel Poirion et Armand Strubel (éds), Philippe Lebaud, 1997, p. 9-70.

INDEX DES TERMES ÉTUDIÉS

*Quand elle existe, la forme moderne du mot figure entre paren-
thèses. Pour les formes verbales, l'infinitif est précisé. Le chiffre
indique la page où le terme est traité.*

INDEX DES ŒUVRES CITÉES

*Le chiffre indique la page où l'œuvre est citée. En gras sont préci-
sées les pages des extraits choisis. Les références des éditions
utilisées figurent à la première mention de l'œuvre.*

TABLE

III. Les différentes formes
de l'amour courtois................................. 133

IV. Un art d'aimer 183

TABLE   465

Cet ouvrage a été mis en pages par

\<pixellence\>

N° d'édition : L.01EHPN000754.N001
Dépôt légal : septembre 2017
Imprimé en Espagne par Novoprint (Barcelone)